LE TUNNEL
AUX PIGEONS

JOHN le CARRÉ

LE TUNNEL
AUX PIGEONS

Histoires de ma vie

TRADUIT DE L'ANGLAIS (GRANDE-BRETAGNE)
PAR ISABELLE PERRIN

ÉDITIONS DU SEUIL
25, bd Romain-Rolland, Paris XIV

Ce livre est édité par Anne Freyer-Mauthner

Titre original : *The Pigeon Tunnel. Stories from My Life*
Éditeur original : Viking/Penguin Books, Londres
© David Cornwell, 2016
ISBN original : 978-0-241-25755-5

ISBN 978-2-02-132298-9

© Éditions du Seuil, octobre 2016, pour la traduction française

www.seuil.com

Préface

Rares sont mes livres qui, à un stade ou à un autre, n'ont pas porté le titre de travail *Le Tunnel aux pigeons*. L'explication en est très simple. Quand j'étais adolescent, mon père décida un beau jour de m'embarquer avec lui à Monte-Carlo, où il allait souvent jouer. Près du vieux casino se dressait le Sporting Club, au pied duquel un champ de tir gazonné s'étendait jusqu'à la mer. Sous la pelouse couraient de petits tunnels parallèles qui débouchaient en rang d'oignons au ras des flots. Des pigeons élevés en batterie sur le toit du casino y étaient enfournés, avec pour mission de progresser le long des tunnels enténébrés, d'émerger dans le ciel méditerranéen et de servir de cible à des gentlemen-chasseurs repus d'un bon déjeuner qui se trouvaient à l'affût, debout ou couchés, fusil en joue. Les pigeons que ces messieurs rataient ou blessaient seulement faisaient ensuite ce que font tous les pigeons · ils retournaient à leur lieu de naissance sur le toit du casino, où leur cage les attendait.

Pourquoi au juste cette image me hante-t-elle depuis si longtemps ? Je laisse à mon lecteur le soin d'en être juge.

John le Carré, janvier 2016

Introduction

Je suis assis à mon bureau, au sous-sol du petit chalet suisse que j'ai fait construire grâce aux royalties de *L'Espion qui venait du froid* dans un village de montagne situé à une heure trente en train de Berne, la ville où je m'étais réfugié à l'âge de seize ans pour échapper à ma *public school* anglaise et où j'avais entrepris des études supérieures. Le week-end, l'Oberland voyait affluer des hordes d'étudiants des deux sexes, la plupart bernois, venus s'entasser dans des refuges et skier jusqu'à plus soif. Sauf preuve du contraire, nous étions la vertu incarnée : garçons d'un côté, filles de l'autre, fontaine je ne boirai pas de ton eau. Ou, si ce fut le cas, je ne fus pas de ceux qui s'y abreuvèrent.

Mon chalet se trouve en contre-haut du village. De ma fenêtre, j'aperçois au loin les sommets, l'Eiger, le Mönch, la Jungfrau et, beauté insurpassable, le Silberhorn et le Kleines Silberhorn juste en dessous, deux cônes de glace joliment pointus qui se voilent parfois de grisaille sous le doux vent du sud appelé « foehn », pour réapparaître quelques jours plus tard dans toute leur splendeur virginale.

Parmi nos saints patrons, l'incontournable compositeur Mendelssohn (suivez les flèches pour la promenade Mendelssohn), le poète Goethe (même s'il semble ne pas s'être aventuré plus loin que les cascades de la vallée de Lauterbrunnen) et son confrère Byron, qui, lui, arriva jusqu'à la Wengernalp et détesta le paysage au motif que la vue de nos forêts malmenées par les éléments lui « rappelait trop ma famille et moi-même ».

Mais notre saint patron le plus adulé est sans nul doute un certain Ernst Gertsch, qui apporta renommée et fortune à notre village en créant les courses du Lauberhorn en 1930, remportant lui-même l'épreuve du slalom lors de cette première édition. Je fus assez inconscient pour y participer une année, finissant bien sûr bon dernier grâce à une combinaison d'incompétence et de peur bleue. Si j'en crois mes recherches, non content d'être le père des compétitions de ski alpin, Ernst fut celui qui équipa les skis modernes de carres en acier et de patins en acier sous les fixations, ce qui lui vaut notre reconnaissance éternelle.

Nous sommes au mois de mai, ce qui signifie que les quatre saisons défilent en une seule semaine : hier, cinquante centimètres de neige fraîche et pas le moindre skieur pour en profiter ; aujourd'hui, soleil brûlant dans un ciel pur, nouvelle neige presque totalement fondue et fleurs printanières qui reprennent du service ; et ce soir, nuages orageux gris ardoise prêts à envahir la vallée de Lauterbrunnen telle la Grande Armée de Napoléon.

Dans leur sillage, puisque ces derniers jours sa visite nous a été épargnée, le foehn opérera sans doute un retour : exsanguination du ciel, des pâturages et des forêts ; grincements du chalet vacillant ; cheminée crachant des volutes de fumée sur le tapis acheté trop cher à Interlaken lors d'une après-midi pluvieuse par un hiver sans neige en je ne sais plus quelle année ; bruits isolés en provenance de la vallée résonnant comme autant de cris de révolte étouffés ; confinement de tous les oiseaux dans leur nid jusqu'à nouvel ordre (sauf les chocards, qui n'acceptent d'ordres de quiconque). En cas de foehn, ne prenez pas le volant et ne demandez personne en mariage. Si vous avez la migraine ou l'envie subite de tuer votre voisin, soyez rassurés : ce n'est pas la faute de votre gueule de bois, c'est juste le foehn.

Dans mes quatre-vingt-quatre ans d'existence, ce chalet tient une place inversement proportionnelle à sa taille. Bien avant sa construction, je séjournais déjà au village : enfant, j'y skiais sur des skis en frêne ou en hickory, j'utilisais des peaux de phoques pour remonter la pente et des fixations en cuir pour redescendre ;

10

jeune homme, j'y randonnais l'été avec mon mentor, le sage Vivian Green, professeur puis recteur du Lincoln College à Oxford, dont la personnalité me servit de modèle pour créer George Smiley.

Ce n'est pas une coïncidence si Smiley, comme Vivian, adore les Alpes suisses, s'il se ressource comme lui dans ces paysages, et si, comme moi, il nourrit tout au long de sa vie une passion sans mélange pour la culture germanique.

C'est Vivian qui supporta mes jérémiades sur mon père indigne, Ronnie ; Vivian encore qui, lorsque Ronnie essuya une de ses faillites lès plus retentissantes, trouva les fonds requis pour m'envoyer poursuivre mes études jusqu'à leur terme.

J'avais rencontré un jour à Berne le rejeton de la plus vieille famille de propriétaires d'hôtels de tout l'Oberland. Sans son influence ultérieure, je n'aurais jamais obtenu l'autorisation de faire construire mon chalet car, hier comme aujourd'hui, aucun étranger n'a le droit de posséder ne serait-ce qu'un mètre carré de terre communale.

Lors de ce même séjour à Berne, j'accomplis mes tout premiers pas dans le renseignement britannique, fournissant je ne sais quelles informations à je ne sais qui. Il m'arrive souvent ces temps-ci de me demander quel cours aurait pris mon existence si je n'avais pas fui ma *public school*, ou si j'avais fui dans une autre direction. Avec le recul, je constate que tout ce qui s'est ensuite passé dans ma vie découle en droite ligne de cette décision impulsive d'adolescent de quitter l'Angleterre au plus vite et d'embrasser la muse germanique comme une mère adoptive.

Non que j'eusse mal réussi dans cette école, loin de là : capitaine d'équipes sportives, lauréat de récompenses académiques, golden boy en puissance... Et mon coup de tête fut très civilisé. Pas de scène, pas de cris, juste un « Père, vous pouvez me faire ce que vous voudrez, je n'y retournerai pas ». Sans doute rendais-je mon lycée (et l'Angleterre tout entière) responsable de mes malheurs, quand ma véritable motivation était de m'éloigner de mon père à tout prix, ce que je pouvais difficilement lui avouer. Depuis lors, cela va sans dire, j'ai vu mes enfants faire de même, mais avec plus d'élégance et beaucoup moins de pathos.

Rien de tout cela ne répond à la question cruciale : quel cours aurait pris ma vie, autrement ? Sans Berne, aurais-je été recruté comme garçon de courses du renseignement britannique, pour « rendre de menus services », comme on dit dans le métier ? À l'époque, je ne connaissais pas encore l'*Ashenden* de Somerset Maugham, mais j'avais lu *Kim*, de Kipling, ainsi que nombre de romans d'aventures patriotiques signés G.A. Henty et consorts, et j'étais un inconditionnel de Dornford Yates, John Buchan et Rider Haggard.

Inutile de préciser que mon patriotisme, quatre ans à peine après la fin de la guerre, atteignait des sommets inégalés dans le monde occidental. À mon collège privé, nous étions passés maîtres dans l'art de repérer des espions allemands infiltrés dans nos rangs, et j'étais considéré comme l'un de nos meilleurs agents de contre-espionnage. Dans ma *public school*, notre ferveur cocardière ne connaissait aucune limite. Nous avions chaque semaine deux séances d'entraînement militaire en uniforme, lors desquelles nos jeunes enseignants, revenus tout bronzés des combats, arboraient leurs médailles. Mon professeur d'allemand entretenait un mystère fascinant autour de ses agissements pendant le conflit. Quant à notre conseiller d'orientation, il nous préparait à une vie de service dans de lointains avant-postes de l'Empire. Dans l'abbaye sise au cœur de la bourgade pendaient des drapeaux de régiments réduits en lambeaux lors de guerres coloniales en Inde, en Afrique du Sud et au Soudan, puis rendus à leur gloire passée grâce aux mains aimantes de repriseuses.

Il n'est donc guère surprenant que, quand l'Appel avec un grand A sortit de la bouche d'une trentenaire très maternelle prénommée Wendy qui travaillait au service des visas de l'ambassade de Grande-Bretagne à Berne, le lycéen anglais de dix-sept ans qui boxait au-dessus de sa catégorie dans une université à l'étranger se soit mis au garde-à-vous pour lui répondre : « À votre service, madame ! »

Il est plus difficile, en revanche, d'expliquer ma passion inconditionnelle pour la littérature allemande à une époque où, pour de nombreuses personnes, le mot « allemand » était synonyme de mal absolu. Pourtant, comme ma fuite à Berne, cette passion détermina tout le restant de ma vie. Sans cela, je ne serais jamais allé en Allemagne en 1949 à l'insistance de mon professeur d'allemand, un réfugié juif, je n'aurais jamais vu les villes rasées de la Ruhr, je ne me serais pas retrouvé gisant sur un ancien matelas de la Wehrmacht, malade comme un chien, dans un hôpital de campagne improvisé dans le métro berlinois, je n'aurais jamais respiré la puanteur encore écœurante des baraquements dans les camps de concentration de Dachau et Bergen-Belsen avant de retourner ensuite à la tranquillité placide de Berne rejoindre mes Thomas Mann et Hermann Hesse chéris. Je n'aurais certainement jamais effectué mon service militaire dans le renseignement en Autriche occupée, ni étudié la langue et la littérature allemandes à Oxford, ni enseigné l'allemand à Eton, ni décroché une affectation à l'ambassade de Grande-Bretagne à Bonn, officiellement en tant que jeune diplomate, ni écrit de romans ayant des thématiques allemandes.

La manne que devait constituer durant toute ma vie cette immersion précoce dans la culture allemande m'apparaît aujourd'hui avec clarté. Elle m'a légué un terroir d'une infinie variété, elle a nourri mon incurable romantisme et mon amour du lyrisme, elle a instillé en moi la conviction que le parcours d'un homme du berceau à la tombe est un apprentissage permanent – concept moyennement original et sans doute discutable, mais quand même... Et en étudiant les drames de Goethe, Lenz, Schiller, Kleist et Büchner, j'ai découvert que leur classicisme austère me parlait tout autant que leurs excès névrotiques. À mes yeux, le secret résidait dans l'art de dissimuler les seconds par le premier.

* * *

Le chalet approche des cinquante ans. Chaque hiver, les enfants venaient skier, et c'est ici que nous avons passé nos meilleurs moments en famille. Parfois, nous y séjournions aussi au printemps. C'est également ici que, pendant quatre semaines hilarantes à l'hiver 1967, me semble-t-il, je suis resté cloîtré avec Sydney Pollack, le réalisateur de *Tootsie*, *Out of Africa* et *On achève bien les chevaux* (mon préféré), pour travailler à une adaptation cinématographique de mon roman *Une petite ville en Allemagne*.

Cet hiver-là, la neige était exceptionnelle. Sydney n'avait jamais skié de sa vie, n'était même jamais venu en Suisse. La vue de joyeux skieurs passant tout schuss devant notre balcon lui fut proprement insupportable : il fallait qu'il en fasse autant, et maintenant. Il me demanda de lui donner des cours, mais Dieu merci, au lieu d'accepter, j'eus la sagesse d'appeler Martin Epp, moniteur de ski, guide de montagne légendaire et l'un des rares hommes à avoir réalisé une ascension en solitaire de la face nord de l'Eiger.

Entre le célèbre réalisateur qui avait grandi à South Bend, dans l'Indiana, et le célèbre montagnard originaire d'Arosa, ce fut le coup de foudre. Sydney ne faisant jamais les choses à moitié, il devint en quelques jours un skieur accompli. Il fut également pris d'une envie irrépressible de tourner un film sur Martin Epp, bien vite plus irrépressible que celle de réaliser *Une petite ville en Allemagne*. L'Eiger serait le symbole du Destin. J'écrirais le scénario, Martin jouerait son propre rôle et Sydney escaladerait la moitié de l'Eiger en cordée pour le filmer. Il téléphona à son agent et lui parla de Martin. Il téléphona à son psy et lui parla de Martin. La neige resta exceptionnelle et accapara toute l'énergie de Sydney. Nous avions décrété que c'était le soir, après un bon bain, que nous étions au summum de nos facultés pour écrire. Summum ou pas, aucun des deux films ne vit jamais le jour.

Par la suite, à l'insu de mon plein gré, Sydney prêta le chalet à Robert Redford lors des repérages que celui-ci effectuait pour son film *La Descente infernale*. Je n'ai pas eu la chance de le rencontrer, mais pendant des années, chaque fois que je me rendais au village, j'étais auréolé du prestige d'être l'ami de Robert Redford.

* * *

Le présent ouvrage rassemble des anecdotes vraies racontées de mémoire. Mais que sont donc la vérité et la mémoire pour un romancier qui atteint ce que nous appellerons pudiquement le soir de sa vie ? me demanderez-vous à juste titre. Pour l'avocat, la vérité, ce sont les faits bruts – quant à savoir si les faits peuvent jamais se trouver à l'état brut, c'est une autre histoire. Pour le romancier, les faits sont une matière première, un instrument plutôt qu'une contrainte, et son métier est de faire chanter cet instrument. La vérité vraie, pour autant qu'elle existe, se situe non pas dans les faits mais dans la nuance.

La mémoire peut-elle être objective ? J'en doute. Même quand nous arrivons à nous convaincre que nous sommes impartiaux, que nous nous en tenons aux faits bruts sans fioriture ni omission intéressées, l'objectivité de la mémoire nous reste aussi insaisissable qu'une savonnette humide – en tout cas pour moi, après une vie passée à entremêler expérience et imagination.

Quand il me semblait que l'anecdote le méritait, j'ai repris des dialogues ou des descriptions dans des articles de presse que j'avais publiés à l'époque des faits, parce que leur côté « sur le vif » me plaisait et que ma mémoire n'avait pas la même qualité de précision, comme pour mon portrait de Vadim Bakatine, l'ancien chef du KGB. Dans d'autres cas, j'ai conservé le texte presque dans son jus, en l'améliorant légèrement ici et là, ou en y ajoutant une petite appoggiature à des fins d'éclaircissement ou de réactualisation.

J'ai préféré ne pas présumer chez mon lecteur une grande connaissance de mon œuvre antérieure, ni même une quelconque connaissance tout court, d'où certains passages explicatifs à l'occasion. Mais, soyez-en assurés, je n'ai nulle part sciemment falsifié un fait ou une anecdote. Retouché si nécessaire, oui ; falsifié, jamais. Et chaque fois que ma mémoire m'a trahi, j'ai pris soin de le mentionner. Une récente biographie de votre serviteur relate à grands traits une ou deux de ces anecdotes, et il va sans dire que je me réjouis de me les réapproprier, de les raconter avec ma propre voix et de m'employer à leur insuffler mes émotions.

Quelques épisodes ont acquis avec le temps une signification dont je n'avais pas conscience sur le moment, peut-être en raison de la mort de l'un des protagonistes. Je n'ai jamais tenu de journal, juste consigné pour mémoire quelques impressions de voyage ou phrases échangées, ainsi lors de mes rencontres avec Yasser Arafat, président de l'OLP, avant son expulsion du Liban, ou ensuite lors de ma visite avortée à son QG de Tunis, ville où plusieurs membres de son haut commandement, cantonnés à quelques kilomètres de chez lui, furent assassinés par un commando israélien quelques semaines après mon départ.

Les hommes et les femmes de pouvoir m'ont toujours fasciné, à la fois parce qu'ils étaient là où ils étaient et parce que je voulais comprendre ce qui les motivait. Pourtant, en leur présence, je n'ai jamais rien su faire de plus que prendre un air pénétré pour acquiescer ou secouer la tête au bon moment et tenter une ou deux plaisanteries pour détendre l'atmosphère. C'est seulement après coup, une fois de retour dans ma chambre d'hôtel, que je sortais de ma poche mon calepin fatigué pour m'efforcer de mettre un peu d'ordre dans ce que j'avais vu et entendu.

Les autres notes qui me restent de mes voyages ont été prises en majorité non par moi, mais par les personnages fictifs que j'emmenais avec moi pour me protéger lors de mes aventures sur le terrain. C'est de leur point de vue et non du mien, avec leurs mots et non les miens, qu'elles ont été écrites. Quand je me suis retrouvé tapi dans une tranchée près du Mékong et que, pour la première fois de ma vie, j'ai entendu des balles frapper la rive boueuse au-dessus de ma tête, ce ne fut pas ma main tremblante qui coucha mon indignation sur les pages froissées de ce calepin, mais celle de mon courageux héros de papier, le reporter de guerre Jerry Westerby, pour qui essuyer des tirs faisait partie du train-train quotidien. J'ai longtemps cru ma façon de procéder unique, jusqu'à ce que je rencontre un célèbre photographe de guerre qui m'avoua que c'était seulement lorsqu'il regardait dans le viseur de son appareil que sa peur le quittait.

Moi, elle ne m'a jamais quitté. Mais je comprends ce qu'il voulait dire.

* * *

Si vous avez un jour la chance de connaître un succès de librairie précoce, comme ce fut mon cas avec *L'Espion qui venait du froid*, il y aura à tout jamais un avant la chute et un après la chute. Vous relisez les livres que vous avez écrits avant d'attirer les feux des projecteurs et vous y voyez les livres de l'innocence. Quant à ceux écrits après, dans vos moments de déprime vous y voyez les vains efforts d'un homme en permanence sur la sellette. « Il en fait trop ! » s'indignent les critiques. Je n'ai jamais eu l'impression d'en faire trop. Je considérais que je devais à mon succès de toujours donner le meilleur de moi-même et, grosso modo, quelle qu'ait pu être la qualité réelle du « meilleur de moi-même », c'est ce à quoi je me suis astreint.

Et j'adore écrire. J'adore faire ce que je suis en train de faire en ce moment, noircir du papier comme un homme traqué, assis à mon petit bureau en cette aube nuageuse de mai, avec la pluie des montagnes qui ruisselle sur les carreaux et sans la moindre excuse pour descendre jusqu'à la gare protégé par un parapluie parce que l'*International New York Times* n'arrive pas avant l'heure du déjeuner.

J'adore écrire sur le vif, griffonner dans un carnet pendant des promenades, des trajets en train, des moments passés au café, puis me ruer chez moi pour inventorier mon butin. Quand je suis à Hampstead, j'ai mon banc préféré sur le Heath, à l'abri d'un arbre isolé aux larges ramures, et c'est là que j'aime écrire. J'ai toujours écrit à la main. On peut y voir une forme d'arrogance, mais je cultive la tradition multiséculaire de l'écriture non mécanisée. Le dessinateur manqué en moi prend un réel plaisir à tracer les mots.

J'aime avant tout l'intimité de l'écriture, ce qui explique pourquoi je ne participe pas aux festivals littéraires et pourquoi j'évite le plus possible les interviews (même si leur nombre incite à penser le contraire). Parfois, en général le soir, j'aimerais ne jamais avoir donné une seule interview. D'abord on s'invente, ensuite on finit par croire à sa propre invention. Ce n'est pas un processus compatible avec la connaissance de soi.

Lors de mes voyages préparatoires, je suis en partie protégé par le nom que je porte dans la vraie vie. Je peux réserver dans un hôtel sans me tourmenter à l'idée qu'il soit reconnu (et ensuite me tourmenter à l'idée qu'il ne l'a pas été, d'ailleurs). Quand je suis contraint de révéler mon identité à des personnes dont je souhaite exploiter les connaissances, les réactions sont variables : l'une va aussitôt me retirer sa confiance alors qu'une autre va me propulser chef des services secrets et, si je me récrie que je n'ai jamais été plus qu'un microbe dans la hiérarchie du monde secret, me rétorquer que ben tiens, je ne pouvais pas répondre autre chose, hein ? Après quoi, ladite personne m'abreuvera de confidences (dont je ne veux pas, que je ne pourrai pas utiliser et que je vais m'empresser d'oublier), pensant à tort que je vais les faire suivre à Qui-Vous-Savez. Le présent ouvrage contient un ou deux exemples de ces quiproquos tragicomiques.

Mais les malheureux que j'ai ainsi bombardés de questions au cours des cinquante dernières années, depuis le cadre moyen de l'industrie pharmaceutique jusqu'aux banquiers et autres mercenaires en passant par différentes espèces d'espions, ont pour la plupart fait preuve de patience et de générosité – générosité sans pareille dans le cas des reporters de guerre et des correspondants à l'étranger qui ont pris sous leur aile le romancier parasite, lui ont fait crédit d'un courage qu'il ne possédait pas et permis de leur coller aux basques.

Je ne sais pas comment j'aurais pu explorer l'Asie du Sud-Est et le Moyen-Orient sans la présence et les conseils de David Greenway, le multi-récompensé correspondant en Asie du Sud-Est du magazine *Time*, du *Washington Post* et du *Boston Globe*. Le timide néophyte que j'étais n'aurait pu suivre étoile plus fiable. Par une matinée neigeuse de 1975, il était assis à la table du petit-déjeuner, ici au chalet, à jouir d'un bref répit à son retour du front, quand son bureau de Washington l'appela pour lui dire que Phnom Penh était sur le point de tomber aux mains des Khmers rouges. Aucune route ne relie notre village à la vallée, juste un petit train qui amène à un plus grand train qui amène à un train normal, et de là à l'aéroport de Zurich. En moins de temps qu'il n'en faut pour le dire, David ôta sa combinaison de ski pour endosser le treillis et les vieilles chaussures en daim emblématiques du correspondant de guerre, embrassa sa femme et ses filles et dévala la colline pour rejoindre la gare. Je dévalai la colline à sa suite pour lui apporter son passeport.

Greenway reste notamment célèbre parce qu'il fut l'un des derniers journalistes américains évacués par hélicoptère depuis le toit de l'ambassade américaine assiégée à Phnom Penh. En 1981, alors que je souffrais de dysenterie, il me fit littéralement fendre la foule des voyageurs impatients qui attendaient de pouvoir traverser le pont Allenby entre la Cisjordanie et la Jordanie, embobinant les gardes du check-point par la simple force de sa volonté pour m'amener à bon port sur l'autre rive.

* * *

En relisant les anecdotes ici réunies, je me rends compte que, par égocentrisme ou par souci d'efficacité, j'ai parfois oublié de mentionner qui d'autre était dans la pièce au moment des faits décrits.

Je repense ainsi à ma conversation avec le physicien et prisonnier politique russe Andreï Sakharov et son épouse Elena Bonner, dans un restaurant de ce qui s'appelait encore Leningrad. Cette rencontre avait été organisée sous l'égide de Human Rights Watch, dont trois membres, assis à notre table, subirent comme nous les intrusions puériles d'une phalange de prétendus photojournalistes envoyés par le KGB, qui paradaient en cercle autour de nous en nous déclenchant sous le pif leurs ampoules-flash à l'ancienne. J'espère que ces autres convives ont écrit ailleurs leurs propres impressions de ce jour historique.

Je repense à Nicholas Elliott, ami et collègue de longue date de l'agent double Kim Philby, que je revois arpenter le salon de notre maison londonienne, un cognac à la main, et je me rappelle à retardement que mon épouse était également présente, assise dans le fauteuil face à moi, et tout aussi fascinée que moi.

Et, en écrivant ces mots, je me souviens soudain du soir où Elliott vint dîner chez nous avec son épouse Elizabeth. Nous avions un invité iranien que nous adorions, un homme qui parlait un anglais parfait, hormis un très léger défaut d'élocution qui faisait tout son charme. Alors qu'il prenait congé, Elizabeth se tourna vers Nicholas, l'œil pétillant, et lui dit avec enthousiasme : « Tu as remarqué son bégaiement, chéri ? Exactement comme Kim ! »

* * *

Le long chapitre sur mon père Ronnie arrive en fin de volume plutôt qu'au début parce que, ne lui en déplaise, je ne voulais pas qu'il s'impose en haut de l'affiche. Malgré les jours et les nuits de souffrance qu'il m'a causés, il reste pour moi un mystère tout aussi grand que le fut ma mère.

Sauf indication contraire, les anecdotes qui suivent sont fraîchement écrites. Quand le besoin s'en faisait sentir, j'ai modifié un nom. Le principal intéressé peut être mort, mais ses héritiers et ayants droit pourraient ne pas comprendre la plaisanterie.

J'ai essayé de progresser selon un chemin bien tracé d'un point de vue thématique, sinon chronologique, mais, un peu comme la vie elle-même, le chemin s'est ramifié jusqu'à perdre en cohérence, et certaines histoires sont tout simplement devenues ce qu'elles sont à mes yeux : des incidents isolés qui se suffisent à eux-mêmes, qui ne comportent pas de morale particulière, racontés ici parce qu'ils ont pris pour moi une signification particulière, parce qu'ils m'inquiètent, me terrorisent ou me touchent, ou me réveillent au beau milieu de la nuit et me font éclater de rire.

Le temps passant, quelques-unes des rencontres que je relate ici ont acquis à mes yeux le statut de petits moments de la grande histoire captés sur le vif, ce qui, j'imagine, est souvent le cas pour les personnes âgées. En les relisant dans leur intégralité, de la farce à la tragédie et retour, je les trouve légèrement inconséquentes, je ne sais trop pourquoi. Peut-être est-ce ma propre vie que je trouve inconséquente. Mais il est trop tard pour y changer quoi que ce soit, maintenant.

* * *

Il y a nombre de choses dans ma vie, comme dans la vie de tout un chacun, sur lesquelles je ne veux pas et n'ai jamais voulu écrire. À mes deux épouses, merveilleusement fidèles et dévouées, je dois des remerciements infinis et quantité d'excuses. Je n'ai été ni un mari modèle ni un père modèle, et je ne cherche à me faire passer ni pour l'un ni pour l'autre. J'ai connu l'amour sur le tard, après moult égarements. Je dois mon éducation morale à mes quatre fils. Sur mes activités dans le renseignement britannique, essentiellement en Allemagne, je ne souhaite rien ajouter à ce que d'autres ont pu en dire ailleurs à tort et à travers. En cela, je suis lié à la fois par les vestiges d'une loyauté vieux jeu pour les services où j'ai évolué, mais aussi par des engagements envers les hommes et les femmes qui ont accepté de collaborer avec moi. Il était entendu entre nous que cette promesse de confidentialité ne serait assujettie à aucune limite de temps, et s'étendrait même à leurs enfants et au-delà. Le travail que nous avons accompli n'était ni dangereux ni spectaculaire, mais exigeait des volontaires une douloureuse introspection. Que ces gens soient aujourd'hui vivants ou morts, la promesse de confidentialité tient toujours.

L'espionnage s'est imposé à moi dès la naissance, de la même manière, j'imagine, que la mer à C.S. Forester ou l'Inde à Paul Scott. Du monde secret que j'ai connu jadis, j'ai essayé de faire un théâtre pour les autres mondes que nous habitons. D'abord vient l'imaginaire, puis la quête du réel. Et ensuite, retour à l'imaginaire, et au bureau devant lequel je suis assis à cet instant.

1

Ne crachez pas sur vos services secrets

« Oh, je sais très bien ce que vous êtes ! s'écrie Denis Healey, ancien ministre de la Défense britannique d'obédience travailliste, lors d'une soirée privée à laquelle nous avons tous deux été invités, la main tendue en avançant vers moi depuis la porte. Vous êtes un espion communiste, voilà ce que vous êtes, avouez-le ! »

Alors, comme tout bon bougre l'aurait fait en pareille circonstance, je l'avoue. Et chacun de s'esclaffer, y compris mon hôte, pourtant un tantinet interloqué. Et je m'esclaffe moi aussi, parce que je suis un bon bougre et que je prends bien la plaisanterie, et parce que Denis Healey a beau être un éléphant du parti travailliste et un vieux baroudeur de la politique, c'est aussi un brillant intellectuel humaniste que j'admire. Sans compter qu'il a un ou deux verres d'avance sur moi.

* * *

« Cornwell, espèce d'enfoiré ! hurle à la cantonade un de mes anciens collègues du MI6 lors d'une réception donnée par l'ambassadeur de Grande-Bretagne pour des huiles de Washington. Espèce de sale enfoiré ! »

Il ne s'attendait pas à me voir, mais il saute sur l'occasion de me dire ce qu'il pense de moi, qui ai osé insulter l'honneur du Service – notre putain de Service, nom de Dieu ! – et ridiculiser des hommes et des femmes patriotes qui ne peuvent pas répliquer. Il me fait face dans cette posture ramassée du boxeur prêt à frapper et, si des mains diplomates ne l'avaient pas fait reculer en douceur d'un pas, la presse du lendemain matin s'en serait donné à cœur joie.

Les conversations mondaines reprennent peu à peu. Dans l'intervalle, j'ai découvert que le livre qui l'avait fait sortir de ses gonds n'est pas *L'Espion qui venait du froid* mais le suivant, *Le Miroir aux espions*, qui raconte la sombre histoire d'un agent anglo-polonais envoyé en mission en Allemagne de l'Est et abandonné là-bas à son triste sort. Manque de chance, l'Allemagne de l'Est relevait des compétences de mon pourfendeur du temps où nous étions collègues. Il me vient à l'esprit de lui signaler qu'Allen Dulles, directeur récemment retraité de la CIA, a déclaré que ce roman était bien plus proche de la réalité que le précédent, mais je crains que cela ne fasse qu'ajouter de l'huile sur le feu.

« Alors comme ça, on est des brutes, c'est ça ? Et des incompétents, par-dessus le marché ? Ah ben bravo ! »

Mon ex-collègue furibond n'est pas un cas isolé. Sans forcément atteindre ce degré de virulence, le même reproche m'a été fait de multiples fois au cours des cinquante dernières années. Il ne s'agit pas d'une sombre machination concertée, mais du refrain d'hommes et de femmes blessés qui estiment accomplir un travail indispensable.

« Pourquoi vous en prendre à nous ? Vous savez comment nous sommes vraiment. » Ou encore, plus perfide : « Maintenant que vous vous êtes fait plein de fric sur notre dos, vous allez peut-être pouvoir nous laisser tranquilles. »

Et toujours, à un moment ou à un autre, le leitmotiv de la victimisation : le Service n'a pas de droit de réponse, il est sans défense contre une propagande négative, ses succès doivent rester confidentiels, il ne peut être connu qu'à travers ses échecs.

* * *

24

« Nous n'avons rien de commun avec l'image que donne de nous notre hôte ici présent », affirme sir Maurice Oldfield d'un ton sévère à sir Alec Guinness.

Oldfield est un ancien chef des services secrets qui sera plus tard lâché par Margaret Thatcher, mais lors de ce déjeuner il n'est encore qu'un vieil espion à la retraite.

« J'ai toujours voulu rencontrer sir Alec, m'a-t-il dit avec son chaleureux accent du Nord quand je l'ai invité. Depuis le jour où je me suis retrouvé assis en face de lui dans un train qui partait de Winchester et où je n'ai pas osé engager la conversation. »

Guinness se prépare à incarner mon agent secret George Smiley dans l'adaptation télévisée par la BBC de *La Taupe*, et il a émis le souhait de partager un moment avec un véritable ancien espion. Mais ce déjeuner ne se déroule pas aussi plaisamment que je l'aurais voulu. Pendant les hors-d'œuvre, Oldfield encense les principes éthiques de son ancien Service et sous-entend avec une infinie délicatesse que « notre jeune David » en a sali le nom. Guinness, un ancien officier de marine qui, à la seconde où il a rencontré Oldfield, s'est intronisé aux plus hauts échelons des services secrets, ne peut que secouer la tête d'un air désolé et acquiescer. Quand arrive la sole meunière, Oldfield étaye sa théorie :

« C'est à cause du jeune David et de ses congénères que le Service a désormais beaucoup plus de mal à recruter de bons officiers et de bons informateurs, déclare-t-il à Guinness comme si je n'étais pas là, assis à côté de lui. Les gens lisent ses livres et ça les rebute, c'est bien naturel. »

Guinness baisse les paupières et secoue de nouveau la tête d'un air désolé pendant que je règle l'addition.

« Vous devriez devenir membre de l'Athenaeum, David, me propose gentiment Oldfield, comme si ce club pour gentlemen allait faire de moi quelqu'un de bien. Je vous parrainerai en personne, tiens. Ça vous dirait ? demande-t-il avant d'ajouter à l'attention de Guinness, alors que nous sommes tous trois sur le seuil du restaurant : Alec, ce fut un plaisir. Un honneur, même. À très bientôt, j'espère.

– Absolument », confirme Guinness d'un ton fervent.

Et nos deux vieux espions se serrent la main.

Apparemment subjugué par notre invité qui s'éloigne à grands pas, Guinness couve des yeux le petit gentleman vigoureux et déterminé le temps qu'il fende la foule avec son parapluie.

« Un autre cognac pour la route ? » me propose-t-il ensuite.

À peine avons-nous repris nos places que l'interrogatoire commence :

« Ces boutons de manchettes atrocement vulgaires, tous nos espions en portent ? »

Non, Alec, je pense juste que Maurice aime les boutons de manchettes vulgaires.

« Et ses boots en daim, les boots d'un orange criard, là… Les semelles de crêpe, c'est pour plus de discrétion ? »

Plutôt pour le confort du pied, Alec. Le crêpe, ça couine.

« Bon, alors, donnez-moi votre avis, dit-il en attrapant un verre vide, qu'il incline et tapote d'un doigt épais. J'ai déjà vu des gens faire ça, commente-t-il en regardant d'un œil exagérément méditatif le fond du verre tout en continuant à le tapoter. Et j'ai aussi vu des gens faire ça, poursuit-il en faisant glisser son doigt sur tout le pourtour du même air contemplatif. Mais je n'ai jamais vu personne faire ça, avant, conclut-il en insérant le doigt dans le gobelet pour en effleurer la paroi. Vous pensez qu'il cherchait à repérer des résidus de poison ? »

Il est sérieux ? L'enfant en Alec Guinness n'a jamais été plus sérieux de sa vie. Hmm, s'il cherchait bien des résidus, c'était trop tard, il aurait déjà bu le poison, argumenté-je, mais Guinness préfère m'ignorer.

L'histoire télévisuelle retiendra que les boots en daim à semelle de crêpe (ou pas) d'Oldfield et son parapluie roulé brandi vers l'avant pour se frayer un chemin furent des accessoires essentiels dans l'incarnation par Guinness de George Smiley, vieil espion pressé. Je n'ai pas vérifié pour les boutons de manchettes, mais il me semble me souvenir que notre réalisateur les trouvait un peu excessifs et avait persuadé l'acteur d'en porter de moins voyants.

L'autre effet à long terme de notre déjeuner fut moins plaisant pour moi, quoique plus productif artistiquement. La détestation qu'éprouvait Oldfield pour mon œuvre (et, je le soupçonne, pour ma personne) imprégna l'acteur en Guinness, qui ne répugna pas à me la rappeler quand il éprouvait le besoin d'attiser le sentiment de culpabilité de George Smiley – mais aussi, aimait-il à sous-entendre, le mien.

* * *

Depuis une centaine d'années, nos espions britanniques entre-tiennent un rapport amour-haine éperdu et parfois hilarant avec les romanciers qui ont l'outrecuidance d'écrire sur eux. À leur instar, ils courent après la notoriété et le glamour, mais ne leur demandez pas de supporter la dérision ou la critique. Au début du XXe siècle, les auteurs de romans d'espionnage variant en qualité d'Erskine Childers à William Le Queux en passant par E. Phillips Oppen-heim attisèrent un antigermanisme si virulent qu'ils pourraient légitimement affirmer avoir œuvré à la naissance du tout premier service de sécurité officiel. Jusqu'alors, les gentlemen n'étaient pas censés lire le courrier des autres gentlemen, même si en réa-lité beaucoup le faisaient. Avec la Première Guerre mondiale vint le romancier Somerset Maugham, agent secret britannique assez médiocre, si l'on en croit la chronique. Quand Winston Churchill se plaignit que son *Ashenden* contrevînt à la Loi sur les secrets officiels[1], Maugham, sur lequel pesait déjà la menace d'un scan-dale homosexuel, brûla quatorze nouvelles inédites et repoussa la publication des autres jusqu'à 1928.

1. Cf. Christopher Andrew, *Secret Service*, 1985, William Heinemann. *(Toutes les notes sont de l'auteur excepté celles portant l'indication N.d.T., qui sont de la traductrice.)*

Compton Mackenzie, romancier, biographe et nationaliste écossais, ne se laissa pas museler si facilement. Réformé pour raisons médicales lors de la Première Guerre mondiale, il fut enrôlé par le MI6 et devint un efficace chef du contre-espionnage britannique dans une Grèce neutre. Cependant, il trouvait souvent absurdes ses supérieurs et les ordres qu'ils lui donnaient. Alors il fit ce que font les écrivains : il les tourna en dérision. En 1932, il fut poursuivi en justice au titre de la Loi sur les secrets officiels et condamné à cent livres d'amende pour son ouvrage autobiographique *Greek Memories*, qui regorgeait en effet d'indiscrétions scandaleuses. Loin de retenir cette leçon, il récidiva un an plus tard avec le roman satirique *Le Secret de Pomona Lodge*. À en croire la rumeur, le dossier de Mackenzie au MI5 contient une lettre tapuscrite en énormes caractères, adressée au directeur général, et signée comme à son habitude à l'encre verte par le chef des services secrets, qui écrit à son frère d'armes de l'autre côté de St James's Park :

« Le pire, c'est que Mackenzie a révélé les véritables symboles utilisés par les services secrets dans leur correspondance[1], et certains sont encore valables. »

Le fantôme de Mackenzie doit jubiler.

Mais le plus remarquable des transfuges littéraires du MI6 n'est autre que Graham Greene, même si je doute qu'il ait jamais su à quel point il fut proche de suivre Mackenzie aux assises de l'Old Bailey. L'un de mes meilleurs souvenirs de la fin des années 1950 est d'avoir bu un café avec le juriste du MI5 dans l'excellente cantine du lieu. C'était un homme affable, fumeur de pipe, plus notaire de famille que bureaucrate, mais ce matin-là il était très contrarié. Un prétirage de *Notre agent à La Havane* était arrivé sur son bureau, et il en avait lu la moitié. Quand j'avouai lui envier cette chance, il secoua la tête en poussant un gros soupir.

---

1. Au début de ce genre de correspondance figuraient un code à trois lettres pour désigner la station du MI6, puis un chiffre correspondant à un membre de la station.

Ce Greene allait devoir être poursuivi en justice, m'annonça-t-il. Il avait exploité des informations acquises en tant qu'officier du MI6 pendant la guerre pour dépeindre la relation entre un chef de station dans une ambassade britannique et un agent sur le terrain. Il allait passer par la case prison.

« Et c'est un bon livre, en plus, gémit-il. Un rudement bon livre. C'est bien ça le problème. »

J'épluchai par la suite les journaux pour y trouver l'annonce de l'arrestation de Greene, mais il y échappa. Peut-être les barons du MI5 avaient-ils finalement décidé qu'il valait mieux en rire qu'en pleurer. Greene les remercia de leur clémence vingt ans plus tard avec *Le Facteur humain*, qui les dépeignait non plus seulement comme des incapables mais aussi comme des assassins. Néanmoins, le MI6 avait dû lui envoyer un bon coup de semonce, puisque, dans la préface de ce livre, il s'évertue à nous assurer qu'il n'a pas enfreint la Loi sur les secrets officiels. Si vous dénichez une première édition de *Notre agent à La Havane*, vous y lirez un démenti similaire.

Quoi qu'il en soit, l'histoire nous apprend que nos péchés nous sont toujours pardonnés. Mackenzie finit ses jours anobli et Greene médaillé de l'Ordre du mérite.

* * *

« Dans votre dernier roman, un personnage dit de votre héros qu'il ne serait pas devenu un traître s'il avait été capable d'écrire. Et vous, que seriez-vous devenu si vous n'aviez pas été capable d'écrire ? » s'enquiert gravement un journaliste américain.

Tout en cherchant une réponse non compromettante à cette dangereuse question, je me demande si nos services secrets ne devraient pas se réjouir de ces transfuges littéraires, après tout. Au regard des catastrophes que nous aurions pu provoquer, écrire était une activité aussi inoffensive que jouer aux dominos. Nos malheureux espions d'aujourd'hui doivent amèrement regretter qu'Edward Snowden n'ait pas plutôt opté pour le roman.

* * *

Qu'aurais-je donc dû répondre à mon ex-collègue furibond qui avait bien l'air de vouloir me casser la figure lors de cette réception diplomatique ? Il eût été vain de lui rappeler que certains de mes livres présentent le renseignement britannique comme une organisation plus compétente qu'elle ne l'a jamais été dans la réalité, ou que l'un de ses plus haut gradés qualifia un jour *L'Espion qui venait du froid* de « seule opération d'agent double qui ait jamais marché », ou encore que, en racontant les jeux de guerre nostalgiques d'une organisation britannique isolée dans le roman qui lui déplaisait tant, j'avais peut-être un objectif un peu plus ambitieux qu'une simple attaque en règle contre son Service. Et si par malheur j'avais osé soutenir que, pour un romancier cherchant à sonder l'âme d'une nation, il paraît judicieux d'en explorer les services secrets, je me serais retrouvé K.-O. sans avoir eu le temps d'arriver au verbe de la proposition principale.

Quant à l'argument selon lequel le Service ne dispose pas de droit de réponse, ma foi, je dirais qu'il n'y a pas une agence de renseignement dans tout le monde occidental qui ait joui d'un traitement plus favorable de la part de ses médias nationaux que les nôtres. Le terme de « collusion » est même bien en deçà de la vérité. Nos mécanismes de censure, volontaires ou imposés par une législation aussi fumeuse que draconienne, notre art consommé du copinage et la soumission collective de la population à une surveillance omniprésente d'une légalité douteuse font l'envie de toutes les barbouzes du monde, qu'il soit libre ou pas.

Il eût été tout aussi vain de mentionner les nombreux Mémoires « autorisés » d'anciens membres du Service qui le vêtent des atours dans lesquels il aime être admiré, ou les « histoires officielles » qui jettent un voile pudique sur ses méfaits les plus atroces, ou encore les innombrables articles fallacieux parus dans nos journaux nationaux à la suite de déjeuners bien plus chaleureux que celui que j'ai pu partager avec Maurice Oldfield.

J'aurais aussi pu opposer à mon ami exaspéré qu'un écrivain qui présente les espions professionnels comme des êtres humains tout aussi faillibles que les autres accomplit une modeste mission sociale, que j'irai jusqu'à qualifier d'acte citoyen (fichtre !), puisque, en Grande-Bretagne, les services secrets sont encore à ce jour, pour le meilleur et pour le pire, le havre spirituel de l'élite politique, sociale et économique du pays.

Telle est toute l'étendue de ma déloyauté, cher ancien collègue. Et telle est, cher lord Healey aujourd'hui défunt, toute l'étendue de mon communisme – ce qui, quand j'y pense, ne s'applique guère à vous-même dans votre jeunesse.

* * *

Cinquante ans plus tard, il est difficile de faire ressentir l'atmosphère de défiance qui régnait dans tous les couloirs du pouvoir secret à Whitehall pendant les années 1950 et 1960. Lorsque je devins officiellement officier du MI5, en 1956, j'avais vingt-cinq ans – l'âge minimum requis, m'informa-t-on, car le *Five*, comme nous l'appelions, tirait fierté de sa maturité. Hélas, toute cette belle maturité ne l'empêcha pas de recruter des vedettes telles que Guy Burgess, Anthony Blunt et autres tristes traîtres de l'époque dont les noms sont inscrits dans la mémoire collective britannique comme autant de stars du foot à moitié oubliées.

J'entrai dans le Service en nourrissant de grandes ambitions. Mes exploits antérieurs dans le renseignement, pour insignifiants qu'ils eussent été, avaient aiguisé mon appétit. Mes officiers traitants avaient tous été agréables, efficaces et attentionnés. Ils avaient parlé à mon sens du devoir et rallumé en moi l'esprit de sacrifice du bon élève de *public school*. En tant qu'officier de renseignement en Autriche pendant mon service militaire, j'avais vécu dans l'admiration de ces mystérieux civils qui débarquaient parfois dans notre banal campement de Graz et l'investissaient d'une mystique lui faisant cruellement défaut en temps normal.

C'est seulement lorsque j'accédai enfin au saint des saints que je redescendis violemment sur terre.

Espionner un parti communiste britannique sur le déclin, fort de vingt-cinq mille membres que seuls cimentaient des informateurs du MI5, ne répondait pas à mes aspirations, non plus que le traitement à deux vitesses du Service envers les siens. Pour le meilleur et pour le pire, le MI5 était l'arbitre moral de la vie privée de tous les fonctionnaires et scientifiques du pays. Selon les consignes de sécurité en vigueur, les homosexuels et autres supposés déviants étaient considérés comme vulnérables au chantage, donc interdits de tout travail secret. En revanche, le Service ne voyait aucune objection à ignorer les homosexuels dans ses propres rangs ou le directeur général qui cohabitait de façon notoire avec sa secrétaire pendant la semaine avant de rejoindre son épouse le week-end, allant jusqu'à laisser des instructions écrites à l'officier de garde la nuit au cas où sa légitime l'appellerait pour savoir où il se trouvait. Mais que Dieu protège la secrétaire des archives dont la jupe était jugée trop courte ou trop moulante, ainsi que l'agent de bureau marié qui lui faisait de l'œil !

Tandis que dans les hautes sphères du Service gravitaient les vieilles gloires de 1939-1945, ses échelons intermédiaires étaient peuplés d'anciens policiers ou fonctionnaires de l'administration coloniale devenus surnuméraires avec l'effritement de l'Empire britannique. Malgré toute leur expérience dans la répression d'autochtones rebelles ayant l'audace de vouloir se réapproprier leur pays, ils se montraient peu à l'aise lorsqu'il s'agissait de protéger une mère patrie qu'ils connaissaient à peine. Les classes populaires britanniques leur semblaient aussi impénétrables et incontrôlables que jadis les derviches frondeurs. Quant aux syndicats, ils n'étaient rien d'autre à leurs yeux qu'un cheval de Troie communiste.

Dans le même temps, les jeunes chasseurs d'espions comme moi, avides de missions plus ardues, recevaient l'ordre de ne pas perdre leur temps à chercher des « clandestins » sous contrôle soviétique, puisqu'il était connu de source indiscutable qu'aucun espion du genre n'opérait sur le sol britannique. Connu de qui, grâce à qui, je ne le sus jamais. Quatre ans me suffirent. En 1960, je fis une demande de mutation au MI6 ou plutôt, selon les termes de mes supérieurs aigris, chez « ces connards de l'autre côté du parc ».

Mais en guise de mot d'adieu, permettez-moi d'exprimer toute ma reconnaissance au MI5 pour une dette dont je ne pourrai jamais assez m'acquitter : la formation la plus rigoureuse à la rédaction que j'aie reçue ne m'a pas été dispensée par un professeur à l'école ou à l'université, encore moins par un atelier d'écriture, mais bien par des officiers supérieurs pétris de culture classique, qui, depuis leurs bureaux des étages nobles du quartier général du MI5 à Curzon Street, dans le quartier de Mayfair, se jetaient sur mes rapports avec une maniaquerie jouissive, couvraient d'opprobre mes anacoluthes et mes adverbes superfétatoires, truffaient les marges de ma prose immortelle de commentaires tels que « redondant », « supprimer », « justifier », « maladroit », ou « sens ? ». Aucun des éditeurs que j'ai rencontrés depuis ne fut jamais si exigeant ni si pertinent.

* * *

Au printemps 1961, j'achevai le cours d'initiation du MI6, qui me forma à des compétences dont je n'ai jamais eu besoin et que je me suis empressé d'oublier. À la cérémonie de fin de stage, le chef de l'entraînement du Service, un robuste vétéran rubicond portant une veste en tweed, nous informa, les larmes aux yeux, que nous devions rentrer chez nous et attendre les ordres, et que ces ordres risquaient de mettre du temps à venir. La raison (et il jura que jamais il n'aurait cru devoir faire cette annonce un jour) était qu'un officier de longue date du Service, qui avait joui de sa confiance la plus absolue, venait d'être démasqué comme étant un agent double soviétique. Il s'appelait George Blake.

L'ampleur de la trahison de Blake, y compris à l'aune des critères de l'époque, reste monumentale : littéralement des centaines d'agents britanniques trahis (lui-même avait perdu le compte) ; des opérations d'écoutes secrètes jugées vitales à la sécurité du pays (comme entre autres le tunnel de Berlin) grillées avant même leur lancement, sans parler de l'organigramme, des maisons sûres, des ordres de bataille et des stations du MI6 dans le monde entier. Agent de terrain fort compétent des deux côtés, Blake poursuivait sa propre quête religieuse : au moment où il fut démasqué, il avait successivement embrassé le christianisme, le judaïsme et le communisme, et pendant son emprisonnement à Wormwood Scrubs (dont par la suite il s'évada) il donna à ses codétenus des cours sur le Coran.

Deux ans après l'annonce traumatisante de la trahison de George Blake, j'occupais le poste de second secrétaire politique à l'ambassade de Grande-Bretagne à Bonn. Mon chef de station me convoqua tard un soir dans son bureau pour m'informer en confidence de ce que toute la Grande-Bretagne allait découvrir dans les quotidiens du soir le lendemain : Kim Philby, brillant ancien patron du contre-espionnage au MI6, jadis pressenti pour devenir chef du Service, était aussi un espion russe et ce, nous révéla-t-on seulement par la suite, depuis 1937.

Dans le présent ouvrage, vous lirez le récit que me fit Nicholas Elliott, ami, confident et collègue de Philby en temps de guerre comme en temps de paix, de leur dernière rencontre à Beyrouth, qui entraîna les aveux partiels de Philby. Et vous vous étonnerez peut-être de n'y pas trouver trace de fureur ou même d'indignation. La raison en est très simple. Les espions ne sont ni des policiers, ni vraiment les pragmatistes moraux qu'ils aiment à se penser. Quand votre mission dans la vie est de gagner des traîtres à votre cause, vous pouvez difficilement vous plaindre le jour où l'un des vôtres, même si vous l'aimez comme un frère et collègue adoré, même si vous avez partagé votre travail secret avec lui jusque dans les moindres détails, s'avère avoir été recruté par un autre. C'est sous le coup de cette dure leçon que j'écrivis *L'Espion qui venait du froid*. Et quand je m'attaquai ensuite à *La Taupe*, c'est le trouble flambeau de Kim Philby qui balisa mon chemin.

* * *

L'espionnage et la littérature marchent de pair. Tous deux exigent un œil prompt à repérer le potentiel transgressif des hommes et les multiples routes menant à la trahison. Ceux d'entre nous qui ont été intronisés dans le monde secret ne le quittent jamais vraiment. Si nous n'en partagions pas déjà les mœurs avant d'y entrer, nous les adoptons pour toujours. Il n'en est pas de meilleure preuve que Graham Greene et le jeu du chat et de la souris dans lequel il dit s'être embarqué avec le FBI. Peut-être l'un de ses biographes iconoclastes en a-t-il relaté les péripéties, mais mieux vaut ne pas aller vérifier.

Pendant toute la fin de sa vie, Greene, romancier et ancien espion, fut persuadé qu'il figurait sur la liste noire du FBI recensant les sympathisants communistes subversifs. Il avait d'ailleurs tout lieu de le croire, étant donné ses nombreux séjours en Union soviétique, son indéfectible loyauté notoire envers son ami et collègue espion Kim Philby et ses vains efforts pour conjuguer les causes catholique et communiste. Quand le mur de Berlin fut érigé, Greene se fit photographier du mauvais côté en affirmant *urbi et orbi* qu'il préférait être là que de l'autre côté. De fait, sa haine des États-Unis et sa peur des conséquences de ses prises de position gauchistes atteignirent une telle ampleur qu'il en vint à exiger que tous ses rendez-vous avec son éditeur américain aient lieu du côté canadien de la frontière.

Vint un jour où il put enfin demander à consulter son dossier au FBI. Celui-ci ne comportait qu'une seule entrée : il avait côtoyé Margot Fonteyn, la danseuse étoile britannique aux opinions politiques changeantes, quand elle s'était battue pour la cause perdue de son époux paraplégique et volage Roberto Arias.

* * *

Ce n'est pas l'espionnage qui m'a initié au secret. La tromperie et l'esquive avaient été les armes indispensables de mon enfance.

À l'adolescence, nous sommes tous plus ou moins des espions, mais moi j'étais déjà surentraîné. Quand le monde du secret vint me chercher, j'eus l'impression de revenir chez moi Vous découvrirez pourquoi en temps et heure, dans le chapitre intitulé « Le fils du père de l'auteur ».

2

Les lois de Globke

Bonn à tout faire, c'est ainsi que nous autres, jeunes diplomates britanniques, la surnommions au début des années 1960, non par un quelconque mépris envers la station thermale endormie sur le Rhin, résidence des princes électeurs du Saint-Empire romain germanique et ville natale de Ludwig van Beethoven, mais plutôt par boutade envers les rêves absurdes de nos hôtes de déplacer la capitale allemande à Berlin, rêves que nous partagions bien volontiers avec eux tant nous étions certains que cela n'arriverait jamais.

En 1961, l'ambassade de Grande-Bretagne, immense bâtiment industriel hideux sis sur la quatre-voies entre Bonn et Bad Godesberg, employait trois cents âmes qui travaillaient en majorité sur place plutôt que sur le terrain. Quant aux autres, dont moi, je ne sais toujours pas trop ce qu'ils fabriquaient dans l'atmosphère confinée de la Rhénanie. Pourtant, ces trois années passées à Bonn furent jalonnées de tels séismes pour moi qu'aujourd'hui j'y vois le lieu où ma vie d'avant s'engagea sur la voie d'une mort inéluctable et où ma vie d'écrivain commença.

Certes, mon premier roman avait été accepté par un éditeur avant mon départ de Londres, mais je séjournais déjà à Bonn depuis plusieurs mois lorsqu'il fut publié en toute discrétion. Je me revois encore aller jusqu'à l'aéroport de Cologne par un dimanche après-midi pluvieux pour y acheter la presse britannique, puis rentrer à Bonn, me garer devant un parc et aller m'asseoir sur un banc à l'abri pour la lire dans l'intimité. Les critiques étaient indulgentes, quoique pas aussi enthousiastes que je l'avais espéré. Du moins appréciaient-elles George Smiley.

Et après, plus rien.

Tous les écrivains, consacrés ou non, connaissent sans doute ce même parcours : les semaines, les mois d'angoisse et de mauvaises décisions, le précieux tapuscrit achevé, l'enthousiasme de rigueur de l'agent et de l'éditeur, les corrections des épreuves, les grandes espérances, la fébrilité à l'approche du Grand Jour, la parution des critiques, et après, plus rien.

L'écriture de votre livre remonte à il y a un an, alors qu'attendez-vous donc pour en attaquer un nouveau ?

Eh bien, justement, je m'étais remis à écrire.

J'avais commencé un roman se déroulant dans une *public school* inspirée de Sherborne, où j'avais été élève, et d'Eton, où j'avais été professeur. Il paraîtrait que j'avais ébauché ce texte alors que j'enseignais encore à Eton, mais je n'en garde aucun souvenir. En me levant à des heures indues avant de partir travailler à l'ambassade, je réussis à boucler mon roman assez rapidement, et je l'envoyai à l'éditeur. Mission accomplie, une fois de plus. Pour le suivant, j'envisageais quelque chose de plus sombre : j'écrirais sur le monde que j'avais sous les yeux.

* * *

Au bout d'un an dans mon poste, mes attributions s'étendaient à toute l'Allemagne de l'Ouest, ce qui me donnait une liberté de mouvement illimitée et des entrées partout. Comptant parmi les évangélistes itinérants de l'ambassade qui faisaient du prosélytisme pour l'intégration de la Grande-Bretagne dans le Marché commun, je pouvais m'inviter dans les mairies, les assemblées politiques et autres réunions d'édiles aux quatre coins du pays. Grâce au souci de cette jeune nation de se présenter comme une société démocratique et transparente, toutes les portes s'ouvraient devant le jeune diplomate curieux. Je pouvais passer la journée assis dans la galerie des diplomates au Bundestag, déjeuner avec des journalistes politiques ou des conseillers parlementaires, accéder à des bureaux ministériels, assister à des manifestations ou à des séminaires intellectuels le week-end sur la culture et l'âme allemandes, et pendant tout ce temps-là j'essayais de comprendre, quinze ans après la chute du Troisième Reich, où s'arrêtait la vieille Allemagne et où commençait la nouvelle. En 1961, ce n'était pas évident. Du moins, pas pour moi.

Une formule attribuée à Konrad Adenauer, surnommé « le vieil homme », qui occupa le poste de chancelier depuis la fondation de la République fédérale d'Allemagne en 1949 jusqu'en 1963, résume parfaitement le problème : « On ne jette pas l'eau sale tant qu'on n'a pas d'eau propre. » Il est généralement admis qu'il s'agissait là d'une référence voilée au Herr Doktor Hans Josef Maria Globke, son éminence grise en matière de sécurité nationale et de bien d'autres choses encore. Les antécédents de Globke étaient impressionnants, même compte tenu du niveau d'exigence des nazis : avant l'arrivée au pouvoir de Hitler, il s'était distingué en rédigeant des lois antisémites pour l'État libre de Prusse.

Deux ans plus tard, sous l'égide de son nouveau Führer, il prit part à la rédaction de la loi de Nuremberg qui révoquait la citoyenneté allemande de tous les juifs, obligeait, par commodité d'identification, ceux ne portant pas un des prénoms juifs listés en annexe à insérer « Sarah » ou « Israël » dans leur état civil et imposait aux non-juifs ayant un conjoint juif de s'en séparer. À la section des Affaires juives dirigée par Adolf Eichmann, il rédigea une nouvelle loi pour « la protection du sang et de l'honneur allemands » qui sonna le signal de l'Holocauste.

En parallèle, sans doute mû par son fervent catholicisme, Globke réussit à protéger ses arrières en fréquentant des groupes de résistants antinazis de droite, à tel point qu'il fut pressenti pour de hautes fonctions si les conspirateurs parvenaient à se débarrasser de Hitler. Peut-être cela explique-t-il comment, à la fin de la guerre, il échappa aux tentatives mollassonnes des Alliés pour le traîner en justice. Adenauer tenait à avoir Globke à ses côtés, et les Britanniques ne s'y opposèrent pas.

Ainsi advint-il qu'en 1951, à peine six ans après la fin de la guerre et deux ans après la fondation de la RFA, Hans Globke réussit le tour de force de pondre une loi en faveur de ses collègues nazis, anciens et actuels, loi qui à ce jour paraît encore hallucinante. En vertu de ce que j'appellerai « la Nouvelle Loi de Globke », les fonctionnaires du régime hitlérien dont la carrière avait été écourtée par des circonstances indépendantes de leur volonté obtenaient restitution de tous les salaires, arriérés et droits à la retraite dont ils auraient pu jouir si la Seconde Guerre mondiale n'avait pas eu lieu ou si l'Allemagne l'avait gagnée. En un mot, ils pouvaient prétendre aux promotions dont ils auraient bénéficié si la victoire alliée n'était pas venue gêner leur progression.

L'effet fut immédiat : la vieille garde nazie s'arrogea les meilleurs postes et la nouvelle génération, moins compromise, fut consignée à vie aux positions subalternes.

* * *

C'est alors qu'entre en scène Johannes Ullrich, érudit archiviste amoureux de Bach, de bon bourgogne rouge et d'histoire militaire prussienne. En avril 1945, quelques jours avant la reddition sans condition du commandant militaire de Berlin aux Russes, Ullrich faisait ce qu'il faisait depuis dix ans : il œuvrait en tant que sous-archiviste, conservateur des archives prussiennes au ministère des Affaires étrangères allemand, dans la Wilhelmstrasse. Le royaume de Prusse ayant disparu en 1918, aucun des documents qu'il manipulait n'avait moins de vingt-sept ans.

Je n'ai jamais vu de photo de Johannes, comme j'en vins à l'appeler, dans sa jeunesse, mais j'imagine un gaillard athlétique portant un costume austère et un col dur typiques de l'âge révolu qui était son habitat spirituel. Avec l'arrivée de Hitler au pouvoir, trois fois ses supérieurs le sommèrent d'adhérer au parti national-socialiste, et trois fois il refusa. Sous-archiviste il resta donc, jusqu'à ce que, au printemps 1945, l'Armée rouge du général Joukov défile sur la Wilhelmstrasse. Les troupes soviétiques entrant dans Berlin ne cherchaient pas particulièrement à prendre des prisonniers, mais le ministère des Affaires étrangères recelait potentiellement des prisonniers de grande valeur, ainsi que des documents nazis sensibles.

Ce que fit alors Johannes, avec les Russes à sa porte, est aujourd'hui entré dans la légende. Il emballa ses archives prussiennes dans de la toile cirée, les chargea dans une charrette à bras et, faisant fi d'un déluge de tirs d'armes légères, de grenades et d'obus de mortier, les charria jusqu'à un lopin de terre meuble, les y enterra et retourna à son poste juste à temps pour être capturé.

Selon les critères de la justice militaire soviétique, le dossier contre lui était accablant : en tant que conservateur d'archives nazies, il était par définition un agent de l'agression fasciste. Condamné à dix ans de détention dans les geôles de Sibérie, il en passa six à l'isolement et le reste dans une cellule partagée avec des assassins psychopathes, dont il apprit à imiter les comportements afin de survivre.

En 1955, il fut relâché dans le cadre d'un accord de rapatriement de prisonniers. La première chose qu'il fit en arrivant à Berlin fut d'emmener quelques hommes à l'endroit où il avait enterré les archives et d'en superviser l'exhumation. Après quoi, il se retira pour récupérer.

* * *

Revenons-en à la Nouvelle Loi de Globke.

Quelles compensations ne méritait pas Johannes, ce dévoué fonctionnaire de l'ère nazie, cette victime de la violence bolchevique ? Peu importe qu'il ait refusé par trois fois d'adhérer au parti. Peu importe que sa haine pour toutes choses nazies l'ait poussé à se plonger toujours plus profond dans le passé du royaume de Prusse. Demandez-vous plutôt quels sommets un jeune archiviste bardé de diplômes aurait pu atteindre si le Troisième Reich avait prévalu.

Johannes Ullrich, dont l'univers s'était réduit pendant dix ans aux murs d'une cellule en Sibérie, se vit conférer à titre rétroactif

41

le rang d'aspirant diplomate sur toute la période de son incarcération et put donc jouir des augmentations de traitement correspondant aux promotions prévues, des arriérés de salaire, des primes, des droits à la retraite et (avantage enviable par-dessus tous dans les administrations) d'un bureau d'une taille appropriée à son statut. Ah oui, et d'au moins un an de congés payés.

Pendant qu'il récupère, Johannes se plonge dans l'histoire de la Prusse. Il redécouvre sa passion pour le bourgogne rouge et épouse une interprète belge délicieusement drôle qui le vénère. Arrive enfin le jour où il ne peut plus résister à l'appel du devoir qui fait partie intégrante de son âme prussienne. Il met son nouveau costume, sa femme l'aide à faire son nœud de cravate et le conduit en voiture au ministère des Affaires étrangères, qui ne se trouve plus dans la Wilhelmstrasse à Berlin, mais à Bonn. Un concierge l'escorte jusqu'à son bureau. Ça, un bureau ? se récrie-t-il. Plutôt des appartements d'État, avec une table de travail d'un hectare de superficie dont il jurerait qu'elle fut dessinée par Albert Speer. Que cela lui plaise ou non, Herr Doktor Johannes Ullrich est dorénavant une grosse légume des Affaires étrangères de l'Allemagne de l'Ouest.

* * *

Pour vous imaginer Johannes quand il se lançait dans un des morceaux de bravoure dont je fus plusieurs fois un spectateur privilégié, visualisez un quinquagénaire voûté mais plein de vigueur qui tourne comme un lion en cage au point qu'on le croirait revenu dans sa cellule sibérienne. Tantôt il vous jette un regard interrogateur par-dessus l'épaule pour vérifier s'il n'en fait pas trop, tantôt il roule des yeux effarés devant son propre comportement, éclate de rire et refait un tour de la pièce en agitant les bras. Mais il n'est pas fou comme les prisonniers auxquels il était enchaîné en Sibérie. Il est merveilleusement, atrocement sain d'esprit et, une fois de plus, la folie n'est pas en lui mais autour de lui.

D'abord, il met un point d'honneur à décrire jusqu'au moindre détail ses appartements d'État aux invités fascinés réunis pour dîner dans mon logement de fonction à Königswinter, au bord du Rhin : depuis l'héraldique *Bundesadler*, aigle de sable aux pattes de gueules et à la tête tournée à dextre qui le toise depuis le mur (il nous imite le regard hautain du volatile), jusqu'à son « nécessaire de bureau d'ambassadeur », avec encrier et porte-plume en argent.

Ensuite, il ouvre virtuellement un tiroir de sa table Albert Speer d'un hectare, en extrait l'annuaire interne confidentiel du ministère des Affaires étrangères ouest-allemand, relié du plus beau vélin, précise-t-il, et l'exhibe à nos yeux entre ses deux mains vides, la tête penchée dessus avec révérence pour en humer le cuir et se pâmer devant une telle perfection.

Alors, il ouvre le volume. Très lentement. Chaque fois qu'il reproduit ce geste est pour lui un exorcisme, une catharsis chorégraphiée de ce qui a pu lui passer par la tête la première fois qu'il a eu sous les yeux cette liste de noms : ce sont les mêmes aristocrates et les mêmes nantis qui gagnèrent leurs galons diplomatiques sous la houlette du lamentable Joachim von Ribbentrop, ministre des Affaires étrangères de Hitler, qui jusqu'à sa mort dans sa cellule de Nuremberg continua de clamer son amour pour son Führer.

Peut-être ces beaux messieurs sont-ils aujourd'hui de meilleurs diplomates ; peut-être sont-ils aujourd'hui des repentis prompts à défendre la démocratie ; peut-être, comme Globke, ont-ils négocié avec des groupes antinazis pour se prémunir contre une possible chute de Hitler. Mais Johannes n'est pas d'humeur à voir ses collègues sous ce jour bienveillant. Devant son petit public, il se laisse tomber dans un fauteuil et boit une gorgée du bon bourgogne rouge que j'ai acheté en son honneur à l'économat où nous autres diplomates faisons nos courses de privilégiés, car voilà ce qu'il fit, ce matin-là, dans ses appartements d'État, après avoir jeté un premier coup d'œil à l'annuaire interne confidentiel relié de vélin du ministère des Affaires étrangères ouest-allemand : il se laissa tomber dans un profond fauteuil en cuir, le répertoire toujours ouvert entre les mains, et égrena en silence chacun de ces noms distingués, de gauche à droite et de haut en bas, au ralenti, toutes les particules, les *von* et les *zu*. Nous voyons ses yeux s'agrandir et ses lèvres remuer. Il lève un œil vide vers mon mur. Voilà comment j'ai contemplé le mur de mes appartements d'État, nous dit-il. Voilà comment j'ai contemplé le mur de ma prison en Sibérie.

Alors, il se lève d'un bond de mon fauteuil, ou plutôt du fauteuil de ses appartements d'État, et retourne à la table d'un hectare signée Albert Speer, en l'occurrence une desserte en acajou branlante près de la porte vitrée qui mène à mon jardin. Il pose les mains à plat sur l'annuaire. Il n'y a pas de téléphone sur ma desserte branlante, mais il soulève un combiné imaginaire et cherche de l'index le premier numéro de poste figurant dans la liste. Nous percevons le bzz-bzz nasillard de la sonnerie interne, que Johannes imite, nous voyons son large dos se redresser tout droit et entendons ses talons claquer à la mode prussienne. Assez fort pour réveiller mes enfants à l'étage résonne alors l'aboiement discipliné du soldat :

« *Heil Hitler, Herr Baron ! Hier Ullrich ! Ich möchte mich zurückmelden !* » Heil Hitler, monsieur le baron ! Ici Ullrich ! Je viens me présenter au rapport !

* * *

Je ne voudrais pas donner l'impression que j'ai passé mes trois ans dans le corps diplomatique en Allemagne à fulminer contre les vieux nazis haut placés alors que toute l'énergie de mon Service se consacrait à la promotion du commerce britannique et à la lutte contre le communisme. Si je fulminais en effet contre les vieux nazis (qui n'étaient d'ailleurs pas si vieux que cela, étant donné que, en 1961, nous n'étions qu'à une demi-génération de l'Allemagne hitlérienne), c'était parce que je m'identifiais aux Allemands de mon âge qui, afin d'avancer sur le chemin qu'ils s'étaient choisi dans la vie, devaient faire des courbettes à des gens ayant pris part à la déchéance de leur pays.

Comment un jeune politicien prometteur pouvait-il s'accommoder de savoir que les cadres de son parti comptaient des sommités comme Ernst Achenbach, qui, en tant que haut fonctionnaire à l'ambassade d'Allemagne à Paris pendant l'Occupation, avait personnellement supervisé la déportation en masse des juifs de France vers Auschwitz ? Les Français et les Américains avaient bien essayé de le traduire en justice, mais Achenbach, avocat de métier, avait réussi à obtenir une espèce d'immunité. Au lieu d'être traîné devant des juges à Nuremberg, il monta un cabinet d'avocats fort lucratif et défendit des personnes accusées de crimes identiques à ceux qu'il avait commis. Comment diable mon jeune politicien allemand prometteur pouvait-il réagir quand un Achenbach supervisait sa carrière ? Il mettait ça dans sa poche avec son mouchoir par-dessus ?

Entre toutes les autres préoccupations qui m'assaillirent durant mon séjour à Bonn, puis ensuite à Hambourg, le passé en suspens de l'Allemagne en était une qui ne m'abandonnait jamais. En mon for intérieur, je ne souscrivis jamais au politiquement correct de l'époque, même si je m'y conformais pour la galerie, sans doute comme de nombreux Allemands pendant la guerre de 1939-1945.

Même après avoir quitté l'Allemagne, je ne pus me défaire de ce sujet. Après avoir achevé *L'Espion qui venait du froid*, je retournai à Hambourg et y débusquai un pédiatre allemand accusé d'avoir pris part au programme nazi d'euthanasie destiné à débarrasser la nation aryenne de ses bouches inutiles. Il s'avéra que le dossier contre lui, monté de toutes pièces par un rival envieux, était sans aucun fondement. Je retins dûment la leçon.

La même année, 1964, je me rendis à Ludwigsbourg, dans le Bade-Wurtemberg, pour rencontrer Erwin Schüle, directeur du Service central d'enquêtes sur les crimes nationaux-socialistes. Je travaillais à une histoire qui deviendrait par la suite *Une petite ville en Allemagne*, mais je n'avais pas encore eu l'idée d'utiliser l'ambassade de Grande-Bretagne comme toile de fond, cette expérience étant encore trop récente.

Erwin Schüle correspondait en tout point à l'image qu'on m'en avait faite : honnête, franc, tout aussi consciencieux que son équipe composée d'une demi-douzaine de jeunes avocats pâlichons. Chacun dans son petit cagibi, ils passaient d'interminables journées à éplucher des preuves ignobles glanées dans les dossiers nazis et les rares témoignages de première main. Leur but était d'attribuer telle ou telle atrocité à des individus susceptibles d'être traduits en justice, plutôt qu'à des unités militaires pour lesquelles c'était impossible. À genoux devant des petits bacs à sable d'enfants, ils disposaient des figurines, chacune marquée d'un numéro. Sur une rangée, des soldats de plomb, en uniforme, armés ; sur une autre, des figurines d'hommes, de femmes et d'enfants en civil. Et, entre les deux, dans le sable, une petite tranchée pour représenter la fosse commune attendant d'être remplie.

Le soir, Schüle et son épouse m'invitèrent à dîner sur le balcon de leur maison sise sur une colline boisée. Schüle me parla passionnément de son travail. C'était une vocation, me confia-t-il. Une nécessité historique. Nous convînmes de nous revoir bientôt, mais cela n'arriva jamais. En février de l'année suivante, Schüle descendit d'un avion à Varsovie, où il avait été invité pour examiner des archives nazies récemment découvertes. Il se retrouva face à un agrandissement d'une photo de sa carte de membre du parti national-socialiste. Simultanément, le gouvernement soviétique lança contre lui toute une série d'accusations, notamment celle d'avoir abattu deux civils avec son pistolet et violé une femme, alors qu'il servait comme soldat sur le front russe. Une fois encore, ces allégations se révélèrent sans fondement.

Quelle leçon en tirer ? Que plus on est en quête d'absolus, moins on a de chances d'en trouver. Je crois sincèrement que Schüle, quand je l'ai rencontré, était un homme honnête. Mais il devait vivre avec son passé et, quel qu'il ait pu être, gérer ce grand écart. La question de savoir comment les Allemands de sa génération ont pu y arriver m'a toujours fasciné.

Quand l'Allemagne vit apparaître la bande à Baader, je n'en fus pas surpris, personnellement. De nombreux jeunes Allemands avaient vu le passé de leurs parents enterré, ou nié, ou juste dissimulé par le mensonge. Alors forcément, un jour cela devait exploser, et c'est bien ce qui arriva. Et ce ne furent pas simplement quelques « éléments incontrôlables » qui explosèrent. Ce fut toute une génération en colère de fils et filles frustrés de la classe moyenne qui se lancèrent discrètement dans la mêlée en fournissant aux terroristes montés au créneau un réseau logistique et un soutien moral.

Une telle chose pourrait-elle se produire en Grande-Bretagne ? Nous avons cessé depuis longtemps de nous comparer à l'Allemagne, peut-être parce que nous n'osons même plus. L'émergence de l'Allemagne moderne en tant que grande puissance démocratique pacifique, sans parler de l'exemple humanitaire qu'elle nous donne, est une pilule trop amère à avaler pour beaucoup de Britanniques. C'est un constat qui me désole depuis bien longtemps.

3

Visite officielle

L'une de mes attributions les plus agréables lorsque je travaillais à l'ambassade de Grande-Bretagne à Bonn au début des années 1960 était de cornaquer des délégations de jeunes Allemands prometteurs envoyés en Grande-Bretagne dans le but qu'ils s'initient à nos mœurs démocratiques et, tel était notre fier espoir, s'en inspirent. La plupart étaient des députés nouvellement élus ou des journalistes politiques pleins d'avenir, certains très brillants et tous (cela me frappe aujourd'hui) des hommes.

En moyenne, ces petits séjours duraient une semaine : on partait de l'aéroport de Cologne par le vol BEA du dimanche soir, on écoutait le discours de bienvenue d'un représentant du British Council ou du Foreign Office, et on rentrait le samedi matin suivant. Au cours de ces cinq journées bien remplies, les invités visitaient les deux chambres du Parlement, assistaient à la séance de questions au gouvernement aux Communes, se rendaient à la Haute Cour de justice et éventuellement à la BBC, étaient reçus par des membres du gouvernement et des leaders de l'opposition d'un niveau hiérarchique déterminé en partie par la notoriété des délégués et en partie par le caprice de leurs hôtes, et découvraient un échantillon des beautés rustiques de l'Angleterre comme le château de Windsor, Runnymede, où fut signée la Grande Charte, ou la bourgade de Woodstock, dans l'Oxfordshire, au charme typiquement anglais.

Le soir venu, ils avaient le choix entre une sortie au théâtre ou la poursuite de leurs intérêts personnels, ce qui signifiait (cf. votre dossier d'information du British Council) que les délégués d'obédience catholique ou luthérienne frayaient avec leurs coreligionnaires, les socialistes avec leurs frères d'armes travaillistes, et les délégués aux intérêts personnels plus pointus (les économies émergentes du tiers-monde, par exemple) avec leurs homologues britanniques. Pour de plus amples renseignements ou toute demande spécifique, n'hésitez pas à consulter votre guide et interprète, à savoir moi.

Et de fait, ils n'hésitaient pas. Ce qui explique comment, à 23 heures par un chaud dimanche estival, je me retrouvai à la conciergerie d'un hôtel du West End avec un billet de dix livres à la main et une demi-douzaine de jeunes parlementaires allemands bien imbibés qui se pressaient à mes côtés en réclamant de la compagnie féminine. Ils étaient en Angleterre depuis quatre heures, la plupart pour la première fois de leur vie. Tout ce qu'ils savaient de Londres dans les années 1960, c'est que ça swinguait, et ils étaient résolus à swinguer tout pareil. Résumé des épisodes précédents : un sergent de Scotland Yard de ma connaissance m'ayant recommandé un night-club de Bond Street où « les filles étaient réglo et ne faisaient pas d'entourloupe », deux taxis noirs nous avaient emmenés à toute allure jusqu'à ses portes, que nous avions trouvées closes, aucune lumière visible. Le sergent avait oublié que nous avions des lois prohibant l'ouverture du dimanche, en ce temps-là. À présent, assailli par mes ouailles désespérées, j'en appelais au concierge en dernier recours, et pour mes dix livres il ne me déçut pas :

« À mi-hauteur de Curzon Street sur le trottoir de gauche, monsieur, vous avez une enseigne bleue dans une fenêtre qui dit "Cours de français". Si c'est éteint, c'est que les filles sont déjà en main. Sinon, ça veut dire qu'elles sont disponibles. Mais restez discrets, surtout. »

Escorter mes protégés contre vents et marées, ou bien les laisser à leurs petits plaisirs ? Ils étaient tout émoustillés, ils parlaient à peine anglais, et leur allemand n'était pas toujours des plus discrets.

L'enseigne bleue projetait son reflet fluorescent dans toute la rue enténébrée. Une petite allée traversait un jardinet jusqu'à la porte d'entrée. Sur un bouton s'affichait en lettres lumineuses le mot « Sonnez ». Faisant fi des conseils du concierge, mes délégués ne se montraient guère discrets. Je sonnai. La porte fut ouverte par une imposante dame d'âge mûr en cafetan blanc avec un bandana noué autour de la tête.

« Oui ? » fit-elle d'un ton outré, comme si nous l'avions dérangée en plein sommeil.

J'étais sur le point de lui présenter mes excuses quand le député d'une circonscription sise à l'ouest de Francfort me prit de court :

« Nous sommes allemands et nous voulons apprendre le français ! » beugla-t-il dans son plus bel anglais sous les vivats de ses camarades.

Notre hôtesse ne se laissa pas impressionner.

« C'est cinq livres chacun pour un petit moment, et un seul à la fois », annonça-t-elle avec la sévérité d'une directrice d'école.

Au moment de laisser mes délégués à leurs intérêts personnels, je remarquai sur le trottoir deux policiers en uniforme, un jeune, un vieux, qui se dirigeaient vers nous. Précisons que je portais ma redingote noire et un pantalon rayé.

« Je suis du Foreign Office. Ces messieurs sont mes invités officiels.

– Moins de bruit ! » dit le plus vieux des deux avant de continuer benoîtement son chemin.

4

Le doigt sur le bouton

Le plus impressionnant des hommes politiques que j'eus à escorter en Grande-Bretagne durant mes trois années à Bonn fut Fritz Erler, spécialiste des questions de défense et de politique étrangère du parti social-démocrate que beaucoup considéraient en 1963 comme le futur chancelier d'Allemagne de l'Ouest. Pour avoir assisté à des débats au Bundestag, je savais que c'était aussi un opposant d'une ironie mordante au chancelier Adenauer et à son ministre de la Défense, Franz Josef Strauss, et puisque, en privé, je détestais ces deux-là tout autant que lui, je fus doublement heureux de me voir attribuer la mission de l'accompagner à Londres, où il devait rencontrer d'éminents parlementaires britanniques de tous bords, dont le leader travailliste Harold Wilson et le Premier ministre Harold Macmillan.

Le débat brûlant du moment était le « doigt sur le bouton » : dans l'éventualité d'une guerre nucléaire, le gouvernement de Bonn devait-il avoir son mot à dire dans la décision de lancer des missiles américains depuis des bases en Allemagne de l'Ouest ? Erler venait d'en discuter à Washington avec le président Kennedy et son secrétaire à la Défense, Robert McNamara. Ma mission telle que stipulée par l'ambassade était de l'accompagner pendant tout son séjour en Angleterre et de me rendre utile en tant que secrétaire particulier, factotum et interprète. Erler, qui n'était pas la moitié d'un imbécile, parlait mieux anglais qu'il ne le laissait paraître, mais il aimait bénéficier du petit temps de réflexion supplémentaire que lui accordait le processus d'inter-prétation et ne fut donc pas déçu d'apprendre que je n'étais pas un professionnel. Le voyage devait durer dix jours, avec un pro-gramme chargé. Le Foreign Office lui avait réservé une suite à l'hôtel Savoy et m'avait fourni une chambre à quelques portes dans le même couloir.

Chaque matin vers 5 heures, je sortais sur le Strand acheter les journaux et retournais m'asseoir dans le hall du Savoy, où, au son des aspirateurs vrombissants, j'entourais au crayon toutes les nouvelles ou déclarations qu'il me semblait utile de porter à la connaissance d'Erler avant ses rendez-vous du jour. Puis je dépo-sais les journaux devant la porte de sa suite et je regagnais ma chambre, où j'attendais le signal pour notre promenade matinale fixée à 7 heures pile.

Vêtu d'un imperméable et d'un béret noirs, Erler avait la silhouette d'un homme austère et dénué d'humour, mais je savais qu'il n'était ni l'un ni l'autre. Nous marchions pendant dix minutes, chaque matin vers une nouvelle destination, puis il s'arrêtait, faisait demi-tour et, la tête baissée, les mains jointes dans le dos, les yeux rivés sur le trottoir, il débitait le nom des commerces ou cabinets devant lesquels nous étions passés à l'aller en me chargeant de vérifier ses dires. C'était un exercice de discipline mentale qu'il avait appris dans le camp de concentration de Dachau, m'expliqua-t-il après nos premières excursions. Peu avant que la guerre éclate, il avait été condamné à dix ans d'incarcération pour avoir « fomenté des actes de haute trahison » envers le gouvernement national-socialiste. En 1945, lors de la tristement célèbre marche de la mort des prisonniers de Dachau, il avait réussi à s'échapper et s'était caché en Bavière jusqu'à la capitulation allemande.

Son exercice de discipline mentale avait de toute évidence porté ses fruits, car je n'ai pas souvenir qu'il se soit jamais trompé sur le moindre nom.

* * *

Au cours des dix jours qui suivirent s'enchaînèrent des rencontres avec le ban et l'arrière-ban (voire l'arrière-arrière-ban) de Westminster. Je revois encore les visages de l'autre côté de la table, j'entends encore certaines voix. Je me souviens d'avoir été particulièrement distrait par celle de Harold Wilson. Faute de ce détachement propre aux interprètes professionnels, j'étais bien trop intéressé par les caractéristiques vocales et physiques de mes sujets. Je me rappelle très clairement la pipe éteinte de Wilson, qu'il utilisait comme un accessoire de théâtre. De la substance de nos conversations supposément de haut vol, je ne garde aucun souvenir. Nos interlocuteurs semblaient en savoir aussi peu sur les questions de défense que moi-même, ce qui était une bénédiction car, même si j'avais mémorisé au préalable un macabre glossaire de la dissuasion nucléaire, ces termes techniques me restaient aussi incompréhensibles en anglais qu'en allemand. Mais je crois que je n'eus jamais à m'en servir, et je doute fort que je les reconnaîtrais aujourd'hui.

Seule une entrevue reste gravée dans mon souvenir de façon indélébile, autant par les images et les voix que par son contenu, car elle marqua le summum de notre décade prodigieuse : le futur chancelier putatif Fritz Erler face au Premier ministre britannique en exercice, Harold Macmillan, au 10 Downing Street.

* * *

Nous sommes mi-septembre 1963. En mars de cette même année, le ministre de la Guerre John Profumo a fait une déclaration solennelle à la Chambre des communes niant toute relation douteuse avec une certaine Christine Keeler, danseuse de nightclub anglaise entretenue par Stephen Ward, ostéopathe londonien en vue. Qu'un ministre de la Guerre marié ait une maîtresse était certes répréhensible, mais pas inédit. Qu'il puisse la partager, comme l'affirmait Keeler, avec l'attaché de la marine à l'ambassade soviétique de Londres dépassait les bornes. Le bouc émissaire fut l'infortuné ostéopathe Stephen Ward qui, après un procès truqué, se suicida sans même attendre le verdict. En juin, Profumo quittait le gouvernement et le Parlement. En octobre, Macmillan démissionnerait lui aussi, pour raison de santé. Sa rencontre avec Erler eut lieu en septembre, à peine quelques semaines avant que le Premier ministre jette l'éponge.

Nous arrivâmes en retard au 10 Downing Street, ce qui n'est jamais un bon début. La voiture officielle se faisant attendre, j'en avais été réduit à sortir dans la rue en redingote et pantalon rayé pour arrêter un véhicule et demander au conducteur de nous emmener au 10 Downing Street le plus vite possible. Bien évidemment, le jeune homme en costume qui tenait le volant me prit pour un illuminé, mais la passagère assise à ses côtés intervint : « Allez, dis oui, sinon ils vont être en retard. » Son compagnon se mordit la lèvre et obtempéra. Nous montâmes à l'arrière, Erler lui donna sa carte en se mettant à leur disposition au cas où ils se rendraient un jour à Bonn. Malgré tout, nous avions quand même dix minutes de retard.

Une fois introduits dans le bureau du Premier ministre, nous nous excusâmes et nous assîmes. Macmillan restait de marbre derrière son bureau, ses mains tavelées posées devant lui. Son secrétaire personnel, Philip de Zulueta, membre des Gardes gallois et futur chevalier du royaume, était assis à son côté. Erler exprima en allemand ses regrets quant au retard de la voiture, je le secondai en anglais. Sous les mains primo-ministérielles se trouvait une vitre, sous laquelle se trouvait un mémo tapuscrit, en caractères assez gros pour être lus même à l'envers, qui résumait le *curriculum vitae* d'Erler. Le mot « Dachau » figurait en très gros. Quand Macmillan parla, ses mains effleurèrent la plaque de verre comme s'il lisait du braille. Sa voix traînante de patricien, qu'imitait à merveille le chansonnier Alan Bennett dans la revue satirique *Beyond the Fringe*, sonnait comme un vieux 78 tours sur un gramophone tournant au ralenti. Un petit filet intarissable de larmes coulait du coin de son œil droit, le long d'un sillon qui descendait jusqu'à son col de chemise.

Après quelques mots courtois de bienvenue prononcés avec

un charme édouardien hésitant (votre hôtel vous convient-il ? s'occupe-t-on bien de vous ? vous fait-on rencontrer les personnes qu'il faut ?), Macmillan finit par demander à Erler avec une curiosité évidente ce dont il était venu lui parler, question qui prit Erler par surprise, ce n'est rien de le dire.

« *Verteidigung* », répondit-il.

De défense.

Ainsi informé, Macmillan consulta son mémo, et je suppose que son œil, comme le mien, tomba de nouveau sur le mot *Dachau*, car soudain son visage s'éclaira.

« Eh bien, Herr Erler, déclara-t-il avec une soudaine énergie. Vous avez souffert durant la Seconde Guerre mondiale, et moi pendant la Première. »

Pause, le temps que je traduise inutilement.

Nouvel échange d'amabilités. Erler a-t-il une famille ? Oui, concède Erler, il a une famille. Je traduis dûment. À la demande de Macmillan, il énumère le nom de ses enfants et ajoute que sa femme fait aussi de la politique. Je traduis derechef.

« Et donc, vous avez parlé à des Américains spécialistes des questions de défense, me dit-on ? continue Macmillan d'un ton agréablement surpris après avoir consulté une nouvelle fois les grosses lettres sous la plaque de verre.

– *Ja.* »

Oui.

« Et vous aussi, vous avez des spécialistes des questions de défense, dans votre parti ? demande Macmillan, du ton de l'homme d'État harassé qui compatit avec un autre.

– *Ja* », répond Erler d'un ton un peu plus sec que je ne l'aurais souhaité.

Oui.

Un blanc. Je jette un coup d'œil à de Zulueta pour tenter de gagner son soutien, mais en vain. Après une semaine de proche fréquentation d'Erler, j'ai appris à trop bien connaître son impatience quand une conversation ne répond pas à ses attentes. Et je sais à quel point il s'est soigneusement préparé pour cette rencontre, encore plus que pour les autres.

« Vous comprenez, ils viennent me voir, ces experts des questions de défense, se plaint Macmillan d'un ton navré. Comme ils doivent venir vous voir, vous aussi. Et ils me disent les bombes vont tomber ici, les bombes vont tomber là…, explique-t-il en distribuant de ses mains les bombes à droite et à gauche sur sa plaque de verre. Mais vous, vous avez souffert pendant la Seconde Guerre mondiale et moi pendant la Première ! s'émerveille-t-il de nouveau. Vous et moi savons que les bombes tomberont là où elles tomberont ! »

Je réussis tant bien que mal à traduire ce discours. Même en allemand, il me fallut moins du tiers du temps que Macmillan avait pris, pour un résultat deux fois plus ridicule. Lorsque j'en eus terminé, Erler rumina un moment. Quand il ruminait, les muscles de son visage émacié donnaient l'impression de gonfler et de dégonfler indépendamment les uns des autres. Soudain il se leva, attrapa son béret et remercia Macmillan de lui avoir accordé de son temps. Il attendait que je me lève moi-même, donc je m'exécutai. Macmillan, aussi surpris que nous l'étions tous, se leva à demi pour lui serrer la main, puis retomba sur sa chaise. Alors que nous nous dirigions vers la porte, Erler se tourna vers moi et laissa libre cours à son exaspération :

« *Dieser Mann ist nicht mehr regierungsfähig.* »

Cet homme n'est plus capable de diriger un pays.

La formulation un peu étrange en allemand semblait indiquer une citation récemment lue ou entendue. Quoi qu'il en soit, le propos n'échappa pas à de Zulueta ; or, comble de malheur, il parlait allemand. Il siffla dans mon oreille un « J'ai entendu » furieux qui me le confirma.

Cette fois-ci, la voiture officielle nous attendait bien, mais Erler préféra rentrer à pied, la tête baissée, les mains jointes derrière le dos, les yeux rivés au trottoir.

De retour à Bonn, je lui envoyai un exemplaire de *L'Espion qui venait du froid*, qui venait de sortir, en avouant que j'en étais l'auteur. Quand arriva Noël, il en parla de manière bienveillante dans la presse allemande. Ce même mois de décembre, il fut élu chef de l'opposition parlementaire allemande. Trois ans plus tard, il mourait d'un cancer.

5

À qui se reconnaîtra

Quiconque a plus de cinquante ans se rappelle où il se trouvait ce jour-là, mais, malgré tous mes efforts, je ne me rappelle pas avec qui j'étais. Alors, si vous êtes l'éminent invité allemand assis à ma gauche dans la salle communale de St Pancras le soir du 22 novembre 1963, peut-être aurez-vous la gentillesse de vous faire connaître. Vous étiez sans nul doute éminent, sinon, pourquoi le gouvernement britannique vous aurait-il invité ? Et je me rappelle que cette sortie à la salle communale de St Pancras avait été conçue comme une petite plage de détente à la fin d'une journée fatigante, une occasion de vous reposer tout en découvrant le fonctionnement de notre démocratie participative à l'anglaise.

Pour être participatif, ce le fut. La salle était bourrée à craquer de gens en colère qui criaient si fort que j'avais du mal à comprendre les insultes qui fusaient en direction de la scène, et encore plus à les traduire pour vous. Des vigiles à l'air sévère se tenaient debout le long des murs, bras croisés sur la poitrine, et si quiconque avait rompu les rangs, c'eût été un sauve-qui-peut général. Je crois qu'on nous avait proposé la protection de la Special Branch, que vous aviez refusée, à mon grand regret. Coincés dans des sièges au milieu d'une rangée, nous étions bien loin de l'issue la plus proche.

Sur la scène, l'objet de la colère de la foule rendait coup pour coup. Quintin Hogg, jadis vicomte Hailsham, avait renoncé à son titre pour se présenter comme candidat conservateur à l'élection de St Marylebone. Lui qui aimait l'affrontement, il était servi. Un mois plus tôt, Harold Macmillan avait démissionné. Des élections législatives s'annonçaient. Même si ce nom n'évoque plus grand-chose aujourd'hui, et encore moins à l'étranger Quintin Hogg, alias lord Hailsham, incarnait en 1963 l'archétype britannique tenace d'un temps révolu : ancien élève d'Eton, étudiant en humanités, soldat pendant la Première Guerre, avocat, alpiniste, homophobe, conservateur chrétien virulent, il était par-dessus tout un animal politique, célèbre pour sa pugnacité et ses effets de manche. Dans les années 1930, comme beaucoup dans son parti, il avait penché en faveur de la politique d'apaisement avant de se rallier à Churchill. Après la guerre, il était devenu le prototype universel de l'éternel second de la vie politique, constamment promis à de hautes fonctions pour finir toujours dans l'antichambre. Mais ce soir-là, comme jusqu'à la fin de sa longue vie, il incarnait le bretteur de la bonne société britannique que tout l'électorat adorait détester.

J'oublie quels arguments il défendait, à supposer que je les aie entendus malgré le tumulte, mais je me rappelle, comme toute personne qui l'a vu à l'époque, sa truculence rubiconde, son pantalon feu de plancher, ses pieds écartés comme ceux d'un catcheur dans des bottillons noirs à lacets, son visage bouffi de paysan, ses poings serrés et, bien sûr, cette voix de stentor de la haute société qui projetait par-dessus les hurlements de la foule des propos que j'essayais de traduire pour l'inconnu que j'escortais.

Entre alors côté jardin un messager shakespearien, petit homme gris qui s'approche de Hogg sur la pointe des pieds et lui murmure quelque chose à l'oreille droite. Les bras de Hogg, qui jusqu'alors s'agitaient en signe de remontrance ou de dérision, retombent le long de son corps. Il ferme les yeux, les rouvre et penche de côté sa tête étrangement longue pour entendre de nouveau les mots qu'on lui murmure. Dans son regard, la fureur churchillienne laisse place à l'incrédulité, puis à l'abattement. Il s'excuse alors d'une voix brisée puis, avec la rigidité d'un homme qui monte à l'échafaud, sort de scène, suivi par le messager. Quelques optimistes pensent qu'il a abandonné le champ de bataille et le couvrent d'insultes. Peu à peu, un silence gêné tombe sur la salle. Hogg revient, le visage cendreux, les gestes raides et empruntés. Pas un son ne l'accueille. Et il attend, tête baissée comme pour rassembler ses forces. Alors il lève la tête et nous voyons des larmes couler sur ses joues.

Enfin, il annonce la nouvelle. Pour l'instant présent et pour l'éternité. Une affirmation si catégorique, si indiscutable que, contrairement à toutes les autres qu'il a faites ce soir, elle ne sera jamais contestée.

« On m'apprend à l'instant que le président Kennedy a été assassiné. Cette réunion est terminée. »

* * *

Nous sommes dix ans plus tard. Un ami diplomate m'invite à un dîner de gala organisé à l'All Souls College, à Oxford, en l'honneur d'un mécène défunt. Seuls des hommes sont présents, ce qui devait être la règle à l'époque, et aucun jeune. Le repas est exquis et la conversation intellectuelle, pour ce que je peux en comprendre, très raffinée. Entre deux mets, nous passons d'une salle à manger éclairée à la bougie à une autre, chacune plus splendide que la précédente, où une longue table est dressée avec l'argenterie éternelle du College. Chaque changement de salle s'accompagne d'un réaménagement du plan de table, ce qui fait qu'au deuxième ou au troisième je me retrouve assis à côté de ce même Quintin Hogg, ou plutôt, comme l'affirme son marque-place, du nouveau baron Hailsham de St Marylebone. Ayant renoncé à son précédent titre pour pouvoir être élu à la Chambre des communes, l'ancien M. Hogg s'en est déniché un autre pour pouvoir retourner à la Chambre des lords.

Même dans les bons jours, je ne suis pas doué pour faire la conversation, encore moins avec un pair conservateur agressif dont les idées politiques sont diamétralement opposées aux miennes, pour autant que j'en aie. Le vénérable universitaire à ma gauche disserte avec éloquence sur un sujet auquel je ne connais rien. Le vénérable universitaire en face de moi discute un point de mythologie grecque, ce qui n'est pas mon fort. Or le baron Hailsham à ma droite, après un unique coup d'œil à mon marque-place, s'est plongé dans un silence si désapprobateur, si buté, si absolu que, en toute courtoisie, je me sens obligé d'y mettre un terme. Je ne sais quelle étrange convention sociale m'interdit alors de mentionner le jour où il reçut la nouvelle de l'assassinat de Kennedy à la salle communale de St Pancras. Peut-être supposai-je qu'il préférait qu'on ne lui rappelât point un tel étalage public d'émotion.

Faute d'un meilleur sujet, je parle de moi. J'expl ique que je suis écrivain de profession et je lui révèle mon pseudonyme, ce qui n'a pas l'heur de l'enthousiasmer – ou peut-être le connaît-il déjà, ce qui expliquerait sa défiance. Je dis que j'ai la chance d'avoir une maison à Hampstead, mais que je passe le plus clair de mon temps dans l'ouest des Cornouailles, dont je vante la beauté des paysages. Je lui demande si lui aussi a une maison de campagne où il peut se détendre le week-end. Là, il est bien obligé de répondre. Il a en effet un tel lieu, et il me le dit en trois mots exaspérés :

« Hailsham, pauvre imbécile. »

6

Les rouages de la justice britannique

Au cœur de l'été 1963, un éminent législateur ouest-allemand qui se trouvait sous ma responsabilité en tant qu'invité officiel à Londres du gouvernement de Sa Majesté exprima le souhait de voir tourner les rouages de la justice britannique, et l'exprima en présence de rien moins que le Lord Chancelier d'Angleterre, dont le nom était alors Dilhorne (anciennement Manningham-Buller, surnommé « Bullying-Manner » par ses collègues de la magistrature en raison de ses manières brutales).

Le Lord Chancelier est le membre du Cabinet responsable du bon fonctionnement de tous les tribunaux du pays. S'il faut exercer des pressions politiques sur un procès, ce qu'à Dieu ne plaise, alors le Lord Chancelier est la personne la mieux placée pour ce faire. Le sujet de notre réunion, pour lequel Dilhorne n'avait pas fait montre de la moindre once d'intérêt, était le recrutement et la formation des jeunes juges à la magistrature d'Allemagne de l'Ouest. Aux yeux de mon éminent invité allemand, c'était une question cruciale pour l'avenir de toute la profession juridique dans l'ère post-nazie. Aux yeux de lord Dilhorne, c'était une perte inutile de son temps précieux, et il ne le cachait pas.

Alors que nous nous levions pour prendre congé, il condescendit à demander à notre invité, ne serait-ce que pour la forme, s'il y avait quoi que ce soit qu'il puisse faire pour rendre son séjour en Grande-Bretagne plus agréable. Ce à quoi l'invité répondit du tac au tac (et je suis ravi de le dire) que oui, il y avait en effet

62

quelque chose. Il souhaitait assister au procès pénal de Stephen Ward, accusé d'avoir vécu des gains immoraux de Christine Keeler, dont j'ai déjà décrit plus haut l'implication dans le scandale Profumo. Le rouge monta aux joues de Dilhorne, qui avait joué un rôle central dans l'élaboration du dossier honteux contre Ward, puis il serra les dents et lâcha un « Mais bien sûr ».

Ainsi advint-il que, deux jours plus tard, mon invité allemand et moi-même nous retrouvâmes assis côte à côte dans la première chambre de l'Old Bailey, juste derrière l'accusé Stephen Ward. Son avocat prononçait un genre de plaidoirie finale, et le juge, dont l'hostilité envers Ward n'avait d'égale que celle du procureur, lui rendait la vie aussi difficile que possible. Je crois bien, mais je n'en suis plus sûr, que Mandy Rice-Davies était assise quelque part dans le public, mais elle avait fait l'objet d'une telle couverture médiatique que peut-être est-ce mon imagination qui la place là. (À l'intention de ceux qui sont trop jeunes pour avoir apprécié ses témoignages croquignolets lors du procès, Mandy était la mannequin, danseuse et show-girl qui partageait l'appartement de Christine Keeler.)

Ce dont je me souviens très bien, en revanche, est l'épuisement total qui se lisait sur le visage de Ward quand, conscient que nous étions plus ou moins des VIP, il se retourna pour nous saluer : le profil aquilin, les traits défaits, la peau tendue, le sourire crispé, les yeux exorbités, rougis et cernés par la fatigue, et la voix rauque du fumeur essayant d'adopter un ton dégagé :

« Alors, quelles sont mes chances, à votre avis ? » nous demanda-t-il soudain.

En règle générale, on ne s'attend pas à ce que les acteurs sur scène se retournent et discutent avec vous au beau milieu de la pièce. En notre nom à tous deux, je l'assurai qu'il avait toutes ses chances, mais même moi je n'y croyais pas. Deux jours plus tard, sans attendre le verdict, Ward se suicida. Lord Dilhorne et ses co-conspirateurs avaient obtenu la tête qu'ils voulaient.

7

Ivan Serov passe à l'Ouest

Au début des années 1960, tandis que la Guerre froide battait son plein, les jeunes diplomates britanniques en poste à l'étranger n'étaient pas encouragés à fraterniser avec leurs homologues soviétiques. Tout contact de ce genre, qu'il fût accidentel, mondain ou officiel, devait immédiatement être signalé aux supérieurs, de préférence avant les faits. Un léger vent de panique souffla donc sur mon service à Londres quand je dus avouer que j'étais en contact quotidien depuis près de deux semaines avec un haut fonctionnaire de l'ambassade soviétique de Bonn, et que nos rencontres avaient eu lieu sans la présence d'une tierce personne.

Comment nous en étions arrivés là me surprenait tout autant que mes maîtres. La scène politique ouest-allemande, sur laquelle j'avais pour mission de faire des rapports, traversait une de ses crises récurrentes. Le rédacteur en chef du *Spiegel* était en prison pour avoir publié des informations confidentielles sur la défense nationale, et Franz Josef Strauss, le ministre bavarois qui l'y avait envoyé, était accusé de malversations dans l'achat de chasseurs américains Starfighter par l'aviation allemande. Chaque jour apportait son lot d'informations croustillantes sur les bas-fonds bavarois, avec tout un casting de maquereaux, de femmes légères et d'intermédiaires douteux.

Comme à mon habitude en période de troubles politiques, je me précipitai au Bundestag pour occuper mon siège dans la galerie des diplomates et saisir la première occasion de descendre discrètement sonder mes contacts au Parlement. Ce fut à mon retour dans la galerie après une telle escapade que je fus un jour surpris de trouver mon siège occupé par un sympathique quinquagénaire ventru aux sourcils broussailleux et aux lunettes non cerclées, vêtu, ce qui semblait étonnant vu la saison, d'un lourd costume trois pièces gris dont le gilet était trop petit d'au moins deux tailles pour son ample bedaine.

Quand je dis « mon siège », c'est uniquement parce que la petite galerie perchée en hauteur sur le mur du fond comme une loge à l'Opéra restait toujours inexplicablement vide, si l'on excepte un officier de la CIA portant le nom improbable de Herr Schulz qui, au premier coup d'œil, avait dû percevoir en ma personne une influence néfaste potentiellement contagieuse et s'était assis aussi loin de moi que possible. Mais aujourd'hui, il n'y a que le gros monsieur. Je lui souris. Il me rend un large sourire. Je m'assois à deux chaises de lui. Le débat à la tribune est animé. Chacun de nous deux écoute, très concentré et conscient de la concentration de l'autre. Arrive la pause déjeuner. Nous nous levons, nous faisons assaut de courtoisie pour savoir qui passera la porte en premier, puis nous descendons séparément à la cantine du Bundestag où, depuis nos tables respectives, nous échangeons des sourires polis en mangeant notre soupe du jour. Deux assistants parlementaires se joignent à moi, mais mon voisin de la galerie diplomatique reste seul. Une fois nos soupes terminées, nous retournons à nos places dans la galerie, et, à la fin de la séance, nous partons chacun de notre côté.

À mon arrivée le lendemain matin, je le trouve de nouveau assis tout sourire sur mon siège. Et de nouveau au déjeuner, il est là tout seul à manger sa soupe, tandis que je discute avec deux journalistes politiques. Devrais-je l'inviter à se joindre à nous ? Après tout, c'est un collègue diplomate. Devrais-je me lever et aller m'asseoir à sa table ? Mon empathie irrépressible est comme souvent infondée : cet homme est parfaitement heureux, à lire son *Frankfurter Allgemeine* dans son coin. L'après-midi, je ne le vois pas, mais le Bundestag est déjà prêt à fermer boutique en ce vendredi estival.

Quand vient le lundi, je suis à peine assis sur mon ancien siège que l'homme fait son apparition, un doigt posé sur les lèvres par respect pour les vociférations en bas tout en me tendant à serrer une main spongieuse, mais avec un tel air de familiarité que je suis pris de la conviction coupable qu'il me connaît et que je ne le reconnais pas, que nous nous sommes déjà croisés sur le circuit des cocktails diplomatiques de Bonn et qu'il se souvient de cette rencontre depuis le début alors que moi non.

Pis encore, à en juger par son âge et son maintien, il est fort probable qu'il soit l'un des innombrables ambassadeurs de second rang en poste à Bonn. Et s'il y a une chose que les ambassadeurs de second rang détestent, c'est bien que d'autres diplomates, surtout des jeunes, ne les reconnaissent pas. Il faudra encore quatre jours pour que la vérité émerge. Nous sommes tous deux des preneurs de notes, lui dans un carnet à pages réglées de piètre qualité ceint d'un élastique rouge qu'il remet en place après chaque transcription ; moi sur un bloc de papier blanc format poche, mes gribouillis parsemés de caricatures furtives des principaux ténors du Bundestag. Il est donc sans doute inévitable que, lors d'une pause pendant une ennuyeuse après-midi, mon voisin, penché par-dessus la chaise vide qui nous sépare, me demande avec un air potache l'autorisation d'y jeter un œil. Sitôt que j'acquiesce, il plisse les yeux derrière ses lunettes non cerclées et secoue le torse en un rire réprimé, tout en sortant de la poche de son gilet d'un geste de prestidigitateur une carte de visite cornée qu'il me regarde déchiffrer, d'abord en russe, puis, pour les ignorants, en anglais :

M. Ivan Serov, second secrétaire, ambassade d'URSS, Bonn, Allemagne de l'Ouest.

Et, écrit à la main en bas, en capitales et à l'encre noire, en pattes de mouche, également en anglais : *CULTUREL.*

* * *

J'entends encore comme si c'était hier la conversation qui s'ensuivit :

« Vous voulez boire le verre un jour ? »

Avec grand plaisir.

« Vous aimez de la musique ? »

Beaucoup. (Je n'ai strictement aucune oreille.)

« Vous être marié ? »

En effet. Et vous-même ?

« Ma femme Olga, elle aimer la musique aussi. Vous avez la maison ? »

À Königswinter. (Pourquoi mentir ? Mon adresse figure dans l'annuaire diplomatique, qu'il peut consulter à son gré.)

« La grande maison ? »

Il y a quatre chambres. (Même pas besoin de compter.)

« Vous avez téléphone ? »

Je lui donne mon numéro. Il l'écrit. Il me donne le sien. Je lui tends ma carte de second secrétaire (politique).

« Vous jouez la musique ? Piano ? »

À mon grand regret, non.

« Vous juste faire les dessins pourris d'Adenauer, OK ? dit-il en me donnant une grande claque sur l'épaule et en éclatant de rire. Écoutez. J'ai l'appartement trop petit. On joue la musique, tout le monde plaint. Vous appelez moi un jour, OK ? Vous nous invite la maison, nous jouons pour vous la bonne musique. Je suis Ivan, OK ? »

David.

* * *

Règle numéro un de la Guerre froide : ne jamais, au grand jamais, se fier aux apparences. Tout le monde a une arrière-pensée, voire une arrière-arrière-pensée. Un officiel soviétique s'invite ouvertement avec sa femme chez un diplomate occidental qu'il ne connaît même pas ? Qui drague l'autre, dans ce genre de situation ? Pour dire les choses autrement, qu'avais-je dit ou fait pour encourager une proposition si improbable, déjà ? Reprenons, David. Vous avez dit ne l'avoir jamais rencontré. Maintenant, vous nous dites que si, peut-être ?

Une décision fut prise, sans que je sois fondé à demander par qui. Je devais inviter Serov chez moi exactement comme il me l'avait suggéré. Par téléphone, pas par écrit. Je devais appeler le numéro qu'il m'avait indiqué, à savoir le numéro officiel de l'ambassade soviétique à Bad Godesberg, donner mon nom et demander à parler à l'attaché culturel Serov. Chacun de ces actes en apparence banal me fut prescrit avec une précision infinie. Quand on me passerait Serov (si on me le passait), je devais lui demander nonchalamment quel jour et quelle heure conviendraient à son épouse et lui-même pour ce moment musical dont nous avions parlé. Je devais proposer la date la plus proche possible, car les transfuges potentiels pouvaient être la proie de pulsions soudaines. Je devais veiller à lui demander de présenter mes hommages à son épouse, dont l'inclusion dans cette manœuvre d'approche, et même la simple mention, était exceptionnelle pour ce genre de cas.

Au téléphone, Serov fut cassant. Il me parla comme s'il se souvenait vaguement de moi et me dit qu'il allait consulter son agenda et me rappeler. Au revoir. Mes maîtres prédirent que ce serait la dernière fois que j'entendrais parler de lui. Le lendemain il me rappela, sans doute depuis un autre poste car il semblait avoir recouvré sa jovialité habituelle.

OK, 20 heures vendredi, David ?

Vous serez là tous les deux, Ivan ?

Sûr. Serova, elle vient avec.

Parfait, Ivan. On se voit vendredi. Et mes salutations à votre épouse.

* * *

Des techniciens envoyés de Londres passèrent la journée à truffer notre salon de micros, au point que mon épouse s'inquiéta d'éventuelles rayures sur la peinture. À l'heure dite, une énorme limousine ZIL avec chauffeur et vitres teintées entra dans notre allée et se gara lentement. Une portière s'ouvrit à l'arrière et Ivan sortit du véhicule les fesses les premières, comme Alfred Hitchcock dans l'un de ses films, tirant à bout de bras un violoncelle aussi grand qu'un homme. Et personne d'autre. Était-il venu seul, en fin de compte ? Non, pas du tout. L'autre portière arrière s'ouvrit, celle que je ne pouvais pas voir depuis le perron. J'allais enfin découvrir Serova. Sauf que ce n'était pas Serova, mais un grand type athlétique vêtu d'un costume droit noir très élégant.

« Dites bonjour à Dimitri, me lança Serov sur le pas de la porte. Il vient en place de ma femme. »

Dimitri m'avoua adorer la musique, lui aussi.

Avant le dîner, Serov, qui n'était visiblement pas étranger à la dive bouteille, but tout ce qu'on lui proposait, engloutit un plateau entier de canapés et nous joua une ouverture de Mozart au violoncelle qui lui valut des applaudissements nourris, notamment de la part de Dimitri. Pendant le dîner (du gibier, dont Serov se délecta), Dimitri nous éclaira sur toutes les réussites récentes de l'URSS en matière d'arts, de conquête spatiale et de paix dans le monde. Après le dîner, Ivan interpréta une pièce compliquée de Stravinsky. Nouvelle salve d'applaudissements avec Dimitri à la claque. À 22 heures, la ZIL se présenta devant le perron et Ivan repartit avec son violoncelle, Dimitri à son côté.

Quelques semaines plus tard, Ivan fut rappelé à Moscou. N'ayant jamais été autorisé à savoir ce que contenait son dossier, ni s'il était du KGB ou du GRU, ni même si son nom était bien Serov, j'ai toute latitude pour m'en souvenir tel que je l'ai connu : Serov-le-culturel, comme je l'avais surnommé, le jovial amoureux des arts qui caressait parfois l'envie de passer à l'Ouest. Peut-être avait-il lancé quelques signaux à cet effet sans véritable intention d'aller jusqu'au bout. Et sans doute travaillait-il bien pour le KGB ou le GRU, car il est difficile d'imaginer qu'il ait pu jouir d'une telle liberté de mouvement, sinon. Donc à la place de « culturel », lisez « espion ». Bref, encore un Russe déchiré entre son amour pour sa patrie et le rêve irréalisable d'une vie plus libre.

Avait-il reconnu en moi un confrère espion ? Un autre Schulz ? Si le KGB avait bien fait ses devoirs, difficile de ne pas me repérer pour ce que j'étais : jamais je n'avais passé de concours réservé au corps diplomatique, assisté à l'une de ces parties de campagne où les talents en société des futurs diplomates sont mis à l'épreuve, suivi une formation dispensée par le Foreign Office ni mis les pieds à son siège de Whitehall. J'avais débarqué à Bonn en arrivant de nulle part et en parlant un allemand d'une perfection écœurante.

Et si tout cela ne suffisait pas à me désigner comme espion, il y avait les femmes de diplomate au regard d'aigle, qui scrutaient les rivaux de leurs époux respectifs dans le cadre d'une promotion, d'une médaille ou d'une pairie avec autant d'acuité que le meilleur enquêteur du KGB. Un seul coup d'œil à mon CV leur suffisait pour savoir qu'elles n'avaient aucun souci à se faire à mon sujet. Je n'étais pas de la famille. J'étais un Ami, surnom que donnent les respectables diplomates britanniques à ces espions qu'ils sont bien obligés d'accepter en leur sein.

8

Un héritage

Nous sommes en 2003. Une Mercedes blindée avec chauffeur vient me chercher dès potron-minet à mon hôtel munichois pour me conduire jusqu'à la jolie ville bavaroise de Pullach, sise à une dizaine de kilomètres (spécialités locales : les brasseries, aujourd'hui fermées, et l'espionnage, qui est éternel). J'ai rendez-vous pour un petit-déjeuner de travail avec August Hanning, *Präsident* en exercice du BND, le service fédéral de renseignement allemand, et quelques-uns de ses lieutenants. Après le portail bien gardé, nous passons devant des bâtiments bas à moitié cachés par des arbres et recouverts de filets de camouflage pour arriver à une agréable demeure aux murs blancs, plus typique du nord que du sud de l'Allemagne. Hanning m'attend sur le seuil. Nous avons un peu de temps, voudriez-vous faire le tour du propriétaire ? Merci, Herr Doktor, avec grand plaisir.

Lorsque j'étais en poste à Bonn et à Hambourg, trente ans plus tôt, je n'avais eu aucun contact avec le BND. Je n'avais jamais été « déclaré », comme on dit dans le jargon du métier, et j'avais encore moins mis les pieds dans son célèbre quartier général. Mais lorsque le mur de Berlin était tombé (ce que n'avait prévu aucun service secret) et que l'ambassade britannique, à son immense surprise, avait dû faire ses valises et déménager à Berlin, notre ambassadeur de l'époque s'était courageusement mis en tête de m'inviter à Bonn pour célébrer l'événement. Dans l'intervalle, j'avais écrit *Une petite ville en Allemagne*, roman qui n'épargnait ni l'ambassade britannique, ni le gouvernement provisoire de Bonn. Prédisant (à tort) au pays un brutal virage à l'extrême droite, j'avais imaginé un complot entre des diplomates britanniques et des officiels ouest-allemands entraînant la mort d'un employé de l'ambassade résolu à dénoncer une vérité dérangeante.

Je ne me figurais donc pas être la personne idéale pour baisser le rideau sur l'ancienne ambassade et le lever sur la nouvelle, mais l'ambassadeur de Grande-Bretagne, un homme très civilisé, en jugea différemment. Non content de me faire prononcer une allocution pleine d'humour (je l'espère) lors de la cérémonie, il avait invité dans sa résidence près du Rhin tous les homologues réels des officiels allemands que mon roman fustigeait et leur avait demandé à chacun, en échange d'un somptueux dîner, un discours imitant la voix de leur avatar fictionnel.

August Hanning, auquel incombait d'incarner le membre le moins sympathique de mon *dramatis personae*, s'était montré à la hauteur de l'occasion, avec fair-play et beaucoup d'esprit. C'est un geste qui m'était allé droit au cœur.

* * *

Nous sommes donc à Pullach, plus d'une décennie après, dans une Allemagne réunifiée. Hanning m'attend sur le seuil de sa belle maison blanche, où je ne suis jamais entré, mais je connais comme tout un chacun les grandes lignes de l'histoire du BND : à un moment indéterminé vers la fin de la guerre, le général Reinhard Gehlen, chef du renseignement militaire de Hitler sur le front de l'Est, emporta discrètement ses précieuses archives soviétiques en Bavière, les y enterra, puis conclut un marché avec les Américains de l'OSS (Office of Strategic Services, la future CIA) par lequel il leur remettait ses archives, ses agents et lui-même en échange de sa nomination comme directeur d'une agence d'espionnage antisoviétique sous contrôle américain, qui s'appellerait l'Organisation Gehlen ou, pour les initiés, l'Org.

Il y eut des étapes intermédiaires, naturellement, et même une espèce de parade nuptiale. En 1945, Gehlen, qui était encore techniquement prisonnier des Américains, fut amené en avion à Washington. Allen Dulles, fondateur de la CIA et meilleur espion d'Amérique, l'examina et décida que le bonhomme lui plaisait bien. Gehlen fut traité comme un roi, caressé dans le sens du poil, emmené à un match de base-ball, mais il maintint cette image taciturne et distante qui, dans le monde de l'espionnage, passe trop facilement pour être d'une profondeur insondable. Personne ne semblait conscient ni inquiet du fait que, alors qu'il espionnait en Russie pour le compte du Führer, il était tombé dans un piège russe qui enlevait toute valeur à la plupart de ses archives. C'était une nouvelle guerre qui s'ouvrait, et Gehlen était notre homme. En 1946, Gehlen, qui n'était probablement plus prisonnier, fut nommé chef de l'embryon des services secrets extérieurs ouest-allemands sous la protection de la CIA. De vieux camarades de l'époque nazie formaient le noyau dur de son personnel. Une amnésie contrôlée relégua le passé à l'histoire.

En décrétant arbitrairement que les nazis présents ou anciens étaient, par définition, dévoués à la cause anticommuniste, Dulles et ses alliés occidentaux se fourvoyaient bien sûr dans les grandes largeurs. Le premier écolier venu sait déjà qu'une personne aux antécédents troubles est une proie facile pour le chantage. Ajoutez à cela le ressentiment qui couve après une défaite militaire, l'orgueil blessé, l'indignation muette devant les bombardements massifs par les Alliés de sa ville natale bien-aimée (Dresde, par exemple), et vous obtenez le cocktail idéal pour un recrutement par le KGB ou la Stasi.

Le cas de Heinz Felfe est représentatif. En 1961, quand il fut finalement arrêté (il se trouve que j'étais à Bonn à l'époque), cet enfant de Dresde avait servi successivement le SD nazi, le MI6 britannique, la Stasi est-allemande et le KGB soviétique... ah oui, et le BND, bien sûr, qui appréciait au plus haut point ses aptitudes au jeu du chat et de la souris contre les services secrets soviétiques. Rien d'étonnant, puisque ses employeurs soviétiques et est-allemands lui refilaient tous les agents superflus qui émargeaient chez eux pour que leur vedette infiltrée dans l'Org les démasque et en tire gloire. Ses maîtres soviétiques lui attachaient une telle valeur qu'ils créèrent une unité du KGB en Allemagne de l'Est dont la seule mission était de se consacrer à lui, de traiter ses renseignements et de promouvoir sa brillante carrière au sein de l'Org.

En 1956, quand l'Org acquit le noble titre de *Bundesnachrichtendienst*, service fédéral de renseignement, Felfe et un co-conspirateur du nom de Clemens, lui aussi enfant de Dresde haut placé au BND, en avaient déjà fourni aux Russes l'ordre de bataille complet, jusqu'à l'identité de quatre-vingt-dix-sept agents de terrain infiltrés à l'étranger sous couverture, ce qui doit constituer un record du genre. Roi de l'imposture et mythomane sur les bords, Gehlen réussit à se maintenir jusqu'en 1968, date à laquelle quatre-vingt-dix pour cent de ses agents en Allemagne de l'Est travaillaient pour la Stasi tandis que chez lui, à Pullach, seize membres de sa famille élargie étaient rémunérés par le BND.

Personne ne sait mieux que les espions manipuler les faits à son avantage. Personne ne sait mieux outrepasser ses attributions. Personne ne sait mieux se créer une image de mystérieuse omniscience derrière laquelle se réfugier ensuite. Personne ne sait mieux se prétendre supérieur à de simples citoyens qui n'ont d'autre choix que de payer au prix fort des renseignements de second ordre dont l'attrait repose sur les moyens occultes qui ont permis de les obtenir plutôt que sur leur valeur intrinsèque. Et le BND n'est pas unique en son genre dans ce domaine, loin s'en faut.

* * *

Nous sommes à Pullach, nous avons un peu de temps, et mon hôte me fait visiter cette belle demeure à l'anglaise. Je suis dûment impressionné par l'imposante salle de conférences, sa longue table reluisante, ses tableaux de paysagistes contemporains et son agréable vue sur un patio où, du haut de leur socle, des sculptures de garçons et de filles fleurant le *Kraft durch Freude* se défient dans des postures héroïques.

« C'est absolument magnifique, Herr Doktor, dis-je poliment.

– En effet, répond Hanning avec un léger sourire. Martin Bormann avait très bon goût. »

Il me précède dans un escalier de pierre dont les volées très raides descendent jusqu'au petit *Führerbunker* personnel que s'était aménagé Martin Bormann : lits, téléphones, latrines, systèmes d'aération, rien n'était trop beau pour la survie du sbire préféré de Hitler. Et tout cela, m'assure Hanning avec son même sourire désabusé tandis que je parcours la pièce d'un regard hébété, est officiellement protégé comme monument historique par la loi bavaroise.

C'est donc ici qu'ils amenèrent Gehlen en 1947, me dis-je. Dans cette maison. C'est ici qu'ils lui donnèrent des rations, de la literie propre, mais aussi ses dossiers, ses fiches et ses anciens agents de l'époque du Reich, tandis que des équipes non coordonnées de chasseurs de nazis traquaient partout Martin Bormann et que le monde essayait de digérer les horreurs indescriptibles de Bergen-Belsen, Dachau, Buchenwald, Auschwitz et des autres. C'est ici que Reinhard Gehlen et ses officiers de la police secrète nazie furent logés, dans cette demeure campagnarde que Bormann n'était pas près de réinvestir. Du jour au lendemain, le médiocre maître espion de Hitler qui fuyait la fureur des Russes se retrouvait chouchouté par ses nouveaux meilleurs amis, les Américains victorieux.

Peut-être n'aurais-je pas dû avoir l'air aussi hébété, à mon âge. Soit. C'est en tout cas ce que semble me dire le sourire de mon hôte. N'ai-je pas été du métier jadis ? Mon ancien Service n'a-t-il pas échangé moult renseignements avec la Gestapo jusqu'en 1939 ? N'a-t-il pas entretenu des relations amicales avec le chef de la police secrète de Mouammar Kadhafi jusqu'aux derniers instants de son règne, assez amicales pour que nous ayons réexpédié à Tripoli ses opposants politiques, y compris des femmes enceintes, pour qu'ils y soient emprisonnés et interrogés dans les règles de l'art ?

Il est temps de remonter l'escalier de pierre pour notre petit-déjeuner de travail. Quand nous arrivons enfin en haut, dans ce qui me semble être le hall principal de la demeure (mais je n'en suis pas sûr), deux visages sortis du passé nous accueillent sur ce que je devine être le mur des célébrités de Pullach : l'amiral Wilhelm Canaris, chef de l'Abwehr de 1935 à 1944, et notre ami le général Reinhard Gehlen, premier *Präsident* du BND. Canaris, nazi bon teint mais pas fanatique de Hitler, joua un double jeu avec des groupes de résistants de droite allemands, mais aussi en gardant des contacts sporadiques pendant toute la guerre avec les services secrets britanniques. Sa duplicité le rattrapa en 1945 : après un procès sommaire, il fut exécuté de manière horrible par les SS. Un héros courageux malgré ses allégeances ambivalentes, tout sauf antisémite, mais coupable de trahison envers les autorités en place de son pays. Quant à Gehlen, traître pendant la guerre lui aussi, il est difficile de savoir, à la lumière froide de l'histoire, ce qu'il reste à en admirer au-delà de sa fourberie, de ses apparences trompeuses et de ses capacités d'auto-illusion dignes du meilleur escroc.

Alors c'est tout ? me demandé-je en examinant ces deux visages qui m'inspirent un certain malaise. Ces hommes déchus sont les seuls modèles historiques que le BND peut offrir à ses nouvelles recrues qui arrivent les yeux pleins d'étoiles ? Pensez plutôt aux faits de gloire dont peuvent se régaler nos impétrants à nous ! Tous les services d'espionnage se créent une mythologie, mais les Britanniques sont champions du monde. Passons vite sur notre bilan lamentable pendant la Guerre froide, quand le KGB déjouait tous nos plans et retournait nos agents infiltrés, et revenons plutôt sur la Seconde Guerre mondiale, le plus beau joyau de notre fierté nationale, à en croire notre télévision et notre presse tabloïde. Voyez nos brillants casseurs de codes à Bletchley Park ! Voyez notre ingénieux système *Double Cross*, nos formidables opérations de désinformation avant le Débarquement, nos intrépides opérateurs radio et saboteurs du SOE (Special Operations Executive) parachutés derrière les lignes ennemies ! Avec un tel aréopage de héros, comment nos jeunes agents pourraient-ils ne pas se sentir inspirés par le passé de leur Service ?

Sans compter qu'on a gagné, donc on a le droit d'écrire l'histoire.

Mais le pauvre vieux BND ne peut pas offrir à ses recrues une tradition exaltante comme la nôtre, si mythologisée soit-elle. Il ne peut pas se vanter, par exemple, de l'opération Pôle Nord de l'Abwehr, aussi connue sous le nom de Jeu d'Angleterre, un jeu de dupes à cause duquel le SOE envoya en trois ans une cinquantaine de braves agents néerlandais à une mort certaine (voire pire) dans les Pays-Bas occupés. Les succès allemands dans le domaine du décryptage furent impressionnants eux aussi – mais avec quel résultat ? Le BND ne peut pas non plus célébrer les incontestables talents pour le contre-espionnage de Klaus Barbie, ancien chef de la Gestapo de Lyon, recruté dans ses rangs comme informateur en 1966. En effet, et cela ne se fit jour qu'après avoir été étouffé pendant des années par les Alliés, Barbie avait personnellement torturé quantité de résistants français. Condamné à perpétuité, il mourut dans la prison où il avait perpétré ses pires atrocités. Mais pas avant d'avoir été recruté par la CIA pour traquer Che Guevara, à ce qu'il paraît.

* * *

Au moment même où j'écris ces lignes, August Hanning, aujourd'hui avocat à son compte, est dans la ligne de mire d'une commission parlementaire chargée d'enquêter sur les activités des services secrets étrangers en Allemagne et l'éventuelle collusion ou coopération du renseignement allemand. Comme toutes les investigations à huis clos, celle-ci s'étale partout dans la sphère publique, et les inculpations, insinuations et informations non recoupées par les médias abondent. Le chef d'accusation qui fait le plus sensation est, à première vue, à peine croyable : depuis

2002, le BND et sa section de renseignement électromagnétique auraient, volontairement ou par négligence bureaucratique, aidé la National Security Agency américaine à espionner les citoyens et les institutions de l'Allemagne.

Sur la foi des éléments actuels du dossier, c'est impossible. En 2002, un accord fut conclu entre le BND et la NSA stipulant catégoriquement l'exclusion de toute cible allemande et des filtres furent mis en place à cette fin. Alors, les filtres ont-ils dysfonctionné ? Et si oui, était-ce à cause d'une erreur humaine ou technique, ou juste d'un certain relâchement dû à l'usure du temps ? Et la NSA, ayant repéré le dysfonctionnement, aurait-elle peut-être décidé qu'il n'y avait pas lieu d'aller embêter les alliés allemands avec cette histoire ?

En toute probabilité, selon des spécialistes du Bundestag mieux informés que moi, les travaux de la commission d'enquête concluront que la Chancellerie a manqué à son devoir statutaire de supervision du BND, que le BND ne s'est pas supervisé lui-même et qu'il y a eu coopération avec les services secrets américains, mais pas collusion. Et à coup sûr, lorsque vous lirez ces lignes, de nouvelles ramifications et de nouvelles ambiguïtés auront été révélées et personne ne sera jugé responsable sinon le cours de l'histoire.

Et peut-être au bout du compte l'histoire est-elle en effet la seule coupable. Quand le renseignement électromagnétique américain jeta pour la première fois ses rets sur la toute jeune Allemagne de l'Ouest dans les années de l'immédiat après-guerre, le gouvernement novice d'Adenauer fit ce qu'on lui disait de faire, et on ne lui disait pas grand-chose. Avec le temps, cette relation a pu évoluer, mais seulement à la marge. La NSA a continué à espionner tous azimuts sans supervision du BND, et l'on peine à croire que cette manie ne se soit pas d'emblée élargie à tout ce qui bouge dans le pays hôte. Les espions espionnent parce qu'ils en ont la capacité.

Imaginer que le BND ait jamais exercé un réel contrôle sur la NSA me paraît farfelu, a fortiori concernant ses cibles allemandes et européennes. Aujourd'hui, le message de la NSA est parfaitement clair : si vous voulez qu'on vous donne des informations sur la menace terroriste dans votre pays, fermez-la et prenez sur vous.

À la suite des révélations d'Edward Snowden, la Grande-Bretagne a, bien sûr, mené des investigations comparables pour en arriver au même genre de conclusion mi-chèvre mi-chou, sur des points sensibles comme l'ampleur de ce que faisait notre service de renseignement électromagnétique pour l'Amérique et que l'Amérique n'avait pas légalement le droit de faire pour elle-même. Mais malgré toute l'ampleur du scandale, le peuple britannique est nourri au culte du secret dès le biberon et formaté par les médias pour accepter docilement les violations de sa vie privée. Quand une loi a été enfreinte, on s'empresse de la remanier pour légaliser l'infraction ; quand les protestations perdurent, la presse de droite les étouffe, le raisonnement étant que si notre loyauté envers les États-Unis est entachée, que deviendrons-nous ?

L'Allemagne, en revanche, pour avoir connu le fascisme et le communisme en une seule génération, ne prend pas à la légère les espions d'État qui viennent fouiner dans la vie de ses honnêtes citoyens, surtout quand c'est à la demande et au bénéfice d'une superpuissance étrangère censée être son alliée. Ce que nous appelons en Grande-Bretagne la « relation spéciale » s'appelle en Allemagne trahison. J'ai néanmoins le sentiment que, vu l'époque troublée dans laquelle nous vivons, aucun verdict clair n'aura été prononcé quand ce livre partira sous presse. Le Parlement allemand aura dit son fait, la cause supérieure de l'antiterrorisme aura été invoquée et les citoyens allemands inquiets se seront entendu conseiller de ne pas mordre la main qui les protège, même si cette main s'est parfois égarée.

Et si, contre toute attente, le pire était prouvé, quelles circonstances atténuantes resterait-il à invoquer ? Peut-être seulement que le BND, comme toute personne ayant eu une enfance compliquée, ne savait pas au juste ce qu'il était censé devenir. Les transactions bilatérales avec un service de renseignement trop puissant ne sont jamais chose facile dans le meilleur des cas, surtout quand c'est avec le pays qui vous a mis au monde, changé vos couches, donné votre argent de poche, aidé pour vos devoirs et montré le chemin. Et c'est encore plus difficile quand ce pays nourricier a délégué des pans considérables de sa politique étrangère à ses espions, comme les États-Unis trop souvent ces derniers temps.

9

L'innocence de Murat Kurnaz

Je suis à Brême, dans le nord de l'Allemagne, assis dans une chambre d'hôtel qui surplombe la piste d'athlétisme d'une école. Nous sommes en 2006. Murat Kurnaz, un Allemand d'origine turque, né, élevé et éduqué à Brême, vient d'être relâché après cinq années d'emprisonnement à Guantánamo. Avant cela, il avait été arrêté au Pakistan, vendu aux Américains pour trois mille dollars, détenu deux mois dans un centre de torture américain à Kandahar, passé à la gégène, battu à en perdre conscience, soumis au supplice du *waterboarding* et pendu à un croc de boucher jusqu'à ce que, malgré toute sa robustesse, il manque mourir. Au bout de sa première année à Guantánamo, pourtant, ses interrogateurs américains et allemands (deux du BND et un du service de sécurité intérieure) avaient conclu qu'il était inoffensif, naïf, et sans danger pour les intérêts allemands, américains ou israéliens.

Voici un paradoxe que je n'arrive pas à accepter, ni à expliquer et encore moins à juger. Avant de rencontrer Kurnaz, j'ignorais totalement qu'August Hanning, mon voisin de table chez l'ambassadeur à Bonn et mon hôte à Pullach, avait joué un rôle, et non des moindres, dans ce qui lui était arrivé. J'apprenais maintenant que, à peine quelques semaines plus tôt, lors d'une réunion qui rassemblait hauts fonctionnaires et chefs des services secrets allemands, Hanning, en sa qualité de *Präsident* du BND, avait voté contre le rapatriement de Kurnaz, au mépris des recommandations de membres de son propre service. Si Kurnaz devait aller quelque part, qu'il retourne en Turquie, là où était sa place ! Argument plus retors encore avancé par Hanning : personne ne pouvait garantir que Kurnaz n'avait jamais été un terroriste dans le passé, ni qu'il n'en deviendrait pas un à l'avenir.

En 2004, alors que Kurnaz était encore détenu à Guantánamo, les services de police et de sécurité du *Land* de Brême annoncèrent que, puisqu'il n'avait pas renouvelé son permis de séjour entre-temps expiré (oubli excusable, pourrait-on supposer, vu l'absence de stylos, d'encre, de papier à lettres et de timbres dans les cages de Guantánamo), il était désormais banni du lieu de résidence de sa mère.

Bien qu'une cour de justice eût tôt fait de casser l'édit de Brême, à ce jour Hanning n'est jamais revenu publiquement sur sa position.

Cela étant dit, si je me projette une soixantaine d'années en arrière pendant la Guerre froide, quand, dans un poste nettement moins haut placé que le sien, je devais moi aussi évaluer des personnes qui, pour le meilleur ou pour le pire, tombaient dans certaines catégories (anciens sympathisants communistes, compagnons de route éventuels, encartés secrets, etc.), je me retrouve soumis au même cas de conscience. Sur le papier, le jeune Kurnaz semblait remplir tous les mauvais critères : à Brême, il avait fréquenté une mosquée connue pour propager le radicalisme ; avant de rejoindre le Pakistan, il s'était laissé pousser la barbe et avait enjoint à ses parents d'observer plus strictement le Coran ; et quand il était parti, il l'avait fait en secret, sans les en informer – mauvais point. Sa mère, folle d'inquiétude, se précipita au commissariat déclarer que son fils avait été radicalisé dans la mosquée Abou Bakr, qu'il lisait de la littérature djihadiste et comptait aller combattre en Tchétchénie ou au Pakistan. D'autres Turcs de Brême aux motifs insondables vinrent spontanément confirmer son récit. On peut les comprendre tant le soupçon, le désespoir et l'antagonisme déchiraient leur communauté. Les attentats du 11 septembre n'avaient-ils pas été fomentés par des musulmans depuis la ville voisine de Hambourg ? Pour sa part, Kurnaz avait toujours soutenu que son voyage au Pakistan n'avait d'autre but que de parfaire son éducation coranique. On sait aujourd'hui que tous ces critères qu'il remplissait ne faisaient pas de lui un terroriste. Kurnaz n'a commis aucun crime, et cette innocence lui a valu des souffrances inouïes. Mais si on me ramenait dans le temps et qu'on me présentait tous ces critères remplis dans un même climat de peur, j'ai du mal à m'imaginer prenant sa défense.

* * *

En sirotant mon café, confortablement assis dans cette chambre d'hôtel à Brême, je demande à Kurnaz comment il a fait pour communiquer avec ses codétenus alors que tout contact était interdit sous peine de brimades et de passages à tabac sommaires auxquels il était particulièrement sujet en raison de son caractère buté et de son impressionnante carrure, qui devait être très à l'étroit vingt-trois heures par jour dans une cage où il ne pouvait ni s'asseoir, ni se tenir debout.

Il fallait faire attention, me dit-il, après un petit temps de réflexion auquel je commence à m'habituer. Non seulement aux gardiens, mais aussi aux autres prisonniers. On ne demandait jamais à quelqu'un pourquoi il était là. On ne demandait jamais à quelqu'un s'il appartenait à Al-Qaïda. Mais quand on se retrouve accroupi jour et nuit à quelques dizaines de centimètres d'un autre prisonnier, il est bien naturel d'essayer de nouer un contact.

D'abord, il y avait le minuscule lavabo, mais ça, c'était pour les contacts collectifs. À une heure donnée (Kurnaz ne voulut pas me dire comment l'heure avait été fixée puisque nombre de ses camarades combattants ennemis étaient encore incarcérés[1]), ils arrêtaient tous de faire couler l'eau et ils murmuraient dans le tuyau d'évacuation. Les paroles prononcées n'étaient pas audibles,

---

1. Au moment de mettre le présent ouvrage sous presse, il reste encore quatre-vingts prisonniers, dont environ la moitié ont été innocentés et devraient être libérés.

mais le brouhaha de groupe qui se propageait donnait un sentiment d'appartenance.

Et puis il y avait le gobelet à soupe en polystyrène déposé dans
la trappe avec un quignon de pain rassis. On buvait la soupe, puis
on cassait un tout petit bout du bord en espérant que le gardien
ne remarquerait pas et, avec l'ongle, qu'on avait laissé pousser
exprès, on inscrivait une petite marque en arabe coranique. On gardait un peu de pain qu'on mâchait pour en faire une boulette et on
le laissait durcir. On tirait un fil de sa combinaison de prisonnier,
on enroulait une extrémité autour du morceau de polystyrène et
l'autre autour de la boulette, qu'on lançait comme un poids entre
les barreaux du voisin, qui tirait ensuite le fil de coton et le morceau de polystyrène dans sa cage.

Et, en temps et heure, on recevait une réponse.

Quand il fut reconnu, malgré toute l'opacité des critères juri-
diques en vigueur à Guantánamo, que cet innocent avait été détenu
à tort pendant cinq ans et devait enfin être renvoyé dans son pays,
on lui octroya à sa libération un avion rien qu'à lui pour le transporter à la base aérienne de Ramstein en Allemagne – c'était bien
le minimum. En vue du voyage, on lui fournit des sous-vêtements
propres, un jean et un T-shirt blanc et, pour un confort optimal,
dix soldats américains furent affectés à sa surveillance pendant le
vol. À l'arrivée, le commandant américain proposa à son homologue allemand du comité d'accueil une paire de menottes moins
lourdes, plus commodes pour la suite du voyage, ce à quoi l'officier allemand, et cela restera éternellement à son honneur, répondit : « Il n'a commis aucun crime. Ici, en Allemagne, c'est un
homme libre. »

* * *

Mais August Hanning ne partageait pas ce point de vue.

En 2002, il avait décrété que Kurnaz représentait une menace
pour la sécurité de l'Allemagne et, depuis, il n'avait à ma connaissance jamais expliqué ses raisons de passer outre les interrogateurs

allemands et américains. Or, cinq ans plus tard, en 2007, s'exprimant en sa nouvelle qualité de grand manitou du renseignement au ministère de l'Intérieur, non seulement il réitéra son opposition à la présence de Kurnaz sur le sol allemand (question d'actualité étant donné que ce dernier était de retour), mais il reprocha aux interrogateurs du BND anciennement placés sous ses ordres directs d'avoir outrepassé leurs attributions en déclarant Kurnaz inoffensif.

Quand moi-même je fis savoir, certes à retardement, que je soutenais la cause de Kurnaz, Hanning, pour lequel je conserve une grande estime, m'avertit amicalement que mes sympathies étaient mal placées, mais sans me dire pour quelle raison. Et comme cette raison n'a jamais été rendue publique ni portée à la connaissance du respectable avocat de Kurnaz, je me suis senti incapable de suivre son avis. Alors, y avait-il peut-être une cause plus noble ? Je souhaite presque le croire. La diabolisation de Kurnaz répondait-elle à une nécessité politique quelconque ? Hanning, que je sais être un homme honorable, jouait-il les fusibles ?

Il n'y a pas très longtemps, Kurnaz est venu en Angleterre pour la promotion de son livre témoignage[1], qui avait été bien accueilli en Allemagne et traduit dans de nombreuses langues. Je l'avais moi-même soutenu avec enthousiasme. Avant de commencer sa tournée, Kurnaz passa quelque temps chez nous à Hampstead, où, sur la suggestion de Philippe Sands, avocat défenseur des droits de l'homme, il fut invité au débotté à s'adresser aux élèves de la University College School. Ayant accepté, il s'exprima à sa façon, dans cet anglais courant, simple et pondéré qu'il avait appris à Guantánamo, notamment aux mains de ses interrogateurs. À une foule d'élèves de croyances différentes ou athées, il expliqua que seule sa foi de musulman lui avait permis de survivre. Il se refusa à critiquer ses gardiens et ses tortionnaires. Comme à son habitude, il ne mentionna ni Hanning, ni aucun autre officiel

---

1. *Cinq Ans dans l'enfer de Guantánamo*, trad. Brigitte Déchin, Paris, Fayard, 2007. (*N.d.T.*)

ou homme politique allemand ayant milité contre son retour. Il raconta que, à sa libération, il avait donné son adresse en Allemagne à ses geôliers pour le jour où le fardeau de ce qu'ils avaient fait deviendrait trop lourd pour eux. C'est seulement lorsqu'il évoqua son engagement envers ses codétenus restés derrière lui qu'il trahit quelque émotion : jamais il ne se tairait tant qu'il y aurait encore un prisonnier à Guantánamo. À la fin de son discours, il y eut une telle ruée pour lui serrer la main qu'il fallut organiser une file d'attente.

Dans mon roman *Un homme très recherché* figure un Allemand d'origine turque, du même âge, de la même religion et du même milieu que Murat. Il s'appelle Melik et il paie un prix semblable pour des péchés qu'il n'a pas commis. Par sa stature, sa manière de parler et son comportement, il ressemble beaucoup à Murat Kurnaz.

10

Sur le terrain

En Cornouailles, mon bureau est installé dans le grenier d'une grange en granit perchée au bord d'une falaise. Quand je lève les yeux par une matinée ensoleillée de juillet, je ne vois que l'Atlantique, d'un bleu méditerranéen ridiculement parfait. Une régate de voiliers fuselés remonte contre un doux vent d'est. En fonction de la météo, les amis qui nous rendent visite estiment que nous sommes complètement fous ou bénis des dieux, et aujourd'hui nous sommes bénis des dieux. Sur ce bout du bout de la terre, le temps peut se retourner contre vous quand l'envie lui en prend. Des jours et des nuits de vent force 10, et puis une accalmie et le silence soudain. Quelle que soit la période de l'année, une grosse couverture de brouillard peut se poser sur notre promontoire, et toute la pluie du monde ne saurait la persuader de s'en aller.

À deux cents mètres à l'intérieur des terres, dans un cottage délabré accolé à un ancien corps de ferme répondant au joli nom de Boscawen Rose, vit une famille d'effraies. Je ne l'ai vue au grand complet qu'une seule fois : deux adultes et une rangée de quatre petits alignés sur un rebord de fenêtre cassé pour la photo de famille que je n'ai pas eu le temps de prendre. Depuis lors, j'entretiens une relation avec un des parents (du moins en ai-je décidé ainsi, car il est fort possible qu'il s'agisse d'un autre membre de la famille élargie, puisque les petits sont adultes depuis bien longtemps). Papa chouette (je persiste à croire que c'est le papa) est mon confident secret. Bien avant de planer devant ma fenêtre donnant à l'ouest, il me transmet par des moyens mystérieux un signal avancé de son arrivée prochaine. Je suis en train d'écrire, tête baissée, m'espérant déconnecté du monde réel, mais bientôt je repère sa silhouette blanche aux reflets d'or qui vole en rase-mottes sous ma fenêtre. Je ne lui connais pas de prédateur. Ni les corbeaux de la falaise ni les faucons pèlerins n'ont trop envie de lui chercher noise.

Papa chouette est également un maniaque de la contre-surveillance à un degré que nous autres, espions humains, jugerions psychotique. D'abrupts pâturages descendent jusqu'à la mer. Il peut être en train de voler à cinquante centimètres au-dessus des hautes herbes, prêt à fondre sur un innocent campagnol, il suffit que j'envisage de lever la tête pour qu'il annule l'opération et plonge en piqué derrière la falaise. Quand vient le soir, si j'ai de la chance, il m'a oublié, et le revoilà qui vient planer par là, seules les plumes du bout de ses ailes aux couleurs de miel et de lait agitées d'un léger tremblement. Et cette fois-ci, je me suis promis de ne pas lever la tête.

* * *

Par une belle journée de printemps en 1974, j'arrivai à Hong Kong pour découvrir que quelqu'un avait construit sans m'en avertir un tunnel sous-marin reliant l'île de Hong Kong à Kowloon, sur le continent. Je venais de rendre les épreuves corrigées de mon roman *La Taupe*, dont les exemplaires définitifs sortiraient incessamment des presses. Au menu des réjouissances supposées de ce livre figurait une poursuite en Star Ferry à travers le détroit qui sépare l'île de la péninsule. À ma honte éternelle, j'avais osé écrire ce passage ici, en Cornouailles, avec l'aide d'un guide touristique périmé. Maintenant, j'en payais le prix.

L'hôtel était équipé d'un fax. J'avais un jeu d'épreuves reliées dans mes bagages. Je m'en saisis. Je téléphonai à mon agent au beau milieu de la nuit pour l'implorer de persuader les éditeurs de stopper l'impression. Était-ce trop tard pour les États-Unis ? Il allait se renseigner mais il en avait bien peur, oui. J'empruntai par deux fois le fameux tunnel avec un carnet de notes sur les genoux, je faxai un texte corrigé à Londres, et je me jurai que plus jamais je n'écrirais de scène se déroulant dans un lieu que je n'aurais pas visité. Et mon agent avait raison : c'était trop tard pour la première édition américaine.

Mais la leçon que j'avais ainsi apprise ne concernait pas que la documentation. La quarantaine venue, je me laissais aller, je faisais du gras et je vivais sur un fonds d'expériences passées qui commençait à s'épuiser. Il était temps de m'attaquer à des mondes inconnus. Une phrase de Graham Greene me trottait dans la tête, quelque chose qui disait, en substance, que quand on écrit sur la douleur des hommes, on a pour devoir de la partager.

Peu importe si le tunnel fut le vrai déclencheur ou si j'eus cette prise de conscience plus tard. Ce qui est certain, c'est que, à dater de ce fiasco, j'épaulai mon sac à dos et, m'imaginant en voyageur dans la plus pure tradition du romantisme allemand, je partis en quête d'expérience : d'abord au Cambodge et au Vietnam, ensuite en Israël et chez les Palestiniens, puis en Russie, en Amérique centrale, au Kenya et au Congo oriental. Ce voyage se poursuit depuis une quarantaine d'années maintenant, sous des formes diverses, et je considérerai toujours Hong Kong comme en étant le point de départ.

Au bout de quelques jours, j'eus la grande chance de me lier avec ce même David (H.D.S.) Greenway qui, par la suite, dévalerait la pente gelée de mon chalet en oubliant son passeport pour devenir l'un des derniers Américains à quitter Phnom Penh. Il envisageait de faire une virée dans les zones de combat pour le *Washington Post*. Voulais-je me joindre à lui ? Quarante-huit heures après cette proposition, j'étais tapi à ses côtés dans un trou de combat peu profond, terrifié à la vue des tireurs d'élite des Khmers rouges postés sur la rive opposée du Mékong.

Personne ne m'avait jamais tiré dessus auparavant. J'étais entré dans un univers où tout le monde semblait avoir plus de courage que moi, qu'il s'agisse des correspondants de guerre ou de gens ordinaires vaquant à leurs occupations quotidiennes tout en sachant que leur ville était encerclée par les combattants khmers rouges à quelques kilomètres de distance, qu'ils risquaient à chaque instant du jour et de la nuit de se faire bombarder, et que les troupes de Lon Nol soutenues par les Américains s'avéraient inefficaces. Certes, j'étais un novice par rapport à ces vétérans, et peut-être que si l'on côtoie le danger assez longtemps, on finit en effet par s'y habituer – et même par s'y adonner, hélas (par la suite, à Beyrouth, j'en suis presque venu à le croire). Ou peut-être suis-je simplement de ceux qui se refusent à accepter l'inéluctabilité des conflits humains.

Chacun a sa propre conception du courage, et elle est toujours subjective. Chacun se demande quel sera son point de rupture, quand et comment il adviendra, si on se comportera aussi bien que d'autres. En ce qui me concerne, je sais juste que mon maximum en matière de courage fut de refouler son contraire, ce qui pourrait bien être la définition de la couardise. Et ces moments se produisirent surtout quand ceux autour de moi faisaient preuve d'un plus grand courage que je n'en avais de nature et quand, par leur exemple, ils m'ont transmis le leur. De toutes ces personnes, la plus courageuse que j'aie rencontrée pendant mes voyages (d'aucuns diraient la plus folle, mais je ne suis pas de ceux-là) est une petite femme d'affaires française née à Metz, Yvette Pierpaoli, qui, avec son compagnon Kurt, un ancien marin suisse, gérait à Phnom Penh une société d'import-export boiteuse, pour laquelle ils entretenaient une flotte de vieux monomoteurs aux pilotes pittoresques qui faisaient des sauts de puce de ville en ville en survolant une jungle hostile tenue par Pol Pot pour livrer de la nourriture et des fournitures médicales ou évacuer des enfants malades vers ce qui était encore la sécurité relative de Phnom Penh.

Les Khmers rouges resserrant toujours plus leur étau sur Phnom Penh, les familles de réfugiés affluant de toutes parts, les bombardements aveugles et les voitures piégées faisant des ravages, Yvette Pierpaoli avait découvert sa mission dans la vie : sauver les enfants en danger. Son équipe bigarrée de pilotes asiatiques, plus habitués à transporter des machines à écrire ou des fax pour sa petite entreprise, s'était donc reconvertie dans le sauvetage d'enfants et de mères dans les villes environnantes sur le point de tomber aux mains des Khmers rouges de Pol Pot.

Sans surprise, ces pilotes n'étaient des saints qu'à temps partiel. Certains avaient travaillé pour Air America, la compagnie de la CIA. D'autres avaient transporté de l'opium. La plupart avaient fait les deux. Il arrivait que les enfants malades voyagent allongés sur des sacs d'opium base ou de pierres semi-précieuses payées en dollars à Pailin. Un de ces pilotes, dont j'étais le passager, s'amusa à m'apprendre comment faire atterrir l'avion au cas où lui-même serait trop shooté à la morphine. Dans le roman pour lequel j'effectuais ce voyage documentaire, qui s'intitulerait *Comme un collégien*, je le renommai Charlie Marshall.

À Phnom Penh, Yvette ne ménageait pas ses efforts pour donner refuge et espoir aux enfants qui n'avaient ni l'un ni l'autre. C'est avec elle que je vis pour la première fois des victimes de guerre : des soldats cambodgiens, morts, ensanglantés, empilés dans un pick-up, les pieds nus. On les avait dépouillés de leurs godillots, et certainement aussi de leur solde, de leur montre et de toute menue monnaie qu'ils pouvaient avoir emportée avec eux au combat. Le véhicule était garé près d'une batterie d'artillerie qui tirait sans cible apparente dans la jungle. Autour des canons, de petits enfants rendus sourds par les déflagrations erraient, hébétés, entre de jeunes mères assises par terre dont les hommes combattaient dans la jungle. Elles attendaient leur retour en sachant que, s'ils ne revenaient pas, leurs chefs s'abstiendraient de les déclarer morts au combat afin de pouvoir continuer à toucher leur solde.

Tout sourire, Yvette fit le salut traditionnel, s'assit parmi les femmes et attira les enfants à elle. Je ne saurai jamais ce qu'elle a bien pu leur raconter par-dessus le grondement de la mitraille, mais l'instant d'après ils étaient tous en train de rire, les enfants et les mamans et jusqu'aux artilleurs qui partageaient la blague.

À Phnom Penh, les garçons et les filles étaient assis en tailleur sur la poussière du trottoir à côté de bouteilles d'un litre remplies de l'essence qu'ils avaient siphonnée dans le réservoir des épaves. Si une bombe explosait, l'essence s'enflammait et brûlait les enfants. Dès qu'elle entendait une explosion depuis son balcon, Yvette sautait dans l'affreuse petite voiture qu'elle conduisait comme un char d'assaut et sillonnait les rues à la recherche de survivants.

* * *

J'ai fait deux autres voyages à Phnom Penh avant que la ville finisse par tomber. Au moment de mon ultime départ, il semblait bien que les épiciers indiens et les filles en pousse-pousse seraient les derniers à rester : les épiciers parce que plus les denrées se font rares, plus les prix grimpent ; les filles parce qu'elles pensaient naïvement que leurs services seraient requis quel que soit le vainqueur. En réalité, elles furent recrutées de force par les Khmers rouges ou moururent de privation dans les champs de la mort.

De Saigon, comme on l'appelait encore, j'avais écrit à Graham Greene pour lui dire que j'avais relu *Un Américain bien tranquille* et qu'il résistait merveilleusement au temps. Contre toute attente, la lettre lui parvint et, dans sa réponse, il me conseilla de visiter le musée de Phnom Penh pour y admirer le chapeau melon orné de plumes d'autruche qui avait servi à couronner les rois khmers. Je fus bien obligé de lui dire que non seulement le chapeau melon avait disparu, mais avec lui le musée tout entier.

* * *

Au fil du temps, Yvette est devenue le sujet de nombreuses anecdotes extravagantes, certaines apocryphes, mais beaucoup, malgré leur improbabilité, totalement vraies. Ma préférée, que je tiens de sa bouche (ce qui n'est pas forcément un gage de véracité), se situe dans les derniers jours avant la chute de Phnom Penh : Yvette emmène toute une troupe d'orphelins khmers au consulat français et exige un passeport pour chacun.

« Mais à qui sont-ils, ces enfants ? s'indigne l'officiel consulaire ainsi assiégé.

– À moi. Je suis leur mère.

– Mais ils ont tous le même âge !

– J'ai accouché de plusieurs quadruplés, espèce d'imbécile ! »

Mouché, sinon complice, le consul demande à connaître leur nom. Yvette ne se fait pas prier :

« *Lundi, Mardi, Mercredi, Jeudi, Vendredi*[1]... »

* * *

En avril 1999, alors qu'elle était en mission auprès des réfugiés du Kosovo, Yvette Pierpaoli trouva la mort en même temps que David et Penny McCall, de Refugees International, quand leur chauffeur albanais quitta une route de montagne pour s'écraser à plusieurs centaines de mètres en contrebas dans un ravin. Entre-temps, avec l'aide de mon épouse, elle avait publié un livre qui fut traduit en plusieurs langues, *Femme aux mille enfants*[2]. Elle avait soixante et un ans. J'étais à Nairobi à l'époque, en voyage préparatoire pour mon roman *La Constance du jardinier*, qui avait pour personnage principal une femme prête à tout pour aider les personnes incapables de s'aider elles-mêmes, en l'occurrence les femmes africaines servant de cobayes humains dans des essais cliniques. Yvette avait beaucoup travaillé en Afrique, ainsi qu'au Guatemala et, ce qui lui fut fatal, au Kosovo. Dans mon roman, il était prévu dès le départ que l'héroïne, prénommée Tessa, meure. Après mes pérégrinations avec Yvette, je devais bien me douter

1. Tous les mots en italique suivis d'un astérisque sont en français dans le texte original. (*N.d.T.*)
2. Paris, Robert Laffont, 1992.

que sa chance à elle non plus ne pouvait pas durer. Dans son enfance, elle avait été violée, maltraitée et abandonnée. Dans sa jeunesse, elle avait trouvé refuge à Paris où, les jours de misère, elle s'était prostituée. Quand elle avait découvert qu'elle était enceinte des œuvres d'un Cambodgien, elle était allée le retrouver à Phnom Penh, pour découvrir qu'il avait une autre vie. Elle avait rencontré Kurt dans un bar, et ils étaient devenus partenaires dans la vie comme dans le travail.

Notre rencontre eut lieu chez un diplomate allemand dans Phnom Penh assiégée, pendant un dîner servi sur fond sonore de fusillade venant du palais de Lon Nol, situé à cent mètres de là. Était également présent son compagnon, Kurt, avec lequel elle dirigeait sa société d'import-export Suisindo depuis une vieille maison en bois du centre-ville. À bientôt quarante ans, cette femme pétulante et coriace aux yeux noisette, tour à tour exubérante et fragile mais jamais très longtemps, savait aussi bien vous houspiller comme une harpie que vous décocher un sourire enjôleur et vous embobiner par la flatterie ou autre expédient adapté. Mais pour la bonne cause.

Et cette cause, apprenait-on bientôt, était de fournir vivres et dons aux affamés, par tous les moyens et quel qu'en soit le prix : médicaments aux malades, toit aux sans-abri, papiers aux apatrides, bref, de la façon la plus laïque, organisée et pragmatique imaginable, d'accomplir des miracles, en gros. Ce qui ne l'empêchait nullement d'être une femme d'affaires ingénieuse et souvent sans vergogne, surtout lorsqu'elle faisait face à des individus dont l'argent, croyait-elle sans en démordre, serait bien mieux dans la poche des nécessiteux. Suisindo se devait de réaliser de jolis bénéfices, puisque l'essentiel de l'argent gagné d'un côté repartait tout droit de l'autre pour financer les bonnes œuvres d'Yvette. Et Kurt, dans sa sagesse et sa patience infinies, la regardait faire en souriant.

Un humanitaire suédois, épris d'Yvette, l'invita un jour sur son île privée au large des côtes suédoises. Kurt et Yvette, alors installés à Bangkok suite à la chute de Phnom Penh et en plein

marasme financier, briguaient le mandat de l'agence d'aide sué-
doise pour acheter plusieurs millions de dollars de riz et le livrer
à des Cambodgiens affamés réfugiés le long de la frontière thaï-
landaise. Leur plus sérieux concurrent était un marchand chinois
impitoyable dont Yvette était convaincue, sans doute sur la seule
foi de son intuition, qu'il fomentait de rouler à la fois l'agence
humanitaire et les réfugiés.

Sur l'insistance de Kurt, Yvette embarque donc pour l'île sué-
doise. La villa sur la plage est un nid d'amour tout prêt pour
son arrivée – jusqu'aux bougies parfumées qui brûlent dans la
chambre, jurait-elle. Son amant potentiel se montre pressant, mais
elle l'exhorte à la patience. Ne peuvent-ils d'abord faire une promenade romantique sur la grève ? Bien sûr ! Tout ce que vous
voudrez ! Comme il fait un froid de loup, ils doivent se couvrir.
Gravissant les dunes de sable tant bien que mal dans l'obscurité,
Yvette lui propose de jouer à un jeu de son enfance :

« *Je me tiens debout comme ça. Maintenant, vous vous pla-
cez derrière moi, tout près. Plus près. Comme ça. Très bien.
Maintenant, je ferme les yeux et vous mettez les mains dessus.
Tout va bien ? Pour moi aussi. Maintenant, vous avez le droit
de me poser une question, n'importe laquelle, mais une seule,
et je dois répondre la stricte vérité. Sinon, je ne suis pas digne
de vous. Vous voulez bien jouer ? Bon. Moi aussi. Alors, votre
question ?* »

La question, prévisible, concerne ses désirs les plus intimes à
cet instant précis. Et, à n'en pas douter, Yvette y répond par des
mensonges éhontés : elle rêve qu'un certain Suédois beau et viril
lui fasse l'amour dans une chambre odorante sur une île déserte
cernée par les flots turbulents. Vient ensuite son tour à elle. Elle
fait se retourner son soupirant et, peut-être avec moins de tendresse
que ce pauvre bougre n'aurait pu s'y attendre, lui plaque les mains
sur les yeux et lui hurle à l'oreille :

« *Quelle est l'offre concurrente la plus proche de celle de
Suisindo pour la livraison de mille tonnes de riz aux réfugiés de
la frontière Thaïlande-Cambodge ?* »

Je me rends compte aujourd'hui que c'était l'œuvre d'Yvette que je voulais célébrer quand je me lançai dans *La Constance du jardinier*. Je devais le savoir dès le début, même si je ne sais plus quand fut le début. Elle aussi devait le savoir. Et c'est la présence d'Yvette, avant et après sa mort, qui me guida tout au long du livre. Ce à quoi elle aurait très certainement dit : Ben oui, bien sûr.

11

Jerry Westerby en chair et en os

Dans une cave en rez-de-chaussée de Fleet Street pleine de barriques de vin, George Smiley rejoint Jerry Westerby, installé devant un grand verre de cocktail au gin. Je cite là mon roman *La Taupe*. On ne nous dit pas à qui est le cocktail, mais on suppose que c'est celui de Jerry, et une page plus loin, il commande un bloody mary pour Smiley. Jerry est un journaliste sportif de la vieille école, un grand gaillard qui a joué au cricket, au poste de gardien de guichet dans une équipe de comté au niveau national. Il a des mains « énormes capitonnées de muscles », une tignasse de cheveux blond-roux grisonnants et un visage rougeaud qui vire à l'écarlate sous l'effet de la honte. Il porte la cravate d'un club de cricket renommé (le texte ne nous dit pas lequel) sur une chemise en soie crème.

En plus d'être un journaliste sportif chevronné, Jerry Westerby est un agent secret britannique qui vénère littéralement Smiley, et c'est aussi un témoin parfait. Il n'a aucune malveillance, aucun compte à régler. Il fait ce que font les meilleurs agents secrets : il vous livre les faits bruts dans leur intégralité et laisse la théorisation aux analystes du Service, qu'il appelle affectueusement les « gambergeurs ».

Alors que Smiley le débriefe en douceur dans un restaurant indien choisi par Jerry, celui-ci se commande le curry le plus relevé de tout le menu, émiette dessus un papadum, de nouveau avec ses mains « énormes » (répétition volontaire), puis verse dans l'assiette pour l'épicer un peu une sauce rouge que l'on peut supposer être un chili mortellement pimenté – il précise en plaisantant que le patron du restaurant conserve la sauce dans un abri blindé. Au final, Jerry nous apparaît comme un type attachant et pataud façon chiot qui, dans ses moments de timidité, a la manie de recourir à ce qu'il appellerait du jargon de Peau-Rouge, au point de saluer Smiley par un *Ugh !* avant de « regagner d'un pas lourd sa réserve ».

Fin de la scène. Et fin de la brève apparition de Jerry Westerby dans ce roman. Sa mission est de fournir à Smiley des renseignements dérangeants sur l'une des taupes supposées au sein du Cirque, Toby Esterhase. Cela lui répugne, mais il sait que c'est là son devoir. Et c'est tout ce que nous apprenons sur Jerry Westerby dans *La Taupe*, et c'est tout ce que je savais sur lui moi-même, jusqu'à ce que je parte en Asie du Sud-Est faire des recherches préparatoires pour *Comme un collégien*, en emmenant Jerry Westerby dans mes bagages comme compagnon secret.

Si le Jerry de mon roman est vaguement inspiré de quelqu'un dans ma vraie vie, c'est sans doute d'un certain Gordon, un nobliau oisif que mon père avait délesté de sa fortune familiale. Il finit par se suicider de désespoir, ce qui, j'imagine, explique pourquoi son souvenir reste gravé dans ma mémoire. Ses vagues origines aristocratiques lui donnaient le droit d'utiliser le ridicule adjectif « honorable » avant son nom, qualificatif que j'attribuai à mon Jerry dans *La Taupe*, même si rien au monde n'aurait pu le convaincre de l'utiliser, ah ça non, mon vieux. Quant à la deuxième partie du titre anglais de *Comme un collégien*, *The Honourable Schoolboy*, eh bien, Jerry était peut-être un correspondant à l'étranger chevronné doublé d'un agent secret, mais quand il s'agissait des histoires de cœur, il avait plutôt quatorze ans que quarante.

Tel était le Jerry sorti de mon imagination et tel était le Jerry que je rencontrai à l'hôtel Raffles de Singapour, assurément la rencontre la plus troublante de toute ma vie d'écrivain : pas un portrait dans un roman, mais l'homme lui-même, jusqu'à ses « énormes mains capitonnées » et ses épaules de géant. Il ne s'appelait pas

Westerby (au point où j'en étais, cela ne m'aurait nullement surpris), mais Peter Simms. Lui aussi était un correspondant britannique à l'étranger aguerri doublé, comme on le sait aujourd'hui, même si à l'époque je ne le savais pas plus que les autres, d'un agent secret britannique aguerri. Il mesurait un mètre quatre-vingt-douze, avait des cheveux blond-roux, un sourire de collégien et la manie de hurler *Supah !* quand il vous serrait vigoureusement la main.

Quiconque l'a rencontré garde forcément en mémoire cette explosion instantanée de franche camaraderie qui séduisait tous ses interlocuteurs. Quant à moi, je n'oublierai jamais mon sentiment d'incrédulité stupéfaite teintée de culpabilité de me retrouver ainsi nez à nez avec un homme que j'avais créé à partir de vagues souvenirs d'adolescence mêlés à mon imagination ; or il était là, devant moi, en chair et en os, du haut de son mètre quatre-vingt-douze.

Voici ce que j'ignorais alors sur la vie de Peter mais que j'ai fini par apprendre – hélas parfois trop tard. Pendant la Seconde Guerre mondiale, il avait servi en Inde dans le régiment du génie de Bombay. J'avais décidé d'emblée que mon Westerby aurait un passé dans l'Empire britannique, voilà qui se confirmait. Ensuite, à l'université de Cambridge où il étudiait le sanskrit, Simms tomba amoureux de Sanda, une belle princesse originaire des principautés shan qui, enfant, avait vogué sur les lacs birmans dans une barque rituelle en forme d'oiseau doré. Westerby lui aussi aurait eu le coup de foudre. Déjà passionné par l'Asie, Simms se convertit au bouddhisme. Sanda et lui se marièrent à Bangkok et restèrent unis toute leur vie, avec courage et bonheur, partageant toutes sortes d'aventures, de leur propre gré ou au service secret de Sa Majesté. Peter enseigna à l'université de Rangoun, travailla pour le magazine *Time* à Bangkok et Singapour, puis pour le sultan d'Oman et enfin pour le service de renseignement de la police de Hong Kong quand celle-ci était encore une colonie. À chaque étape de sa vie, Sanda resta à ses côtés.

En un mot, il n'y a pas un seul élément de la vie de Simms que je n'aurais pas intégré au personnage de Jerry Westerby, hormis peut-être le mariage heureux, parce que j'avais besoin que mon personnage soit un solitaire, toujours en quête de l'amour. Mais je vous dis tout ceci avec le recul. Quand je tombai sur Peter Simms au Raffles de Singapour (dans cet hôtel-là, évidemment), j'ignorais tout cela. Je savais que j'avais devant moi l'incarnation de mon Jerry Westerby, pétri d'énergie et de rêves, anglais jusqu'au bout des ongles et pourtant si versé dans la culture asiatique que s'il ne travaillait pas déjà pour les services secrets britanniques, c'est vraiment qu'ils avaient raté le coche.

Après plusieurs autres rencontres à Hong Kong, à Bangkok et à Saigon, je finis par lui faire une proposition : accepterait-il éventuellement de m'escorter dans les coins les plus dangereux de l'Asie du Sud-Est ? Pourquoi tant de précautions inutiles ? Rien ne lui ferait plus plaisir, mon vieux. Alors, poursuivis-je, s'abaisserait-il à accepter une rémunération pour ses travaux de documentaliste et de guide ? Ben un peu, mon neveu ! Ses missions pour la police de Hong Kong se raréfiaient, et ça mettrait un peu de beurre dans les épinards, ça c'est sûr ! Et nous voilà donc partis à l'aventure. Avec l'énergie inépuisable qui caractérisait Peter, son érudition en matière de culture orientale et son âme asiatique, comment n'aurais-je pas pu parachever une version en technicolor du Westerby que j'avais à peine esquissé dans *La Taupe* ?

En 2002, Peter mourut en France. Une belle nécrologie intitulée « Journaliste, aventurier, espion, ami », signée David Greenway, d'où j'ai tiré l'anecdote sur *Supah !*, voit en lui à juste titre le modèle du Jerry Westerby de *Comme un collégien*. Mais mon Westerby existait avant Peter Simms. Ce que fit Peter, en incurable romantique généreux à l'extrême, fut de poser ses deux énormes mains sur Jerry et de le faire sien avec exubérance.

12

Seul à Vientiane

Nous étions allongés côte à côte dans une fumerie d'opium en étage à Vientiane, sur des rabanes équipées d'un repose-nuque en bois qui obligeait à regarder le plafond. Coiffé d'un chapeau chinois, un coolie ratatiné accroupi entre nous dans la pénombre remplissait régulièrement nos pipes ou, dans mon cas, la rallumait d'un geste irrité chaque fois qu'elle s'éteignait. Si un scénario de film avait comporté une scène INTÉRIEUR NUIT. FUMERIE D'OPIUM. LAOS. FIN DES ANNÉES 70, le décorateur aurait créé exactement cet environnement, et les fumeurs réunis là auraient été le parfait assortiment requis par le lieu et l'époque : un vieux planteur français de l'époque coloniale du nom de M. Édouard, aujourd'hui ruiné par la guerre secrète qui faisait rage dans le Nord, un groupe de pilotes d'Air America, un quatuor de correspondants de guerre, un marchand d'armes libanais et sa compagne, le touriste de guerre réticent que j'étais et Sam, mon voisin de galetas, qui s'était embarqué dans un monologue soporifique à la seconde où je m'étais étendu près de lui. L'atmosphère de cette *fumerie** était légèrement tendue, car les autorités laotiennes interdisaient l'opium, et un journaliste nous avait prévenus d'un ton solennel que nous risquions à tout moment de devoir nous enfuir par les toits, descendre une échelle et détaler par une ruelle adjacente. Mais Sam, allongé près de moi, me dit de ne pas m'inquiéter parce que c'était des conneries. Qui était Sam, qui il est aujourd'hui, je ne le saurai jamais. Si je devais deviner, je dirais qu'il s'agissait d'un expatrié anglais parti en Asie aux frais de sa famille pour y trouver son âme et qui, après cinq ans à écumer les lignes de front au Cambodge, au Vietnam et maintenant au Laos, la cherchait toujours. Voilà en tout cas ce que son aimable péroraison semblait indiquer.

C'était la première et la dernière fois que je fumais de l'opium mais, depuis ce soir-là, j'entretiens la conviction irresponsable que l'opium est une de ces substances prohibées à la réputation épouvantable qui, si elle est fumée par des gens raisonnables à des doses raisonnables, ne peut faire que du bien. Vous vous allongez sur la rabane, plein d'appréhension, vous vous sentez un peu ridicule parce que c'est votre première fois. Vous inspirez une bouffée en suivant les instructions, vous vous y prenez mal, le coolie secoue la tête et vous vous sentez encore plus ridicule. Mais une fois que vous avez pris le coup, appris à inspirer lentement et profondément et au bon moment, la part de bonté en vous prend le dessus. Vous n'êtes pas ivre, ni abruti, ni agressif, vous ne ressentez pas de pulsion sexuelle impérieuse, non. Vous vous révélez être le type bienheureux à l'esprit survolté que vous avez toujours su que vous étiez. Cerise sur le gâteau : le lendemain matin, pas de gueule de bois, pas de remords, pas d'angoisse liée à la redescente, juste une belle journée qui s'annonce après une bonne nuit de sommeil. Du moins, c'est là ce que m'assura Sam quand il découvrit que j'étais novice, et je veux bien le croire.

Je crus comprendre de ses divagations que Sam avait tout d'abord eu un parcours assez classique : jolie maison dans la campagne anglaise, internat, Oxbridge, mariage, enfants. Jusqu'au jour où une goutte d'eau fait déborder le vase. Quelle goutte, je ne l'ai jamais su. Soit il s'attendait à ce que je le sache déjà, soit il préférait que je l'ignore, et je n'allais certainement pas avoir la grossièreté de le lui demander. Bref, le vase déborde. Et ça devait être une sacrée goutte d'eau, parce que Sam quitte l'Angleterre du jour au lendemain en faisant le vœu de ne plus jamais y remettre les pieds et il se réfugie à Paris pour son plus grand bonheur jusqu'à ce qu'une Française lui brise le cœur. Du coup, le vase redéborde.

Sam envisage d'abord de s'engager dans la Légion étrangère, mais soit ils ne recrutent pas ce jour-là, soit il a une panne d'oreiller, soit il se présente à la mauvaise adresse – je commence en effet à soupçonner que ce qui semble une tâche évidente pour la plupart d'entre nous ne l'est pas forcément pour Sam, dont la déconnexion avec les choses peut faire penser que rien ne va de soi, pour lui. Faute de Légion étrangère, il se fait recruter par une agence de presse française spécialisée dans l'Asie du Sud-Est, qui ne paie ni les voyages ni les faux frais ni rien, m'explique-t-il, mais si on envoie un papier un tant soit peu intéressant, on touche une petite misère. Et puisque Sam a encore un peu de sous de côté, comme il le dit, il trouve que c'est plutôt un bon deal.

Donc, depuis cinq ans, il sillonne les zones de combat, et de temps à autre il a eu un coup de chance et il s'est même fait publier une ou deux fois dans les grands quotidiens français, soit parce qu'il avait eu un tuyau d'un des vrais journalistes, soit parce qu'il avait inventé toute l'histoire. Il a toujours pensé qu'il ferait un bon romancier, vu la vie qu'il a menée, et il aimerait bien se lancer. Nouvelles, roman, la totale. C'est juste la solitude qui le retient, explique-t-il, l'idée de s'asseoir derrière un bureau au beau milieu de la jungle et de s'éreinter pendant des journées entières sans rédacteur en chef pour le houspiller ni date butoir pour la remise.

Mais il est en bonne voie. Quand il regarde sa production récente, il ne fait aucun doute pour lui que les histoires qu'il a totalement inventées pour son agence de presse française valent mille fois mieux que tout ce qui est strictement véridique. Et un beau jour pas si lointain, il va s'asseoir derrière ce bureau dans la jungle et, malgré toute la solitude, l'absence d'une date butoir ou d'un rédac-chef pour le houspiller, il va tout faire péter, croyez-le. C'est juste la solitude qui le retient, répète-t-il, au cas où je n'aurais pas encore compris le message. La solitude le ronge, surtout à Vientiane, où il n'y a rien d'autre à faire que fumer, baiser et écouter des pilotes mexicains d'Air America se vanter de leurs exploits meurtriers pendant qu'ils se font tailler une pipe au White Rose.

Puis il me raconte comment il gère cette solitude, qui ne se confine plus strictement à ses ambitions littéraires, me confie-t-il, mais englobe tout son mode de vie. Ce qui lui manque le plus au monde, c'est Paris. Depuis que son grand amour l'a éconduit et que le vase a redébordé, Paris est pour lui un territoire interdit à jamais. Il n'y retournera plus, pas après cette déconvenue, impossible. Chaque rue, chaque immeuble, chaque méandre de la Seine hurle son nom, m'explique-t-il, très sérieux mais d'un ton pâteux, dans une rare envolée littéraire. Ou bien serait-il en train de citer une chanson de Maurice Chevalier qui lui serait revenue en mémoire ? Enfin bref, Paris est la ville où il a laissé son âme. Et son cœur, ajoute-t-il après mûre réflexion. Vous m'entendez ? Je vous entends, Sam.

Alors, ce qu'il aime faire quand il a fumé un peu d'opium, poursuit-il, décidant de me confier son grand secret parce que je suis devenu son plus proche ami et la seule personne au monde qui ne se fout pas totalement de lui, ainsi qu'il le précise par parenthèse, ce qu'il va faire dès qu'il en ressentira le besoin, ce qui pourrait être à tout instant, maintenant qu'il a de nouveau les idées claires, c'est qu'il va aller au White Rose, où on le connaît bien, et il va glisser un billet de vingt dollars à Mme Lulu et s'offrir un appel téléphonique de trois minutes avec le Café de Flore à Paris. Quand le serveur du Flore va décrocher, Sam va demander à parler à Mlle Julie Delassus, un nom inventé, pour autant qu'il le sache, et qu'il n'a pas encore utilisé. Et puis il va écouter le personnel l'appeler entre les tables et jusque sur le boulevard : *Mademoiselle Delassus... Mademoiselle Julie Delassus... Au téléphone, s'il vous plaît !**

Et pendant qu'ils hurleront ce nom, encore et encore jusqu'à ce qu'il se dissipe dans l'éther ou que son temps de communication soit écoulé, peu importe, il écoutera pour vingt dollars de sons de Paris.

13

Le théâtre du réel : danse avec Arafat

Voici le premier d'un ensemble de quatre chapitres relatant mes pérégrinations lors de l'écriture de *La Petite Fille au tambour* entre 1981 et 1983. J'avais choisi pour sujet le conflit israélo-palestinien. La fille au tambour éponyme était Charlie, personnage inspiré par ma demi-sœur Charlotte Cornwell, de quatorze ans ma cadette. « Au tambour », parce que, dans le roman, Charlie bat le rappel des émotions combatives de protagonistes des deux camps. Au moment où je l'écrivais, Charlotte était une actrice de théâtre et de télévision connue, sociétaire de la Royal Shakespeare Company et vedette de la série musicale *Rock Follies*, par ailleurs militante d'extrême gauche.

Dans le roman, Charlie, elle aussi actrice, est recrutée par un charismatique agent du contre-terrorisme israélien prénommé Joseph pour jouer le rôle principal dans ce qu'il appelle « le théâtre du réel ». En incarnant la combattante de la liberté aux idées gauchistes qu'elle s'imaginait être jusqu'alors, comme le lui dit Joseph, en interprétant son propre rôle pour de vrai, en d'autres termes, et en portant ses talents d'actrice à de nouveaux sommets sous la direction de Joseph, elle va se faire remarquer par un nid de terroristes palestiniens et ouest-allemands, et ainsi sauver de vraies vies innocentes. Déchirée entre sa compassion pour la souffrance des Palestiniens qu'on l'a envoyée trahir et sa reconnaissance du droit des juifs à une terre, sans parler de son attirance pour Joseph, Charlie devient la femme deux fois promise dans une terre deux fois promise.

Je m'étais fixé pour tâche de l'accompagner dans son voyage, de me rendre aux arguments que lui assène chacun des deux camps et de partager au mieux les accès contradictoires de loyauté, d'espoir et de désespoir qui la tiraillent.

Et c'est ainsi que le jour de la Saint-Sylvestre 1982, dans une école à flanc de montagne pour les orphelins des combattants de la libération de la Palestine également connus sous le nom de martyrs, je me retrouvai à danser la *dabkeh* avec Yasser Arafat et ses lieutenants.

* * *

Mon chemin jusqu'à Yasser Arafat avait été tortueux, mais vu la manière outrancière dont on le dépeignait à l'époque sous les traits du terroriste devenu homme d'État, retors et fuyant, le contraire eût été décevant. Ma première étape fut Patrick Seale, décédé depuis, journaliste britannique né à Belfast et éduqué à Oxford, arabisant, espion anglais présumé, successeur de Kim Philby au poste de correspondant à Beyrouth de l'*Observer*. Ma deuxième étape, sur sa suggestion, fut un gradé palestinien loyal à Arafat du nom de Salah Tamari, que je rencontrai lors d'un de ses fréquents séjours en Grande-Bretagne. Dans le restaurant Odin's de Devonshire Street, où les serveurs palestiniens le dévoraient des yeux avec une admiration éperdue, Salah me confirma ce que m'avaient dit toutes les personnes consultées jusque-là : Si vous voulez vous infiltrer au cœur du peuple palestinien, il vous faut la bénédiction du Chef.

Tamari me promit d'intercéder en ma faveur, mais je devais passer par les canaux officiels. C'est bien ce que j'essayais de faire. Armé de lettres d'introduction de Tamari et de Seale, j'avais pris rendez-vous par deux fois avec le représentant de l'Organisation pour la libération de la Palestine dans les bureaux de la Ligue des États arabes à Green Street dans le quartier de Mayfair, j'avais par deux fois enduré l'inspection d'hommes en costume gris sur le trottoir, par deux fois patienté dans un cercueil vertical en verre à l'entrée, le temps que l'on vérifie que je ne dissimulais pas une arme, et par deux fois je m'étais vu refoulé pour des raisons qui ne relevaient en rien dudit représentant. Et de fait, il est fort probable que ces raisons ne relevaient pas de lui. Un mois plus tôt, son prédécesseur était mort assassiné en Belgique.

Qu'à cela ne tienne, je finis par prendre l'avion pour Beyrouth, et je m'installai à l'hôtel Commodore parce qu'il appartenait à des Palestiniens et qu'il était réputé pour sa bienveillance envers les journalistes, espions et consorts. Jusqu'à présent, mes recherches s'étaient limitées à Israël. J'avais passé plusieurs jours avec les forces spéciales israéliennes et parlé dans des locaux somptueux à certains des patrons actuels et passés du renseignement israélien. Les bureaux des relations publiques de l'OLP, eux, se trouvaient dans une rue en ruine derrière un cordon de barils en tôle remplis de ciment. Des hommes armés, le doigt sur la détente, me jetèrent des regards noirs à mon approche. La semi-obscurité de la salle d'attente recelait des magazines de propagande jaunissants imprimés en russe et, sous des vitrines fissurées, des éclats d'obus et des petites bombes antipersonnel intactes retrouvés dans les camps de réfugiés palestiniens. D'atroces clichés de femmes et d'enfants massacrés étaient punaisés sur les murs décrépis.

Le sanctuaire personnel de M. Lapadi, porte-parole de l'OLP, n'est pas plus riant. Assis à son bureau avec un pistolet à portée de la main gauche et une kalachnikov à son côté, il me lance des regards noirs de ses yeux épuisés dans un visage blême.

« Vous écrivez pour le journal ? »

Plus ou moins. Et j'écris un livre, aussi.

« Vous êtes zoologue de l'humain ? »

Je suis romancier.

« Vous êtes ici pour faire du profit sur nous ? »

Pour comprendre votre cause de l'intérieur.

« Vous attendrez. »

Et j'attends, jour après jour, nuit après nuit, allongé sur mon lit d'hôtel à compter les trous laissés par des balles dans les rideaux alors que l'aube se lève, affalé dans le bar en sous-sol du Commodore au petit matin à écouter les réflexions des correspondants de guerre harassés qui ont oublié comment on fait pour dormir. Arrive un soir où je suis en train de manger un rouleau de printemps de trente centimètres de long dans le restaurant caverneux et confiné du Commodore. Un serveur vient me murmurer à l'oreille d'un ton excité : « Notre Chef va vous recevoir. »

D'emblée, je pense qu'il s'agit du chef de cuisine, ou pire, du directeur de l'hôtel : il va me jeter dehors, je n'ai pas payé ma facture, j'ai insulté quelqu'un au bar, ou alors il veut que je lui dédicace un de mes livres. Et puis je finis par comprendre. J'emboîte le pas du serveur à travers le hall, puis dehors sous une pluie battante. Des combattants armés en jean se tiennent autour d'un break Volvo couleur sable dont une portière est ouverte à l'arrière. Personne ne dit rien, donc moi non plus. Je monte à bord, suivi par deux combattants, chacun d'un côté, et un autre à l'avant près du chauffeur.

Sous la pluie diluvienne, nous roulons à toute vitesse à travers une ville meurtrie, escortés par une jeep. Nous changeons de file. Nous changeons de voiture. Nous fonçons dans des ruelles, nous roulons en cahotant sur le terre-plein central d'une route à deux voies très encombrée, les voitures d'en face se rangent en hâte près du trottoir. Nous changeons une nouvelle fois de voiture. Je me fais palper pour la cinquième ou sixième fois. Je me retrouve debout sur un trottoir mitraillé par la pluie quelque part dans Beyrouth, entouré d'hommes en armes vêtus de ponchos dégoulinants. Les voitures ont disparu. Une porte s'ouvre, un homme nous fait signe d'entrer dans un immeuble aux fenêtres brisées, plongé dans l'obscurité, criblé d'impacts de balles. Il nous indique de monter par un escalier carrelé où sont alignés de fantomatiques hommes en armes. Après deux étages, nous arrivons sur un palier moquetté pour emprunter un monte-charge puant le désinfectant qui démarre, puis s'arrête, dans une énorme secousse. Nous sommes arrivés dans un salon en forme de L. Des combattants des deux sexes se tiennent dos au mur. Étonnamment, personne ne fume. Je me rappelle alors qu'Arafat déteste l'odeur de cigarette. Un combattant entreprend de me palper pour la énième fois. L'inconscience du poltron s'empare de moi.

« S'il vous plaît, j'ai été assez fouillé comme ça. »

Il ouvre les mains comme pour me montrer qu'il n'y a rien dedans, sourit et recule.

Dans la petite partie du L se trouve un bureau derrière lequel est assis Arafat, comme s'il ménageait ses effets. Il porte un keffieh blanc, une chemise kaki bien repassée, et il arbore un pistolet d'argent dans un holster en plastique marron tressé. Il ne lève pas les yeux vers son invité. Il est trop occupé à signer des papiers. Même quand on m'amène vers un trône en bois sculpté à sa gauche, il est trop concentré pour me remarquer. Finalement, il lève la tête. Il sourit dans le vague comme au souvenir d'un moment heureux. Il se tourne vers moi tout en sautant sur ses pieds, à la fois ravi et surpris. Je saute sur les miens, de pieds. Comme des acteurs complices, nous nous regardons droit dans les yeux. Arafat est en représentation permanente, m'a-t-on prévenu. Et je me dis que moi aussi. Je suis un collègue acteur, et nous jouons pour une trentaine de spectateurs. Il s'incline en arrière et me tend les deux mains. Je les prends entre les miennes, elles sont douces comme celles d'un enfant. Ses yeux marron globuleux ont un regard à la fois habité et implorant.

« Monsieur David ! s'écrie-t-il. Pourquoi êtes-vous venu me voir ?

– Monsieur Arafat, dis-je du même ton surjoué. Je suis venu toucher le cœur de la Palestine ! »

On a répété, ou quoi ? Sans attendre, il guide ma main droite vers le côté gauche de sa chemise kaki et la pose sur une poche boutonnée parfaitement repassée.

« Monsieur David, le cœur de la Palestine est là ! s'exclame-t-il avec ferveur. Juste là ! » répète-t-il pour la galerie.

Ovation debout. Nous cassons la baraque. Nous échangeons une accolade à l'arabe, gauche, droite, gauche. Sa barbe n'est pas piquante mais toute douce, et elle sent bon le talc. Il me relâche, tout en gardant une main possessive sur mon épaule pendant qu'il s'adresse à notre public. Je peux me déplacer librement chez les Palestiniens, décrète-t-il, lui qui ne dort jamais deux fois de suite dans le même lit, gère sa propre sécurité et maintient que sa seule épouse est la Palestine. Je peux voir et entendre tout ce que je souhaite voir et entendre. Il me demande uniquement d'écrire et de dire la vérité, parce que seule la vérité permettra de libérer la Palestine. Il va me confier au chef militaire que j'ai rencontré à Londres, Salah Tamari. Salah me fournira une escorte de jeunes combattants triés sur le volet, Salah m'emmènera au Sud-Liban, Salah m'instruira sur le noble combat contre les sionistes, Salah me présentera ses commandants et leurs troupes. Tous les Palestiniens que je rencontrerai me parleront en toute franchise. Il veut qu'on nous prenne en photo tous les deux. Je refuse. Il me demande pourquoi, avec une expression si radieuse et taquine que j'ose une réponse honnête :

« Parce que je pense aller à Jérusalem un peu avant vous, monsieur Arafat. »

Il éclate d'un rire chaleureux, alors notre public aussi. Mais c'est une vérité de trop et je regrette déjà ma boutade.

* * *

Après Arafat, plus rien ne saurait m'étonner. Tous les jeunes combattants du Fatah étaient sous le commandement militaire de Salah, dont les huit qui constituaient ma garde personnelle. La moyenne d'âge devait être de dix-sept ans tout au plus, et ils dormaient (ou ne dormaient pas) en cercle autour de mon lit au dernier étage avec pour consigne de surveiller par ma fenêtre le moindre signe d'une attaque ennemie, qu'elle fût terrestre, aérienne ou navale. Quand l'ennui les submergeait, ce qui arrivait souvent, ils tiraient au pistolet sur les chats errants tapis dans les buissons. Mais ils passaient le plus clair de leur temps à marmonner entre eux en arabe, ou à tester sur moi leur anglais chaque fois que j'étais sur le point de m'endormir. À huit ans, ils avaient intégré les Achbal, l'équivalent palestinien des scouts. À quatorze ans, ils étaient devenus officiellement des combattants. Selon Salah, personne ne leur arrivait à la cheville quand il s'agissait de viser le canon d'un char israélien avec un lance-roquettes. Et ma pauvre Charlie, actrice vedette dans le théâtre du réel, va tous les adorer, me dis-je en griffonnant dans mon calepin usé les pensées qu'elle pourrait avoir.

Avec Salah pour guide et Charlie pour accompagnatrice, je visite les avant-postes palestiniens sur la frontière israélienne et, par-dessus le vrombissement des avions patrouilleurs israéliens et les mitraillages occasionnels, j'écoute les récits, réels ou inventés, des combattants sur des raids nocturnes effectués en traversant le lac de Tibériade en canot pneumatique. Ce n'est pas leur audace dont ils se vantent. Le simple fait d'être là suffit, insistent-ils : vivre le rêve, ne serait-ce que pour quelques heures, au péril de sa vie ou de sa liberté ; stopper le frêle esquif à mi-parcours pour humer le parfum des fleurs, des oliviers et des champs de votre propre terre, pour écouter le bêlement des moutons sur vos propres collines – c'est ça la vraie victoire.

Au côté de Salah, je visite un service pédiatrique a Sidon. Un enfant de sept ans aux jambes arrachées par une bombe lève les deux pouces à notre passage. Charlie n'a jamais été plus présente. Entre tous les camps de réfugiés, je me souviens de Rashidieh et de Nabatieh, bidonvilles à part entière. Rashidieh est célèbre pour son équipe de football. Le terrain, fait de poussière, a été bombardé si souvent que les matches ne peuvent être organisés qu'en dernière minute. Plusieurs des meilleurs joueurs de l'équipe sont des martyrs de la cause, dont les photographies sont exposées parmi les trophées qu'ils ont gagnés avant de mourir. À Nabatieh, un vieil Arabe en longue tunique blanche remarque mes chaussures anglaises marron et un je-ne-sais-quoi de colonial dans ma démarche.

« Vous êtes anglais, monsieur ?

– Je suis anglais, oui.

– Lisez ça. »

Il sort un document de sa poche. C'est un certificat, rédigé en anglais et tamponné puis signé par un officier du Mandat britannique, attestant que le porteur est le propriétaire légal de la petite ferme et de l'oliveraie près de Béthanie ci-dessous décrites. La date indique 1938.

« Je suis le porteur, monsieur. Et regardez un peu ce que nous sommes devenus. »

Ma honte impuissante nourrit la fureur de Charlie.

* * *

Les repas du soir chez Salah à Sidon donnent l'illusion d'un calme magique après les épreuves de la journée. La maison est criblée d'impacts de balles, un missile mer-sol israélien a transpercé un mur sans exploser, mais il y a des chiens paresseux et des fleurs dans le jardin, un feu de bois dans l'âtre et des côtelettes d'agneau sur la table. Dina, l'épouse de Salah, est une princesse hachémite éduquée en école privée en Angleterre et diplômée en anglais du Girton College, à Cambridge ; elle a été la première épouse du roi Hussein de Jordanie.

Avec érudition, tact et beaucoup d'humour, Dina et Salah font mon éducation sur la cause palestinienne. Charlie est assise à mes côtés. La dernière fois qu'il y a eu une bataille rangée à Sidon, me raconte fièrement Salah, Dina, cette femme menue célèbre pour sa beauté et sa force de caractère, a pris leur vieille Jaguar pour se rendre en ville, acheter une pile de pizzas chez le boulanger, puis retourner à la ligne de front en mettant un point d'honneur à les livrer en personne aux combattants.

* * *

C'est un soir de novembre. Yasser Arafat et son entourage ont investi Sidon pour célébrer le dix-septième anniversaire de la révolution palestinienne. Le ciel est bleu-noir, la pluie menace. Tous mes gardes du corps sauf un ont disparu alors que nous nous massons par centaines dans la rue étroite où va avoir lieu le défilé

– tous sauf Mahmoud, un membre de ma garde rapprochée qui n'est pas armé, ne tire pas sur les chats depuis la fenêtre de chez Salah, parle anglais mieux que tous ses compagnons et cultive un certain mystère qui le distingue des autres. Ces trois dernières nuits, Mahmoud s'est éclipsé de chez Salah pour ne rentrer qu'à l'aube. Maintenant, dans cette rue bondée et vibrante décorée de banderoles et de ballons, il se tient près de moi d'un air possessif, petit bouddha de dix-huit ans portant lunettes.

Le défilé commence. D'abord les porte-drapeaux et les musiciens, ensuite un camion depuis lequel un haut-parleur braille des slogans. Des militaires musclés en uniforme et des dignitaires officiels en costume sombre s'assemblent sur une estrade de fortune. On repère parmi eux le keffieh blanc d'Arafat. La rue explose de joie, de la fumée verte roule au-dessus de nos têtes avant de virer au rouge. Un feu d'artifice au son du tir de balles réelles est lancé malgré la pluie, tandis que le Chef se tient immobile sur le devant de la scène, incarnant sa propre effigie sous la lumière vacillante des fusées, ses doigts levés formant le V de la victoire. Défilent maintenant des infirmières arborant un badge du croissant vert, puis des enfants infirmes de guerre en fauteuil roulant, puis des garçons et filles des Achbal qui n'arrivent pas à marcher au pas en balançant les bras, puis une jeep tractant une remorque sur laquelle des combattants, les épaules couvertes du drapeau palestinien, pointent leur kalachnikov vers les cieux noirs de pluie. Mahmoud, près de moi, leur fait de grands signes du bras et, à ma surprise, ils se tournent comme un seul homme et lui rendent son salut. Les garçons sur la remorque sont ceux de ma garde personnelle.

« Mahmoud, pourquoi n'êtes-vous pas avec vos amis à pointer votre arme vers le ciel ? lui dis-je en hurlant entre mes deux mains en porte-voix.

– Je n'ai pas d'arme, monsieur David !

– Pourquoi pas, Mahmoud ?

– Je travaille de nuit.

– Mais que faites-vous donc la nuit, Mahmoud ? Vous êtes un espion ? dis-je en baissant la voix dans le vacarme ambiant.

– Monsieur David, je ne suis pas un espion. »

Malgré le tumulte, Mahmoud hésite encore à me confier son grand secret.

« Vous avez vu la photo d'Abou Ammar, notre Chef Arafat, sur la poitrine des uniformes des Achbal ?

– Oui, Mahmoud.

– C'est moi personnellement, la nuit, dans un endroit secret, avec un fer à repasser, qui ai transféré la photographie d'Abou Ammar, notre Chef Arafat, sur chacune des chemises. »

Mahmoud, Charlie va vous aimer plus que tous les autres, me dis-je.

* * *

Arafat m'invita à passer le réveillon du Nouvel An avec lui dans une école pour les orphelins des martyrs palestiniens. Il enverrait une jeep me chercher à mon hôtel. J'étais toujours au Commodore, et la jeep faisait partie d'un convoi qui roula à fond de train, pare-chocs contre pare-chocs, sur une route de montagne sinueuse jalonnée de check-points libanais, syriens et palestiniens sous cette même pluie battante qui semblait s'abattre sur toutes mes rencontres avec Arafat.

La route à une voie non goudronnée se décomposait sous le déluge. Des cailloux projetés par la jeep de devant ne cessaient de nous heurter. Des vallées s'ouvraient à quelques centimètres du bord, révélant de minuscules carrés de lumière à des milliers de mètres en contrebas. Notre véhicule de tête était une Land Rover rouge blindée qui, selon la rumeur, convoyait notre Chef. Mais quand nous arrivâmes devant l'école, les gardes nous révélèrent qu'ils nous avaient dupés. La Land Rover n'était qu'un leurre. Arafat était en sécurité, en bas, dans la salle de concert, à accueillir ses invités.

De l'extérieur, l'école ressemblait à un banal bâtiment à un étage. Une fois dedans, on découvrait qu'on se trouvait au dernier niveau d'une structure qui épousait par paliers le flanc de la colline. Les inévitables hommes armés portant keffieh et jeunes femmes au torse lesté de cartouchières surveillèrent notre descente. La salle de concert était un immense amphithéâtre avec une scène en bois surélevée. Debout dans la première rangée de sièges, Arafat donnait l'accolade à ses invités tandis que la salle bondée résonnait du tonnerre rythmé des applaudissements. Des décorations du Nouvel An pendaient du plafond, des slogans révolutionnaires ornaient les murs. On me poussa vers Arafat et il m'accueillit par la même embrassade rituelle, puis des hommes grisonnants en treillis kaki avec ceinturon vinrent me serrer la main et me hurler leurs bons vœux par-dessus le vacarme des applaudissements. Certains avaient un nom. Certains, comme le bras droit d'Arafat, Abou Jihad, avaient un *nom de guerre**. D'autres n'avaient pas de nom du tout.

Le spectacle commence : les orphelines palestiniennes chantent en faisant la ronde, puis les orphelins, puis tous les enfants réunis dansent la *dabkeh* et s'échangent des kalachnikovs en bois pendant que la foule tape dans ses mains. À ma droite, Arafat se lève et ouvre grand les bras. Sur un signe de tête du combattant au visage sévère assis à sa droite, j'attrape le coude gauche d'Arafat et, à nous deux, nous le hissons sur scène et grimpons à sa suite.

Décrivant des pirouettes au milieu de ses orphelins bien-aimés, Arafat semble s'enivrer de leur parfum. Il attrape le bout de son keffieh et le fait tournoyer tel Alec Guinness incarnant au cinéma Fagin dans *Oliver Twist*. Il a l'air transporté. Pleure-t-il ? Rit-il ? Une telle émotion se lit sur son visage que peu importe. Et voilà qu'il me fait signe de l'attraper par la taille. Quelqu'un m'attrape moi aussi par la taille. Et nous voilà tous, hauts gradés, sympathisants, enfants extatiques et, nul doute, toute une congrégation d'espions du monde entier puisque jamais aucune figure historique n'a été plus intensément espionnée qu'Arafat, embarqués dans une chenille menée par notre Chef.

Le long du couloir en béton, et on monte un étage, et on traverse une salle, et on redescend. Le tromp-tromp de nos pieds remplace les claquements de mains. Derrière ou au-dessus de nous, des voix de stentor entonnent l'hymne national palestinien. Nous finissons par rejoindre la scène cahin-caha. Arafat s'avance, marque une pause, puis, sous les hurlements du public, il fait le saut de l'ange dans les bras de ses combattants.

Et dans mon imagination, ma Charlie exulte et l'applaudit à tout rompre.

Huit mois plus tard, le 30 août 1982, suite à l'invasion israélienne, Arafat et son haut commandement furent chassés du Liban. Depuis le port de Beyrouth, tirant en l'air en signe de défi, Arafat et ses combattants voguèrent jusqu'au port de Tunis, où le président Bourguiba et son gouvernement l'attendaient. Un hôtel de luxe en banlieue avait été rapidement reconverti en quartier général pour Arafat.

Quelques semaines après, je lui rendis visite.

Une grande allée menait à l'élégante demeure blanche blottie entre les dunes. Deux jeunes combattants me demandèrent ce que je venais faire là. Pas de sourire ravageur, pas de gestes coutumiers d'hospitalité arabe. Étais-je américain ? Je leur montrai mon passeport britannique. L'un des deux me demanda avec un sarcasme appuyé si par hasard j'avais entendu parler des massacres de Sabra et Chatila. Je lui répondis que j'avais visité Chatila à peine quelques jours plus tôt, que j'étais affligé par tout ce que j'avais vu et entendu sur place et que j'étais venu voir Abou Ammar (surnom familier d'Arafat) pour lui présenter mes condoléances. J'ajoutai que nous nous étions rencontrés à plusieurs reprises à Beyrouth puis à Sidon, et que j'avais passé le réveillon du Nouvel An avec lui à l'école pour les orphelins de martyrs. L'un des deux hommes décrocha un téléphone. Je ne l'entendis pas prononcer mon nom, alors même qu'il tenait mon passeport à la main. Il raccrocha, lâcha sèchement un « Suivez-moi », sortit un pistolet de son ceinturon, le colla sur ma tempe et me fit avancer manu militari le long d'un passage menant à une porte verte qu'il déverrouilla avant de me rendre mon passeport et de me propulser dehors. Devant moi se trouvait un manège équestre de sable battu où Arafat, coiffé de son keffieh, montait un beau cheval arabe. Je le regardai faire un tour entier, puis un deuxième, puis un troisième. Mais soit il ne me vit pas, soit il ne voulut pas me voir.

* * *

Pendant ce temps, Salah Tamari, le commandant des milices palestiniennes du Sud-Liban qui m'avait accueilli, recevait le traitement réservé au combattant palestinien le plus haut gradé à être jamais tombé entre les mains des Israéliens. Enfermé à l'isolement dans la tristement célèbre prison d'Ansar, il subissait ce que nous aimons appeler de nos jours un « interrogatoire renforcé ». Ce faisant, il se liait par ailleurs d'amitié avec un éminent journaliste israélien du nom d'Aharon Barnea, qui lui consacra le livre *Mine Enemy*. Entre autres points d'accord mutuel, Barnea y soulignait l'engagement de Salah pour la coexistence des Israéliens et des Palestiniens, et son rejet de cette lutte militaire interminable et sans espoir.

14

Le théâtre du réel : la Villa Brigitte

La prison, un discret casernement vert au cœur d'un pli de terrain du désert du Néguev, était ceinte d'une clôture de barbelés avec un mirador aux quatre coins. Pour les initiés du renseignement israélien, elle était connue sous le nom de Villa Brigitte ; pour le reste du monde, elle n'était pas connue du tout. Le jeune colonel du Shin Beth, le service de sécurité intérieure israélien, qui conduisait notre jeep dans les tourbillons de sable m'expliqua que Brigitte était une activiste allemande radicalisée qui avait rejoint un groupe de terroristes palestiniens. Leur plan était d'abattre un avion d'El Al en approche à l'aéroport Kenyatta de Nairobi ; à cette fin, ils avaient prévu un lance-roquettes, un toit situé sur la trajectoire de l'avion et Brigitte.

Avec ses cheveux blonds et ses traits nordiques, elle était juste censée se poster dans une cabine téléphonique à l'intérieur de l'aéroport et, le téléphone dans une oreille et une radio à ondes courtes dans l'autre, relayer les instructions de vol de la tour de contrôle aux hommes en embuscade sur le toit. Et c'est ce qu'elle était en train de faire quand elle fut abordée par une équipe d'agents israéliens, ce qui mit un terme à sa contribution à l'opération. Dûment prévenu, l'avion d'El Al était déjà arrivé, avec pour seuls passagers l'équipe qui l'avait arrêtée. Il retourna à Tel-Aviv avec une Brigitte menottée au sol. Le sort des hommes sur le toit reste incertain. On s'en était occupé, m'assura mon colonel du Shin Beth sans spécifier comment, et je n'osai pas le lui demander. On m'avait bien fait comprendre qu'on m'accordait un rare privilège, grâce aux bons offices d'une de mes précieuses connaissances, le général Shlomo Gazit, encore récemment chef du renseignement militaire israélien.

Brigitte était maintenant prisonnière des Israéliens, mais le secret autour de toute cette opération restait crucial, m'avait-on averti : les autorités kenyanes avaient collaboré avec les Israéliens mais ne souhaitaient pas s'attirer le ressentiment de la population musulmane locale, et les Israéliens, quant à eux, ne souhaitaient pas compromettre leurs sources ni embarrasser un précieux allié. On m'emmenait lui rendre visite à la condition expresse que je n'écrive rien sur elle sans la permission des Israéliens. Et puisqu'on m'avait dit n'avoir révélé ni à ses parents ni au gouvernement allemand qu'on savait où elle se trouvait, j'aurais sans doute à attendre longtemps. Mais cela ne me dérangeait guère. Je m'apprêtais à présenter à ma Charlie fictionnelle le genre de personnes qu'elle devrait côtoyer si elle réussissait la mission de pénétration d'une cellule terroriste palestino-ouest-allemande à laquelle on la préparait. Avec un peu de chance, Charlie allait recevoir de Brigitte ses premières leçons sur la théorie et la pratique du terrorisme.

« Brigitte parle-t-elle ? demandai-je au jeune colonel.

– Peut-être.

– De ses motivations ?

– Peut-être. »

Mieux valait lui demander moi-même. Parfait. Je m'en sentais capable. J'avais dans l'idée que j'allais établir un lien avec Brigitte, si factice et éphémère puisse-t-il être. J'avais quitté l'Allemagne six ans avant l'éclosion de la Fraction armée rouge d'Ulrike Meinhof, mais j'en comprenais très bien les origines et même certains des arguments – pas ses méthodes, en revanche. En cela, et en cela seulement, je ne me distinguais pas de nombreux Allemands des classes moyennes qui fournissaient secrètement à la bande à Baader de l'argent et de la sympathie. Moi aussi, j'étais écœuré par la présence d'anciens cadres nazis dans la politique, la justice, la police,

119

l'industrie, la banque et l'Église, par le refus des parents de discuter de l'expérience nazie avec leurs propres enfants et par l'asservissement des autorités ouest-allemandes à la politique américaine de la Guerre froide dans ses plus viles manifestations. Et, si Brigitte exigeait d'autres preuves de ma bonne foi, n'avais-je pas visité des camps et des hôpitaux palestiniens, vu la misère, entendu le cri de détresse ? Tout cela combiné m'achèterait sûrement un genre de ticket d'entrée, même temporaire, dans l'esprit d'une Allemande radicalisée d'une vingtaine d'années, non ?

* * *

Les prisons me hantent. C'est l'image indélébile de mon père incarcéré qui ne me lâche pas. Dans mon imagination, je l'ai vu dans plus de prisons qu'il n'en a jamais connu, toujours le même homme râblé, puissant, vibrionnant, avec son front à la Einstein, arpentant sa cage et protestant de son innocence. Dans mes jeunes années, chaque fois qu'on m'a envoyé interroger des hommes en prison, j'ai dû prendre sur moi par peur de m'attirer les moqueries des prisonniers que j'étais venu questionner quand la porte en fer claquait dans mon dos.

* * *

Pas de cour d'entrée dans la Villa Brigitte, du moins dans mon souvenir. On nous arrêta à la grille, on nous examina et on nous autorisa à passer. Le jeune colonel m'escorta dans un escalier extérieur et, une fois en haut, cria une salutation en hébreu. Le gouverneur de la prison était le major Kaufmann. Je ne sais pas si c'était son vrai nom ou celui que je lui attribuai par la suite – il faut dire que, quand j'étais officier du renseignement militaire en Autriche, j'avais connu un sergent Kaufmann, gardien de la prison municipale de Graz, où nous enfermions nos suspects. Ce qui est certain, en tout cas, c'est qu'elle portait une plaque avec son nom au-dessus de la poche poitrine gauche de son uniforme étonnamment immaculé, qu'elle était major dans l'armée et âgée d'une cinquantaine d'années, costaude sans être grosse, avec des yeux marron lumineux et un sourire aimable mais triste.

* * *

Nous parlons anglais, le major Kaufmann et moi. J'avais parlé en anglais au colonel, et puisque je ne connais pas l'hébreu il est naturel que nous poursuivions en anglais. Alors vous êtes venu voir Brigitte, me dit-elle et je réponds que oui, c'est un privilège, j'y suis très sensible, je vous en suis très reconnaissant, et y a-t-il quelque chose que je dois lui dire ou éviter de lui dire ? Je lui explique ensuite ce que je n'ai pas avoué au colonel : je ne suis pas journaliste mais romancier, je suis venu faire des recherches de fond et je me suis engagé à ne rien écrire ou dire concernant la rencontre d'aujourd'hui sans le consentement de mes hôtes. Ce à quoi elle sourit poliment et me dit que bien sûr, et est-ce que je préfère du thé ou du café, et je réponds du café.

« Brigitte n'a pas été très facile, ces derniers temps, me prévient-elle du ton concerné d'un médecin évoquant l'état de son patient. Quand elle est arrivée ici, elle acceptait son sort. Maintenant, ces dernières semaines, elle… elle n'accepte plus », dit-elle avec un petit soupir.

Puisqu'il m'est impossible de concevoir comment quiconque pourrait accepter l'emprisonnement, je ne pipe mot.

« Elle vous parlera ou elle ne vous parlera pas, je n'en sais rien. D'abord elle a dit non, après elle a dit oui. Elle hésite. Je l'envoie chercher ? »

Elle donne un ordre en hébreu dans sa radio. Nous attendons, et nous attendons encore. Le major Kaufmann me sourit, donc j'en fais autant, tout en commençant à me demander si Brigitte a de nouveau changé d'avis, quand j'entends des bruits de pas s'approcher d'une porte de communication. L'espace d'un instant, je redoute de voir arriver une jeune aliénée menottée, les cheveux arrachés, qu'on remettrait entre mes mains contre sa volonté. La porte est déverrouillée de l'extérieur, et une grande et belle femme en tenue de prisonnière agrémentée d'une ceinture très serrée entre d'un pas ample, avec deux petites gardiennes de part et d'autre qui lui tiennent chacune mollement un bras. Ses longs cheveux blonds pendent librement dans son dos. Même la tunique de la prison lui va bien. Quand ses gardiennes se retirent, elle avance d'un pas, fait une petite révérence ironique et, comme une fille de bonne famille bien élevée, me tend la main.

« À qui ai-je l'honneur ? » demande-t-elle dans un allemand raffiné.

Je m'entends répéter en allemand ce que j'ai déjà dit en anglais au major Kaufmann : je suis romancier et je suis ici pour m'informer. Sans répondre, elle se contente de me dévisager jusqu'à ce que le major Kaufmann, depuis sa chaise dans le coin de la pièce, vienne à mon secours dans son excellent anglais : « Vous pouvez vous asseoir, maintenant, Brigitte. »

Alors Brigitte s'assoit bien droite, avec toute la délicatesse de la brave petite écolière allemande qu'elle a visiblement décidé d'être. J'ai prévu de commencer par échanger quelques banalités avec elle, mais je découvre que je suis à court. Alors je vais droit au but, avec deux questions ardues, « Avec le recul, regrettez-vous vos actes, Brigitte ? » et « Quels éléments vous ont poussée sur la voie de la radicalisation ? ». Elle préfère rester muette, immobile, les deux mains à plat sur la table, en me regardant fixement avec un mélange d'incompréhension et de mépris.

« Peut-être voudriez-vous lui dire comment vous avez intégré le groupe, Brigitte ? » intervient de nouveau le major Kaufmann, telle une institutrice anglaise avec une pointe d'accent étranger.

L'air de ne pas avoir entendu, Brigitte me jauge d'un œil méthodique, presque insolent. Une fois son examen terminé, son expression me révèle tout ce que j'ai besoin de savoir : je ne suis qu'un ignorant laquais de la bourgeoisie répressive, un touriste du terrorisme, un sous-homme. Pourquoi se donnerait-elle la peine de me parler ? Elle décide néanmoins de le faire. Elle annonce qu'elle va prononcer une brève déclaration de principe, sinon à mon intention, du moins à la sienne. D'un point de vue idéologique elle est sans doute communiste, concède-t-elle en toute objectivité, mais pas nécessairement communiste au sens soviétique du terme. Elle préfère ne pas s'enfermer dans une seule doctrine. Elle se sent investie d'une mission envers la bourgeoisie non éclairée, dont ses parents sont de parfaits exemples à ses yeux. Son père montre quelques signes de prise de conscience, mais pas encore sa mère. L'Allemagne de l'Ouest est un pays nazi dirigé par des fascistes d'État bourgeois de la génération Auschwitz. Le prolétariat ne fait que suivre leur exemple.

Elle revient au sujet de ses parents. Elle a quelque espoir de les convertir, surtout son père. Elle a beaucoup réfléchi à la façon de briser en eux les barrières inconscientes laissées par le nazisme. Est-ce une façon codée de dire que ses parents lui manquent ? Ou même qu'elle les aime ? Que son inquiétude pour eux la ronge jour et nuit ? Comme pour corriger de telles pensées sentimentalo-bourgeoises, elle se met à débiter la liste de ses prophètes et guides : Habermas, Marcuse, Frantz Fanon et un ou deux autres que je ne connais pas. Elle disserte ensuite sur les maux du capitalisme armé, la remilitarisation de l'Allemagne de l'Ouest, le soutien de l'Amérique impérialiste à des dictateurs fascistes comme le chah d'Iran et autres questions sur lesquelles j'aurais pu être d'accord avec elle si elle avait été le moins du monde intéressée par mes opinions, ce qui n'est pas le cas.

« Et maintenant, je voudrais retourner dans ma cellule, s'il vous plaît, major Kaufmann. »

Après une nouvelle révérence ironique et une poignée de main, elle indique aux gardiennes qu'elles peuvent l'emmener.

* * *

Le major Kaufmann n'a pas quitté sa place dans le coin de la pièce, ni moi la mienne à la table, face à la chaise laissée vide par Brigitte. Le silence entre nous est un peu étrange, comme si nous émergions tous deux du même mauvais rêve.

« Vous avez ce que vous vouliez ? me demande-t-elle.

– Oui, merci. C'était très intéressant.

– Brigitte est un peu troublée aujourd'hui, je dirais. »

Ce à quoi je réponds que oui, eh bien, pour être honnête, je suis un peu troublé moi-même. Et c'est seulement maintenant, tant j'étais absorbé, que je me rends compte que nous sommes en train de parler allemand et que l'allemand du major Kaufmann n'a aucune trace d'accent, yiddish ou autre. Elle remarque ma surprise et répond à la question que je ne lui ai pas posée :

« Je lui parle toujours en anglais, jamais en allemand. Pas un mot d'allemand. Quand elle s'exprime en allemand, je ne me fais pas confiance, dit-elle avant d'ajouter, comme si une explication s'imposait : C'est que, voyez-vous, j'étais à Dachau. »

15

Le théâtre du réel : responsable
mais pas coupable ?

Par une chaude soirée d'été à Jérusalem, je me trouve dans la maison de Michael Elkins, le journaliste de télévision américain qui travailla d'abord pour CBS, puis pendant dix-sept ans pour la BBC. Je m'étais adressé à lui parce que, comme des millions de personnes de ma génération, j'avais grandi accompagné par sa voix de stentor à l'accent new-yorkais qui prononçait des phrases parfaites, généralement depuis quelque front inhospitalier ; mais aussi, dans un autre coin de ma tête, parce que je cherchais pour un roman deux officiers du renseignement israélien fictionnels que j'avais arbitrairement nommés Joseph et Kurtz. Joseph était le jeune, Kurtz le vétéran.

Ce que j'espérais au juste obtenir d'Elkins, je ne le sais plus trop vraiment, et je ne le savais sans doute pas à l'époque. Il avait plus de soixante-dix ans. Était-ce une part de mon Kurtz que je recherchais ? Je savais qu'Elkins avait rendu plus d'un « menu service », même si j'étais loin de tout savoir à ce sujet : il avait travaillé pour l'OSS, et, par ailleurs, transporté des cargaisons d'armement illégales en Palestine pour la Haganah juive avant la création d'Israël, ce qui avait conduit à son renvoi de l'OSS et à son installation clandestine dans un kibboutz avec son épouse, dont il divorça par la suite. Mais je n'avais pas lu son livre publié en 1971, *Forged in Fury*, ce qui était un tort.

Je savais aussi qu'Elkins, comme Kurtz, avait des origines est-européennes et avait grandi dans le Lower East Side de New York, où ses parents immigrés travaillaient dans la confection. Alors

125

oui, peut-être recherchais-je en lui une part de Kurtz, non pas son apparence physique ou ses tics, parce que j'avais déjà une image physique parfaitement construite de mon Kurtz et que je n'allais pas laisser Elkins me la voler, mais pour les pépites qu'il pourrait lâcher à l'occasion en se remémorant des époques révolues. À Vienne, j'avais passé du temps avec Simon Wiesenthal, le chasseur de nazis aussi célèbre que controversé, et même s'il ne m'avait rien appris que je ne sache déjà, son souvenir ne me quittait pas.

Mais surtout, je voulais rencontrer Mike Elkins parce que c'était Mike Elkins, la voix la plus virile et la plus envoûtante que j'avais jamais entendue à la radio. Ses phrases soigneusement structurées, lumineuses, énoncées d'une voix caverneuse avec un accent traînant du Bronx, vous obligeaient à vous intéresser, à écouter, à croire. Donc, quand il m'appela à mon hôtel pour me dire qu'il avait appris que je me trouvais à Jérusalem, je fus trop heureux d'accepter son invitation.

* * *

Dans l'air particulièrement étouffant de Jérusalem ce soir-là, je transpire, mais je ne crois pas que Mike Elkins ait jamais transpiré de sa vie. Il a un corps sec et musclé, une présence physique aussi puissante que sa voix, de grands yeux, des joues haves, de longs membres. Il est assis de profil à ma gauche, verre de whisky dans une main, l'autre main crispée sur le bras de son transat, la tête auréolée par une lune énorme. Sa voix radiogénique est aussi rassurante et policée que jamais, même si les phrases sont un peu plus courtes que de coutume. Et parfois il s'interrompt et semble se perdre dans ses pensées, avant de boire une autre gorgée de scotch.

Il ne me parle pas à moi, mais projette sa voix face à lui dans l'obscurité vers un microphone invisible et, à l'évidence, il soigne toujours sa syntaxe et son débit. Nous avons commencé à l'intérieur, mais la nuit est si belle que nous sommes sortis sur le balcon avec nos verres. Je ne sais plus trop quand ou comment nous en sommes venus à parler de la chasse aux nazis. Peut-être ai-je mentionné ma visite à Wiesenthal. Quoi qu'il en soit, Mike en parle, et il ne parle pas de la chasse en tant que telle, mais des exécutions.

Il arrivait qu'on n'ait pas le temps de leur expliquer pourquoi on était là, alors on les tuait et on partait, raconte-t-il. D'autres fois, on les emmenait quelque part et on leur expliquait. Dans un champ, dans un entrepôt. Certains pleuraient et se confessaient. Certains s'indignaient. Certains nous imploraient. Certains ne trouvaient pas grand-chose à dire. Quand l'homme avait un garage, par exemple, on l'amenait là, on lui mettait une corde autour du cou et on la fixait à une poutre, on le faisait monter sur le toit de sa voiture et on la sortait du garage. Et puis on y retournait pour vérifier qu'il était bien mort.

« On » ? Qui ça, « on » ? Mike, êtes-vous en train de me dire que vous-même en personne faisiez partie des justiciers ? Ou bien est-ce un « on » générique qui désignerait d'autres juifs auxquels vous vous identifiez ?

Il décrit d'autres modes d'exécution, toujours en utilisant ce « on » que je ne cerne pas, jusqu'à ce que ses pensées se portent sur la justification morale de l'assassinat de criminels de guerre nazis qui, parce qu'ils ont dissimulé leur identité et sont entrés en clandestinité, notamment en Amérique du Sud, n'auraient jamais à répondre de leurs actes devant la justice de ce monde. De là, il en arrive à parler de la culpabilité en général. Plus seulement celle des hommes qui ont été tués, mais celle des hommes qui les ont tués, si tant est qu'elle existe.

* * *

Bien trop tard, je finis par dénicher le livre de Mike, dont la publication avait fait sensation, particulièrement parmi les juifs eux-mêmes. Sur le fond comme dans le ton, il est aussi virulent que le laisse penser le titre. Mike dit avoir été poussé à l'écrire par un certain Malachi Wald, dans un kibboutz en Galilée. Il décrit son éveil à la cause juive, stimulé par l'antisémitisme de l'Amérique dans son enfance, puis renforcé par les monstruosités de l'Holocauste et ses propres expériences en tant que membre de l'OSS en Allemagne occupée. L'écriture passe de l'introspection à l'ironie mordante. Son récit ne nous épargne aucun détail des actes d'une sauvagerie inimaginable perpétrés par les nazis contre les juifs dans les ghettos et dans les camps, et décrit de façon tout aussi saisissante l'héroïsme des martyrs de la résistance juive.

Mais surtout, et c'est là ce qui déclencha la controverse, il nous révèle l'existence d'une organisation juive baptisée DIN, « jugement » en hébreu, dont le fondateur était ce même Malachi Wald qui, dans le kibboutz de Galilée, l'avait poussé à écrire son livre à l'origine.

Au cours des seules années 1945 et 1946, nous dit-il, le DIN a traqué et tué pas moins de mille criminels de guerre nazis. Sa mission, qui se poursuivit jusque dans les années 1970, comprenait même le projet, heureusement jamais réalisé, d'empoisonner l'alimentation en eau potable de deux cent cinquante mille foyers allemands dans le but de tuer un million d'hommes, de femmes et d'enfants en rétribution des six millions de juifs exterminés. D'après Mike, le DIN jouissait du soutien de juifs dans le monde entier. Ses cinquante membres fondateurs venaient de tous les horizons : entrepreneurs, religieux, poètes.

Mais aussi, ajoute Mike sans autre commentaire, journalistes.

16

Le théâtre du réel : noms d'oiseaux

À cette époque tendue – mais la vie à Beyrouth fut-elle jamais sereine ? –, l'hôtel Commodore était le repaire préféré de tous les vrais ou faux correspondants de guerre, marchands d'armes, dealers de drogue et humanitaires de cette région du monde. Ses habitués aimaient le comparer au club de Rick dans *Casablanca*, mais je n'ai jamais trouvé cette comparaison fondée. Casablanca n'était pas une zone de combats urbains, juste un lieu de transit, alors que les gens venaient à Beyrouth pour faire de l'argent, ou faire des ennuis, ou même faire la paix, mais pas parce qu'ils voulaient s'enfuir.

Le Commodore n'avait rien d'exceptionnel par son allure – du moins en 1981, et aujourd'hui il n'existe plus. C'était un bâtiment banal et fonctionnel sans aucun mérite architectural, à l'exception du comptoir de la réception en béton armé de plus d'un mètre d'épaisseur au centre du hall d'entrée, qui en période de troubles servait aussi de poste de tir. Son résident le plus adulé était un vieux perroquet prénommé Coco, qui régnait d'une patte de fer sur le bar en sous-sol. À mesure que les techniques de guérilla urbaine se sophistiquaient (des armes semi-automatiques aux lance-roquettes, des armes légères aux armes lourdes, peu importe les termes exacts), Coco réactualisait son répertoire de bruits guerriers, à tel point que le client non initié installé au bar pouvait être surpris par le *woooosh* d'un missile entrant et le cri : « Ventre à terre, crétin, colle-toi au sol tout de suite ! » Et rien ne réjouissait plus les plumitifs éreintés à peine rentrés d'une nouvelle journée entre enfer et paradis que la vue du pauvre néophyte se jetant sous la table tandis qu'ils continuaient nonchalamment à siroter leur whisky ambré.

Coco avait aussi à son répertoire les premières mesures de *La Marseillaise* et les premières notes de la Cinquième de Beethoven. Sa disparition reste empreinte de mystère : emporté clandestinement vers un refuge secret où il chante encore aujourd'hui ? assassiné par les milices syriennes ? empoisonné par la quantité d'alcool ajoutée à sa nourriture ?

J'effectuai plusieurs voyages à Beyrouth et au Sud-Liban cette année-là, en partie pour mon roman, en partie pour le film de triste mémoire qui en fut tiré. Dans mon souvenir, ils forment une unique chaîne ininterrompue d'expériences surréalistes. Pour les pleutres, Beyrouth fournissait de la peur vingt-quatre heures sur vingt-quatre, qu'on soit en train de dîner sur la Corniche au son de la mitraille ou d'écouter attentivement un adolescent palestinien dont la kalachnikov est braquée sur votre tête vous expliquer qu'il rêve d'entrer à l'université de La Havane pour étudier les relations internationales, et pourriez-vous lui donner un coup de main ?

* * *

Moi, le novice du Commodore, j'avais été impressionné par Mo au premier regard. Il avait vu plus de morts en une après-midi que moi dans toute ma vie. Il avait rapporté des scoops du cœur des ténèbres les plus noires que le monde peut offrir. Il suffisait de l'apercevoir à la fin d'une énième journée au front, sa besace kaki éculée en bandoulière, qui traversait d'un pas souple le hall d'entrée bondé en direction de la salle de presse, pour déceler son caractère exceptionnel. Mo avait le cuir le plus tanné de tous les gens de cette ville, disait-on. Il avait tout vu, il avait tout fait, c'était un mec réglo, hyper fiable en cas de souci, Mo, demandez à tous ceux qui le connaissaient. Un peu déprimé, parfois, un peu foufou, peut-être. Du genre à s'enfermer dans sa chambre avec une bouteille pendant un jour ou deux, et alors ? Le seul compagnon connu de sa vie récente était un chat qui, à en croire le folklore du Commodore, s'était jeté de désespoir d'une fenêtre en hauteur.

Alors, quand Mo suggéra l'air de rien, le deuxième ou le troisième jour de mon premier voyage à Beyrouth, que je l'accompagne pour une petite excursion qu'il prévoyait, je sautai sur l'occasion. J'avais pu interroger tous les autres journalistes, mais Mo avait gardé ses distances. Je me sentais donc flatté.

« On fait une virée dans le désert ? On va dire bonjour à un ou deux fous furieux que je connais ? »

Je répondis que je ne rêvais pas mieux.

« Vous voulez de la couleur locale, c'est ça ? »

De la couleur locale, c'est bien ça.

« Notre chauffeur est un Druze. Ces trouducs de Druzes se battent les couilles de tous les autres trouducs à part eux. Pas vrai ? »

Vrai, Mo, tout à fait.

« Les autres trouducs, les chiites, les sunnites, les chrétiens, ils cherchent les embrouilles. Ces trouducs de Druzes, ils cherchent pas les embrouilles. »

Voilà qui me paraît parfait.

C'est un voyage à check-points. Je déteste les aéroports, les ascenseurs, les crématoriums, les frontières et les douaniers. Mais les check-points, c'est encore autre chose. Ce n'est pas votre passeport qu'on vérifie, c'est vos mains. Et puis votre tête. Et puis votre charisme, ou votre manque de charisme. Et même si un check-point vous juge acceptable, la dernière chose qu'il va faire est de transmettre cette bonne nouvelle au suivant, parce que aucun check-point ne se laissera jamais prendre en défaut sur sa paranoïa.

Nous sommes à l'arrêt devant une perche aux rayures rouges et blanches posée à l'équilibre entre deux barils de pétrole. Le garçon qui pointe sa kalachnikov sur nous porte des bottes en caoutchouc jaunes et un jean élimé coupé en bermuda. Sa poche de poitrine s'orne d'un écusson du club des supporters de Manchester United.

« Trouduc Mo ! s'écrie avec ravissement cette apparition en guise d'accueil. Bien le bonjour, monsieur ! Comment allez-vous, aujourd'hui ? enchaîne-t-il dans un anglais studieux.

– Je vais très bien, merci, trouduc Anwar, très très bien, répond plaisamment Mo de sa voix traînante. Est-ce un jour de réception de trouduc Abdullah ? Je suis fier de vous présenter mon bon ami, trouduc David.

– Trouduc David, soyez le bienvenu, monsieur. »

Nous patientons, le temps qu'il hurle gaiement dans son talkie-walkie russe. La barrière rouge et blanc branlante se soulève. Je ne garde qu'un souvenir flou de notre entretien avec trouduc Abdullah. Dans son quartier général, un bâtiment de briques et de pierres criblé d'impacts de balles et recouvert de slogans peinturlurés, il était assis derrière un gigantesque bureau en acajou. Des compères trouducs traînaient dans les parages en tripotant leur semi-automatique. Au-dessus de sa tête était accrochée une photo encadrée de l'explosion d'un DC-8 de la Swissair sur une piste d'atterrissage. Comme à l'époque je prenais souvent Swissair, je savais pertinemment que l'aéroport s'appelait Dawson's Field et que l'avion avait été détourné par des combattants palestiniens avec l'assistance de la bande à Baader. Je me rappelle m'être demandé qui avait pris la peine d'emporter la photo chez l'encadreur et de choisir un joli cadre. Mais surtout, je me rappelle avoir béni le ciel que nos échanges se fassent via un interprète dont la maîtrise de l'anglais était au mieux imparfaite, et avoir prié qu'elle reste imparfaite assez longtemps pour que notre chauffeur druze qui ne cherchait pas les embrouilles nous ramène à la douce quiétude de l'hôtel Commodore. Et je me rappelle le sourire joyeux sur le visage barbu d'Abdullah quand il posa la main sur son cœur et remercia cordialement trouduc Mo et trouduc David de leur visite.

« Mo aime bien donner des frissons aux gens », me prévint une âme charitable une fois qu'il était trop tard.

Traduction : dans le monde de Mo, les touristes de la guerre reçoivent ce qu'ils méritent.

* * *

Est-ce ce même soir que je reçus l'appel téléphonique extraterrestre ? Sinon, ce serait dommage. En tout cas, ce fut forcément au début de mon séjour à Beyrouth, parce que seul un nouveau client aurait pu être assez bête pour accepter un surclassement gratuit dans la suite nuptiale du dernier étage étrangement vide du Commodore. En 1981, l'orchestre nocturne de Beyrouth n'avait pas encore atteint son niveau d'excellence des années suivantes, mais il y travaillait. Le concert commençait d'ordinaire vers 22 heures et culminait au petit matin. Les clients surclassés au dernier étage ne rataient rien du spectacle : les éclairs qui illuminaient le ciel comme en plein jour, la canonnade des tirs d'artillerie entrants et sortants (mais comment faire la différence ?) et le crépitement des armes légères suivi par un silence éloquent. Pour l'oreille non entraînée, tout cela semblait provenir de la chambre voisine.

Mon téléphone sonne. Après avoir envisagé un instant de me réfugier sous mon lit, je me retrouve assis tout raide dessus avec le combiné à l'oreille.

« John ? »

John ? Moi ? De fait, quelques rares personnes, surtout des journalistes qui ne me connaissent pas, m'appellent parfois John. Alors je dis oui, qui est à l'appareil ? En retour, je reçois un tombereau d'insultes. Mon correspondant est une femme, elle est américaine, et elle est furieuse.

« Comment ça, qui est à l'appareil ? Me fais pas croire que tu reconnais pas ma voix, putain ! T'es vraiment un sale Rosbif, tu sais ? T'es qu'un lâche, un traître – oh non, mon salaud, je vais pas te laisser m'interrompre ! hurle-t-elle en réponse à mes protestations. Me sers pas ton flegme britannique à la con comme si on prenait le thé à Buckingham Palace ! Je comptais sur toi, tu comprends ça ? Ça s'appelle la confiance. Écoute-moi bien, enfoiré. Je vais chez le coiffeur. Je mets toutes mes affaires dans un joli petit sac. Je fais le pied de grue sur le trottoir comme une pute pendant deux heures, bordel ! Je suis ravagée tellement j'ai peur que tu sois crevé au fond d'un fossé, et toi, t'es où ? T'es au pieu, salopard ! explose-t-elle avant de penser soudain à quelque chose : T'as une greluche avec toi ? Parce que – ta gueule ! Me fais pas ta voix d'Angliche à la con ! »

Lentement, très lentement, je finis par lui faire comprendre son erreur. Je lui explique qu'elle ne s'adresse pas au bon John, que je ne suis d'ailleurs pas un John mais un David (petite pause le temps d'un échange de coups de feu), et que John, le vrai John, quel qu'il puisse être, a dû quitter l'hôtel (boum, boum, de nouveau), parce que la direction m'a gracieusement installé dans cette magnifique suite plus tôt dans la journée. Et je suis désolé, vraiment désolé, qu'elle ait dû subir l'humiliation d'insulter le mauvais client, et je compatis à sa détresse... tout ça parce que, au point où j'en suis, je suis assez heureux de parler à un autre être humain plutôt que de mourir seul sous mon lit dans ma suite gratuite. Et c'est vraiment moche de se faire poser un lapin comme ça, enchaîné-je galamment parce que maintenant, son problème est devenu le mien et que je veux vraiment que nous soyons amis. Et peut-être le vrai John a-t-il une raison parfaitement valable de ne pas l'avoir rejointe, avancé-je, car après tout, dans cette ville, tout peut arriver à tout moment, pas vrai ? Boum, boum, de nouveau.

Elle me répond que oui, ça c'est sûr, David, et d'ailleurs pourquoi ai-je deux prénoms ? Alors je lui explique, et je lui demande d'où elle m'appelle, et elle me répond qu'elle est au bar en sous-sol, et que son John est lui aussi un écrivain britannique et que c'est vraiment trop bizarre, et au fait, son nom à elle, c'est Jenny (ou peut-être Ginny, ou Penny, parce que je n'entends pas tout très clairement entre deux boum-boum). Et pourquoi ne descendrais-je pas boire un verre avec elle au bar ?

Histoire de gagner du temps, je lui réponds : Et le vrai John ?

Elle m'assure qu'on s'en fout, de John, il va sûrement très bien, il va toujours très bien.

Tout vaut mieux que de rester couché sur ou sous mon lit en plein bombardement. Parce que sa voix, maintenant qu'elle s'est calmée, est très agréable. Parce que je me sens seul et que j'ai peur. Après ça, je n'ai que de mauvais prétextes... Alors je m'habille et je descends. Comme je hais les ascenseurs et que je commence à culpabiliser un peu sur mes motivations réelles, je prends tranquillement l'escalier. Et le temps que j'arrive au bar en sous-sol, il est vide, à part deux marchands d'armes français complètement saouls, le barman et ce vieux perroquet qui doit être un mâle (mais en même temps, qu'est-ce que j'en sais ?) et qui travaille son répertoire d'effets balistiques.

* * *

De retour en Angleterre, je suis plus que jamais résolu à ce que *La Petite Fille au tambour* devienne un film. Ma sœur Charlotte doit absolument jouer le rôle de Charlie, qu'elle a inspiré. La Warner achète les droits et engage George Roy Hill, rendu célèbre par *Butch Cassidy*. Je propose Charlotte pour le rôle. Hill exprime son enthousiasme, il la rencontre, il la trouve parfaite, il va en parler au studio. Le rôle revient finalement à Diane Keaton, ce qui n'est peut-être pas plus mal. Comme George lui-même, qui n'est pas réputé pour mâcher ses mots, me le dira par la suite : « David, j'ai foiré ton film. »

17

Le chevalier soviétique
se meurt dans son armure

Je ne suis allé que deux fois en Russie : la première en 1987, quand l'Union soviétique agonisait grâce à Mikhaïl Gorbatchev et que tout le monde le savait sauf la CIA ; et la seconde, six ans plus tard en 1993, date à laquelle le capitalisme criminalisé avait phagocyté l'État défaillant pour transformer le pays en Far West de l'Est. J'avais très envie de visiter cette nouvelle Russie ouverte aux quatre vents. Mes deux séjours eurent donc lieu juste avant et juste après le plus grand bouleversement social de l'histoire russe depuis la révolution bolchevique. Et, de façon inédite, cette transition se fit sans effusion de sang, selon les normes locales (si l'on excepte un ou deux coups d'État et quelques milliers de victimes de meurtres par contrat, de règlements de comptes, d'assassinats politiques, de racket et de torture).

Pendant les vingt-cinq années qui précédèrent mon premier voyage, mes relations avec la Russie avaient été tout sauf cordiales. Depuis la sortie de *L'Espion qui venait du froid*, j'étais la cible d'invectives du monde des lettres soviétique, tantôt pour avoir élevé l'espion au statut de héros (comme si eux-mêmes n'étaient pas passés maîtres dans cet art), tantôt pour avoir fait les bonnes constatations sur la Guerre froide mais en avoir tiré des conclusions erronées, critique qui proscrit toute réponse logique. Cela dit, il ne s'agissait pas de logique, mais de propagande. Depuis les tranchées respectives de la *Literatournaïa Gazeta*, contrôlée par le KGB, et du magazine *Encounter*, contrôlé par la CIA, chaque camp balançait dûment ses bombes sur l'autre, bien conscient qu'aucun des deux ne gagnerait cette guerre des mots idéologique et stérile. Il n'est donc pas très étonnant que, en 1987, lorsque je me présentai à mon entretien obligatoire avec l'attaché culturel soviétique dans son ambassade de Kensington Palace Gardens pour obtenir mon visa, il remarque de façon assez déplaisante que s'ils me laissaient entrer, moi, ils laisseraient entrer tout le monde.

Pas étonnant non plus que, un mois plus tard, à mon arrivée à l'aéroport de Moscou-Cheremetievo en tant qu'invité de l'Union des écrivains soviétiques (invitation apparemment négociée par notre ambassadeur et Raïssa, l'épouse de Mikhaïl Gorbatchev, qui avaient court-circuité le KGB), le jeune homme impassible aux épaulettes magenta dans sa cage vitrée conteste l'authenticité de mon passeport ; ni que mes bagages disparaissent mystérieusement pendant quarante-huit heures pour réapparaître sans explication dans ma chambre avec tous mes costumes roulés en boule ; ni que ma suite dans l'affreux hôtel Minsk soit ostensiblement fouillée chaque fois que je la quittais pour une ou deux heures (penderie inspectée, papiers éparpillés n'importe comment sur mon bureau) ; ni qu'un duo de guetteurs du KGB, obèses et d'âge moyen, que je surnommai Duponski et Duponskoff, ait reçu la mission de me filer à une distance de deux mètres dès que je m'aventurais dehors tout seul.

Et heureusement, d'ailleurs ! Après une soirée bien arrosée chez le journaliste dissident Arkadi Vaksberg, qui est tombé raide par terre dans son salon, je me retrouve tout seul sur le trottoir d'une rue non identifiée dans une obscurité totale, pas de lune, pas de prémices de l'aube, pas le moindre rayonnement lumineux venant du centre-ville pour m'indiquer dans quelle direction marcher. Et je ne parle pas un traître mot de russe, donc impossible de me renseigner auprès d'un hypothétique passant. Et là, à mon grand soulagement, je repère les silhouettes de mes fidèles guetteurs avachis côte à côte sur un banc, où j'imagine qu'ils ont dû faire la sieste à tour de rôle.

« You speak English ? »

Niet.

« Français ? »

Niet.

« Deutsch ? »

Niet.

« Moi très saoul, articulé-je avec un sourire niais en faisant mollement tourner ma main près de ma tempe droite. Hôtel Minsk, OK ? Vous connaissez Minsk ? On y va ensemble ? »

Et j'écarte les coudes de mon corps en signe de fraternité et de non-agressivité. À trois de front, nous progressons d'un pas lent le long d'un boulevard bordé d'arbres à travers la ville déserte jusqu'à l'affreux hôtel Minsk. Étant homme à aimer son petit confort, j'ai essayé de descendre dans l'un des rares hôtels moscovites qui fonctionnent en dollars, mais mes hôtes n'ont rien voulu savoir. Je devais absolument séjourner au Minsk, dans la suite VIP du dernier étage, où des micros vieillissants sont branchés en permanence et où une redoutable concierge monte la garde sur tout le couloir.

Mais les guetteurs sont aussi des êtres humains. Au fil du temps, Duponski et Duponskoff me sont apparus si résignés, si persévérants, je dirais presque si touchants, que, faisant fi de l'usage, je me serais volontiers rapproché d'eux au lieu de garder toujours plus mes distances. Un soir, je dînai avec mon frère cadet Rupert, chef du bureau moscovite du quotidien *The Independent* en ces temps trépidants, dans un des premiers restaurants coopératifs (privés). Nous avons une grande différence d'âge, mais, sous un mauvais éclairage, il y a une vague ressemblance, surtout quand l'observateur est ivre. Rupert avait invité d'autres correspondants à Moscou. Pendant que nous discutions et buvions tous ensemble, mes deux guetteurs étaient assis, inconsolables, à leur table en coin. Ému par leur triste sort, je demandai à un serveur de leur apporter une bouteille de vodka tout en faisant mine de les ignorer. Quand je tournai la tête, la bouteille avait disparu. À la fin de la soirée, c'est mon frère qu'ils suivirent jusque chez lui…

* * *

Vouloir évoquer la Russie de cette époque sans parler de vodka, ça revient à commenter un tiercé sans chevaux. Cette même semaine, je rends visite à mon éditeur moscovite. Il est 11 heures du matin. Son petit bureau sous les combles est jonché de poussiéreux dossiers dickensiens, de mystérieux cartons empilés et de tapuscrits jaunissants ficelés par de la cordelette. À ma vue, il se lève d'un bond et me serre contre son cœur avec un rugissement de joie.

« Nous avons la glasnost ! hurle-t-il. Nous avons la perestroïka ! La censure, c'est terminé, mon ami ! À partir de maintenant, je vais publier tous vos livres sans exception : les vieux livres, les nouveaux livres, les mauvais livres, je m'en fous ! Vous écrivez le bottin ? Je le publie ! Je publie tout, sauf les livres que ces pauvres enfoirés du bureau de la censure du Parti veulent que je publie ! »

Au mépris le plus total des lois récemment promulguées par Gorbatchev sur la consommation d'alcool, il sort d'un tiroir une bouteille de vodka, en arrache la capsule et, sous mes yeux effarés, jette allègrement celle-ci dans la corbeille à papier.

* * *

Étant passé de l'autre côté du miroir, je trouvais tout à fait logique d'être surveillé, suivi et hautement suspect, d'une part, et d'autre part traité avec tous les égards dus à un invité de marque du gouvernement soviétique. Ma photographie parut dans les *Izvestia* avec une légende assez flatteuse et j'étais reçu comme un roi par mes hôtes de l'Union des écrivains, dont les aptitudes littéraires étaient pour la plupart brumeuses, sinon carrément fantaisistes.

Il y avait le grand poète dont l'œuvre se résumait à un recueil publié trente ans auparavant et attribué par la rumeur à un autre poète, que Staline avait fait fusiller pour sédition. Il y avait le vieillard à la barbe chenue et aux yeux rouges larmoyants qui avait passé un demi-siècle dans un goulag avant d'être réhabilité dans le cadre de la glasnost. Il avait réussi à tenir et publier un journal épais comme un annuaire sur cette épreuve. Ce livre est encore dans ma bibliothèque, et je ne peux pas le lire puisqu'il est écrit en russe. Il y avait les funambules des lettres qui avaient marché pendant des années sur la corde raide de la censure officielle, en usant d'allégories pour faire passer des messages codés aux lecteurs assez perspicaces pour les comprendre. Je me demandais ce qu'ils allaient bien pouvoir écrire quand on leur lâcherait la bride. Seraient-ils les Tolstoï ou les Lermontov de demain ? Ou bien avaient-ils passé tant de temps à arrondir les angles qu'ils ne pouvaient plus écrire en ligne droite ?

Lors d'une garden-party à Peredelkino, le verdoyant village des écrivains, ceux jugés trop proches de la ligne du Parti me semblèrent déjà un peu dépourvus quand la perestroïka fut venue, à côté de ceux qui s'étaient fait un nom grâce à leur attitude rebelle. Igor, le dramaturge ivre qui s'obstinait à me passer le bras autour du cou tout en murmurant à mon oreille sur un ton de conspirateur, m'informa qu'il appartenait à cette seconde catégorie.

Igor et moi avions parlé de Pouchkine, de Tchekhov et de Dostoïevski. Ou plutôt, Igor en avait parlé et je l'avais écouté. Nous avions chanté les louanges de Jack London (enfin, Igor avait chanté ses louanges). À présent, il était en train de me dire que si je voulais vraiment savoir à quel point la Russie communiste était un bordel sans nom, je n'avais qu'à essayer d'envoyer un réfrigérateur d'occasion depuis ma maison de Leningrad jusqu'à celle de ma grand-mère à Novossibirsk, et là je comprendrais mon malheur. Je convins avec lui que c'était révélateur de la décrépitude de l'Union soviétique, et nous en rîmes de concert.

Le lendemain, Igor me téléphona à l'hôtel Minsk.

« Ne dites pas mon nom. Vous reconnaissez ma voix ? Oui ? »

Oui.

« Hier soir, je vous ai raconté la blague pourrie sur ma grand-mère, OK ? »

OK.

« Vous rappelez ? »
Je rappelle.
« Je ne vous ai jamais raconté blague pourrie. OK ? »
OK de nouveau.
« Jurez à moi. »
Je jure à lui.

* * *

De tous les artistes que j'ai rencontrés, Ilia Kabakov est le seul qui aurait indubitablement survécu quelles que soient les restrictions qu'on lui imposait et qui s'en serait même délecté. Au fil des ans, il était entré dans les bonnes grâces des officiels soviétiques aussi souvent qu'il en était sorti, au point de devoir signer ses illustrations d'un pseudonyme. Pour avoir accès à son atelier, il fallait s'être montré digne de confiance, il fallait connaître quelqu'un et il fallait suivre un garçon armé d'une lampe torche sur un long gymkhana de planches branlantes posées sur les poutres de plusieurs greniers contigus.

Quand enfin on arrivait, on découvrait Kabakov, ermite exubérant et peintre de génie, avec son entourage souriant de femmes et d'admirateurs. Et là, sur la toile, le monde merveilleux de son auto-incarcération, ridiculisée, pardonnée, embellie et rendue universelle par l'œil aimant de son créateur indomptable.

* * *

Dans la cathédrale de la Trinité-Saint-Serge de Zagorsk, souvent surnommée le Vatican russe, je vis de vieilles femmes vêtues de noir se prosterner sur le sol en marbre et embrasser l'épais coffrage en verre embué de tombes renfermant les reliques des saints. Dans un bureau moderne décoré de meubles design scandinaves, le représentant de l'archimandrite, dans sa magnifique soutane, m'expliqua que le Dieu chrétien opérait ses miracles par le truchement de l'État.

« Nous parlons bien seulement de l'État communiste ? lui demandai-je au terme de son speech bien rodé. Ou bien les opère-t-Il par le truchement de tous les États ? »

Pour toute réponse, j'obtins le large sourire compréhensif du tortionnaire.

* * *

Pour aller rencontrer l'écrivain Tchinguiz Aïtmatov, dont je dois avouer honteusement que je n'avais jamais entendu parler, mon interprète et moi-même prenons un vol Aeroflot jusqu'à Frounzé, ville de garnison et capitale du Kirghizistan qui porte aujourd'hui le nom de Bichkek. Nous sommes logés non pas dans l'équivalent local de l'hôtel Minsk, mais dans le luxe cinq étoiles d'une maison de repos du Comité central.

Des gardes en armes du KGB patrouillent avec des chiens tout le périmètre clos de barbelés. Ils sont là, nous dit-on, pour nous protéger des bandits des montagnes – nulle mention de rebelles musulmans, à l'époque. Nous sommes les seuls occupants des lieux. Au sous-sol, nous profitons d'une piscine et d'un sauna magnifiquement équipés. Dans les vestiaires, les serviettes et les peignoirs sont brodés d'animaux à poils. Je choisis l'élan. La piscine est chauffée à température idéale. Contre quelques dollars américains, le gérant nous propose de la vodka de contrebande à plusieurs parfums et des dames de la ville. Nous acceptons sa première proposition, pas la seconde.

* * *

À notre retour à Moscou, la place Rouge nous est mystérieusement interdite. Notre pèlerinage au mausolée de Lénine est repoussé d'un jour. Il nous faudra douze heures pour découvrir ce que sait déjà le reste du monde : un jeune aviateur allemand du nom de Mathias Rust, s'étant joué de tous les systèmes de défense soviétiques terrestres et aériens, a fait atterrir son petit avion sur le seuil du Kremlin et, au passage, fourni à Gorbatchev la parfaite excuse pour limoger son ministre de la Défense et un quarteron de généraux hostiles à ses réformes. Je n'ai pas souvenir de célébrations débridées de cet exploit aéronautique, ni de hurlements de rire alors que la nouvelle se répandait parmi les lettrés de Peredelkino, mais plutôt d'une crispation et d'un mutisme soudain quand surgit la peur familière de conséquences violentes et imprévisibles. S'agira-t-il d'un coup d'État, d'un putsch ou, même à notre époque, d'une purge des intellectuels indésirables comme nous ?

* * *

Dans la ville qui s'appelle encore Leningrad, je rencontre le dissident russe le plus distingué de sa génération, l'un de ses plus grands hommes, le physicien et lauréat du prix Nobel Andreï Sakharov, avec son épouse Elena Bonner, récemment relâchés par Gorbatchev dans l'esprit de la glasnost, après six ans d'exil interne à Gorki, afin qu'ils puissent contribuer à la perestroïka.

C'est Sakharov le physicien qui, à force de travail acharné, fournit au Kremlin sa première bombe à hydrogène ; et c'est Sakharov le dissident qui, un beau matin, comprit qu'il avait donné sa bombe à une bande de gangsters et eut le courage d'aller le leur dire en face.

Nous sommes assis à une table ronde dans le seul restaurant coopératif de la ville, Elena Bonner à côté de Sakharov. Une troupe de jeunes apparatchiks du KGB tourne autour de notre table en ne cessant de nous mitrailler avec des appareils à flash façon années 1930. C'est d'autant plus surréaliste que personne, ni dans ce restaurant ni dans la rue, ne se retourne jamais sur Andreï Sakharov, personne ne s'approche discrètement du grand homme dans le but de lui serrer la main, pour la bonne raison que son visage fait l'objet d'un interdit depuis sa déchéance. Nos non-photographes sont donc en train de photographier son non-visage.

Sakharov me demande si j'ai rencontré Klaus Fuchs, le savant atomiste britannique et espion soviétique, qui vit en Allemagne de l'Est depuis sa libération de prison en Angleterre.

Non, je ne l'ai jamais rencontré.

Alors, saurais-je par hasard comment Fuchs a été pris ?

Je réponds que je connais l'homme qui l'a interrogé, mais pas les détails de sa capture. Le pire ennemi d'un espion est un autre espion, lui fais-je remarquer avec un signe de tête en direction de notre farandole de faux photographes. Peut-être l'un de vos espions a-t-il parlé de Klaus Fuchs à l'un de nos espions. Il sourit. Contrairement à sa femme, il sourit beaucoup. Je me demande si c'est inné chez lui, ou s'il s'est appris à sourire dans le but de désarmer ses interrogateurs.

Mais pourquoi me pose-t-il cette question sur Fuchs ? je me demande en mon for intérieur. Peut-être parce que Fuchs, dans une société occidentale plutôt ouverte, a choisi de suivre le chemin secret de la trahison plutôt que d'exprimer publiquement ses convictions. Alors que Sakharov, dans cet État policier qui vit ses dernières heures, a subi la torture et l'emprisonnement pour avoir le droit de parler haut et fort.

* * *

Sakharov me raconte que le garde en uniforme du KGB qui se tenait à longueur de journée devant leurs quartiers à Gorki avait interdiction de croiser le regard de ses prisonniers et leur tendait donc leur exemplaire quotidien de la *Pravda* par-dessus son épaule : Prenez ça, mais ne me regardez pas dans les yeux. Il me raconte avoir lu les œuvres complètes de Shakespeare. Son épouse ajoute même qu'il en a appris par cœur des passages entiers, mais qu'il ne saurait pas les dire à voix haute parce qu'il n'a jamais entendu parler anglais pendant son exil. Il me raconte un soir où, au bout de six ans de résidence surveillée, un grand coup retentit à la porte. Elena lui conseille de ne pas ouvrir, mais il passe outre.

144

« Je lui ai dit qu'ils ne pouvaient rien nous faire qu'ils ne nous avaient déjà fait », explique-t-il.

Alors il ouvre malgré tout et voit deux hommes, l'un en uniforme d'officier du KGB, l'autre en salopette d'ouvrier.

« Nous sommes venus vous installer le téléphone », annonce l'officier du KGB.

Je ne suis pas homme à boire, m'explique Sakharov en s'autorisant un de ses petits sourires narquois (de fait, il ne boit pas du tout d'alcool), mais se voir offrir un téléphone dans une ville fermée russe est aussi improbable que de se voir offrir un verre de vodka frappée au milieu du Sahara.

« Nous ne voulons pas de téléphone, remportez-le », dit Elena à l'officier du KGB.

Mais de nouveau Sakharov la contredit : Laisse-les donc installer un téléphone, qu'est-ce qu'on a à y perdre ? Donc ils installent leur téléphone au grand dam de son épouse.

« Vous allez recevoir un appel demain à midi », dit l'officier du KGB avant de repartir en claquant la porte derrière lui.

Sakharov s'exprime avec toute la précision d'un scientifique. La vérité réside dans les détails. Midi passe, puis 13 heures, puis 14 heures. Tous les deux se rendent compte qu'ils ont faim, car ils ont mal dormi et sauté le petit-déjeuner. Sakharov annonce à la nuque du garde qu'il va passer au magasin acheter du pain. Alors qu'il s'éloigne, Elena lui crie : « C'est pour toi ! »

Il retourne à leurs quartiers et prend le combiné. Après avoir été transféré de poste en poste à une succession d'intermédiaires d'une grossièreté variable, il se retrouve en communication avec Mikhaïl Gorbatchev, secrétaire général du parti communiste soviétique. Le passé est le passé, lui dit Gorbatchev. Le Comité central a examiné votre cas, et vous êtes libre de revenir à Moscou. Votre ancien appartement vous attend, vous serez réintégré sans délai à l'Académie des Sciences, plus rien ne vous empêche d'occuper la place qui vous revient de droit en tant que citoyen responsable de la nouvelle Russie de la perestroïka.

Les mots « citoyen responsable » piquent Sakharov au vif. Son idée d'un citoyen responsable, informe-t-il Gorbatchev (j'imagine avec une certaine virulence malgré son petit sourire habituel), c'est quelqu'un qui respecte les lois de son pays. Or dans cette seule ville fermée de Gorki, enchaîne-t-il, il y a des assignés à résidence qui n'ont jamais vu l'intérieur d'un tribunal et d'autres qui savent à peine pourquoi ils se retrouvent là.

« Je vous ai envoyé des lettres à ce propos, et je n'ai pas obtenu l'ombre d'une réponse.

– Nous avons reçu vos lettres, répond Gorbatchev d'un ton apaisant. Le Comité central est en train de les examiner. Revenez à Moscou. Le passé est le passé. Participez à la reconstruction. »

À ce stade de la conversation, la moutarde a dû atteindre les narines de Sakharov, parce qu'il se met à débiter à Gorbatchev une liste des autres manquements du Comité central, passés et présents, au sujet desquels il lui a écrit, également sans effet. Mais en plein milieu de son homélie, m'explique-t-il, il croise le regard d'Elena. Et il comprend que s'il poursuit plus longtemps dans cette veine, Gorbatchev va lui dire : « Bon, eh bien si c'est ce que vous pensez, camarade, vous pouvez rester là où vous êtes. »

Alors Sakharov raccroche. Juste comme ça. Sans même un « Au revoir, Mikhaïl Sergueïevitch ».

Et là, il se rend compte. Son sourire moqueur s'élargit, et même Elena a une petite lueur malicieuse dans l'œil.

« Et là, je me rends compte, répète-t-il. Lors de ma première conversation téléphonique en six ans, j'ai réussi à raccrocher au nez du secrétaire général du parti communiste soviétique. »

* * *

Deux jours plus tard, je suis invité à faire une allocution devant les étudiants de l'Université d'État de Moscou. Sur l'estrade se trouvent l'intrépide John Roberts, mon guide et interprète britannique, Volodia, mon cornac russe fourni par PEN International ou par l'Union des écrivains, je n'ai jamais vraiment su, et un professeur tout blême qui m'a présenté au public, de façon assez injuste, à mon avis, comme un pur produit de la récente glasnost (mon impression étant que, selon lui, la glasnost se porterait beaucoup mieux sans moi). À présent, il donne la parole à la salle avec un total manque d'enthousiasme.

Les premières questions me sont posées en russe, mais le professeur blême les déforme de façon si outrancière que les étudiants, déjà frondeurs, se mettent à brailler les suivantes en anglais. On m'interroge sur les écrivains que j'admire et ceux que je n'admire pas, sur l'espion en tant que produit de la Guerre froide. On ose un débat sur la moralité ou l'amoralité de donner des informations sur ses collègues. À ce stade, le professeur blême en a ras la casquette. Il autorise une ultime question. Une étudiante lève la main. Oui, vous.

Étudiante : S'il vous plaît, monsieur le Carré, que pensez-vous de Marx et Lénine, je vous prie ?

Éclat de rire général.

Moi : Je les aime tous les deux.

Ce n'est pas la meilleure répartie de ma vie, mais elle me vaut des applaudissements nourris et des rires réjouis. Le professeur blême lève la séance et je suis bientôt happé par les étudiants, qui me font descendre jusqu'à un genre de salle commune où ils me soumettent à un feu roulant de questions sur un de mes romans dont je sais pertinemment qu'il est interdit ici depuis vingt-cinq ans. Comment diable ont-ils fait pour le lire ?

« Grâce à notre cercle du livre, bien sûr ! s'enorgueillit une étudiante dans une piètre imitation d'anglais à la Jane Austen en désignant du doigt un gros moniteur d'ordinateur. Notre équipe a saisi le texte de votre roman à partir d'un exemplaire clandestin que nous a donné un de vos concitoyens. Nous avons lu ce livre ensemble, le soir, de nombreuses fois. Nous avons lu beaucoup d'ouvrages interdits de cette manière.

– Et si vous vous faites prendre ? »

Ils éclatent de rire.

Avant de quitter le pays, je rends visite à Volodia, mon guide russe d'une efficacité inappréciable, et son épouse Irina, dans leur minuscule appartement. Ce sont deux brillants diplômés d'université qui vivent de la soupe populaire. Ils ont deux petites filles très intelligentes. Même si Noël est encore loin, je joue les pères Noël. Pour Volodia, j'ai apporté du whisky, des stylos à bille, une cravate en soie et autres trésors inaccessibles que j'ai achetés au duty-free à Heathrow ; pour Irina, des pains de savon anglais, du dentifrice, des collants, des foulards, tout ce que m'a conseillé ma femme ; et pour les deux fillettes, du chocolat et des jupes écossaises. Leur gratitude en devient gênante. Je ne veux pas être cette personne-là, et eux ne veulent pas être ces gens-là.

* * *

En rassemblant mes souvenirs de toutes les rencontres que j'ai pu faire durant ces deux courtes semaines dans la Russie de 1987, je suis à nouveau ému par le côté pathétique de tout cela, par le volontarisme et l'endurance de gens prétendument ordinaires qui n'avaient rien d'ordinaire et par les humiliations qu'ils étaient obligés de subir ensemble, qu'il s'agisse de faire la queue pour acheter des denrées de base, d'assurer leur survie et celle de leurs enfants ou de surveiller leurs propos pour éviter la gaffe fatale. En me promenant sur la place Rouge avec une vieille femme de lettres au lendemain de l'arrivée impromptue de Mathias Rust, j'ai pris une photo des sentinelles qui gardaient le tombeau de Lénine. La dame a pâli d'un coup et m'a sifflé de vite ranger mon appareil.

Ce que la psyché collective russe craint le plus est le chaos, ce dont elle rêve le plus est la stabilité, et ce qu'elle redoute le plus est l'incertitude de l'avenir. C'est bien compréhensible, dans un pays qui a donné vingt millions de ses âmes aux bourreaux de Staline et trente autres à ceux de Hitler.

La vie après le communisme allait-elle réellement être meilleure pour eux que celle qu'ils avaient à présent ? Certes, les artistes et les intellectuels, quand ils avaient confiance en vous ou qu'ils étaient audacieux, s'extasiaient de toutes les libertés qui seraient bientôt leurs (touchons du bois). Mais entre les lignes, on devinait certaines réserves. Quel statut auraient-ils dans cette nouvelle société qui s'annonçait ? S'ils avaient eu des privilèges grâce au Parti, y aurait-il quelque chose pour les remplacer ? S'ils étaient des auteurs approuvés par le Parti, qui allait les approuver dans un marché libre ? Et s'ils étaient actuellement en disgrâce, le prochain système les réhabiliterait-il ?

En 1993, je retournai en Russie dans l'espoir de découvrir les réponses à ces questions.

18

Le Far West de l'Est : Moscou 1993

Le mur de Berlin est tombé. Mikhaïl Gorbatchev, après des péripéties rocambolesques qui l'ont vu passer d'une assignation à résidence en Crimée à un retour au pouvoir au Kremlin, a été supplanté par son vieil ennemi, Boris Eltsine. Le parti communiste de l'Union soviétique est dissous, son siège moscovite fermé. Leningrad est redevenue Saint-Pétersbourg, Stalingrad s'appelle Volgograd. Le crime organisé règne en maître, la justice ne règne nulle part. Les soldats revenus de la désastreuse campagne soviétique en Afghanistan, dont la solde n'a pas été payée, errent dans tout le pays et louent leurs services au plus offrant. Il n'y a pas de société civile, et Eltsine ne veut pas ou ne peut pas l'imposer.

Je n'ignorais rien de tout cela quand je partis pour Moscou à l'été 1993. Alors, pourquoi diable ai-je eu l'idée saugrenue d'emmener avec moi mon fils étudiant de vingt ans, je n'en sais strictement rien. Mais il est venu, et il était ravi de venir, et nous avons tracé notre chemin sans anicroche ni animosité.

Notre voyage avait un but bien défini (c'est du moins ce qui me semble aujourd'hui) : je voulais découvrir le nouvel ordre. Les nouveaux parrains du crime étaient-ils les anciens sous des habits neufs ? Le KGB était-il vraiment en train de se faire démanteler par Eltsine, ou bien, comme si souvent dans le passé, avait-il simplement été reconstitué sous un autre nom ?

À Hambourg, notre point de départ, je pris soin de me pourvoir de tous les produits essentiels que j'avais emportés pour en faire présent dans la Russie de 1987 : savonnettes, shampooing, dentifrice, biscuits au chocolat Cadbury, whisky écossais, jouets de fabrication allemande. Dès notre arrivée à l'aéroport de Moscou-Cheremetievo, où on nous laissa passer presque sans un regard, un matérialisme criard s'affichait partout. Chose sans doute la plus improbable à mes yeux non préparés : contre une caution de cinquante dollars, on pouvait louer un téléphone portable dans un kiosque situé à la sortie.

Quant à notre hôtel, rien à voir avec le Minsk ! Il s'agissait d'un palace de marbre brillant de mille feux, avec de majestueux escaliers chantournés, des lustres dignes d'un opéra et une volée de jeunes femmes élégantes et à l'évidence seules qui traînaient dans le hall. Nos chambres empestaient la peinture fraîche, le désodorisant et les eaux usées. Un simple coup d'œil aux devantures des magasins pendant le trajet en voiture à travers la ville résumait tout : le légendaire centre commercial d'État GOUM avait laissé la place à une boutique Estée Lauder.

* * *

Cette fois-ci, mon éditeur russe ne me serre pas dans ses bras. Il ne sort pas gaiement une bouteille de vodka de son tiroir en jetant la capsule dans la corbeille à papier. D'abord, il m'observe par le judas de sa porte blindée, puis il déverrouille toute une batterie de serrures, puis il me fait entrer et reverrouille tout. À voix basse, il s'excuse d'être seul au bureau pour m'accueillir. Depuis que la compagnie d'assurance est passée, m'explique-t-il, le personnel refuse de venir.

La compagnie d'assurance ?

Des hommes en costume portant attaché-case, qui viennent placer des assurances contre les incendies, les cambriolages et les inondations, mais surtout les incendies. Le quartier est classé à haut risque après une série d'incendies criminels, donc la prime est élevée, c'est bien naturel. Un incendie pourrait se déclarer à tout instant. Mieux vaut signer tout de suite, voilà un stylo. Parce que sinon, certaines personnes de leur connaissance feront exploser une bombe incendiaire dans les locaux, et alors qu'adviendra-t-il de tous ces vieux dossiers et manuscrits qui traînent là un peu partout ?

Et la police ?

Elle conseille de payer et de la fermer. Elle fait partie du racket.

Alors, vous allez payer ?

Peut-être. Il va voir. Il ne va pas capituler sans se battre. Il connaissait des gens influents dans le temps, sauf qu'ils ne sont plus influents aujourd'hui.

* * *

Je demande à un ancien ami du KGB comment je pourrais rencontrer un grand parrain de la mafia. Il me rappelle. Allez dans tel night-club à une heure du matin jeudi, et Dima vous recevra. Votre fils ? Amenez-le avec vous, il sera le bienvenu, et s'il a une copine elle sera la bienvenue aussi. Le night-club appartient à Dima. Clients sympathiques, bonne musique, aucun danger. Poussia, notre indispensable garde du corps, est un champion d'Abkhazie de lutte et un informateur parfait sur toutes les questions ayant trait au combat de son peuple pour la libération. Petit et râblé comme le bonhomme Michelin, polymathe, linguiste, érudit, c'est paradoxalement l'homme le plus pacifique au monde, mais aussi une sorte de célébrité nationale, ce qui est en soi une forme de protection.

De jeunes athlètes armés de mitraillettes sont alignés devant l'entrée du night-club. Sous l'œil bienveillant de Poussia, ils nous fouillent. À l'intérieur, des banquettes de velours écarlate entourent une piste de danse circulaire. Des couples dansent mollement sur de la musique des années 1960. M. Dima va vous rejoindre bientôt, dit le gérant à Poussia en nous invitant à nous asseoir.

Pendant notre trajet, Poussia nous a déjà fourni un exemple de ses capacités d'intervention pacifique. La rue est bloquée. Deux voitures, une petite et une grosse, se sont percutées. Les conducteurs sont sur le point d'en venir aux mains. Une foule excitée prend parti pour l'un ou l'autre. Poussia ouvre sa portière et se dirige vers les belligérants dans l'intention de les séparer ou de les calmer, j'imagine. Au lieu de cela, il empoigne le pare-chocs arrière de la petite voiture pour la désencastrer de la grosse et, sous un tonnerre d'applaudissements, la gare délicatement le long du trottoir.

Nous attaquons nos sodas. M. Dima risque d'avoir du retard, nous informe le gérant. M. Dima risque d'avoir du business à faire (*business* étant le nouveau mot à la mode en Russie pour désigner des transactions illicites). Soudain, des bruits de circonstance dans le couloir nous informent d'une arrivée royale. La musique résonne plus fort en signe de bienvenue, puis s'arrête net. Les premiers à entrer sont deux jeunes hommes aux cheveux coupés en brosse, portant un costume italien cintré bleu nuit. Des Spetsnaz, me murmure Poussia à l'oreille. Pour les nouveaux riches moscovites, les anciens soldats des forces spéciales sont le must en matière de gardes du corps. Avec de petits coups de tête qui les font ressembler à des oiseaux, les deux hommes inspectent des yeux les différents coins de la salle. Quand ils repèrent Poussia, ils le fixent du regard. Lui leur adresse en retour un sourire débonnaire. Ils reculent d'un pas et se postent chacun d'un côté de la porte d'entrée. Une pause, puis, comme à la demande populaire, entre Kojak de la police de New York, alias Dima, suivi par toute une cour de jolies filles et de jeunes hommes.

Si vous avez déjà vu la série *Kojak*, ma comparaison est ridiculement pertinente, jusqu'aux Ray-Ban : crâne chauve luisant, épaules carrées, démarche chaloupée, costume droit, bras décollés des flancs façon gorille, visage bulbeux rasé de près affichant un petit sourire ironique. *Kojak* fait un tabac dans la nouvelle Russie – Dima cultive-t-il volontairement la ressemblance ? Ce ne serait pas le premier parrain du crime organisé à se prendre pour la star de son propre film.

La première rangée des banquettes est à l'évidence réservée à la famille. Dima s'installe au centre, et ses gens à ses côtés.

À sa droite, une superbe jeune femme embijoutée ; à sa gauche, un homme impassible au visage grêlé qui a tout du *consigliere*. Le gérant du night-club apporte un plateau de boissons non alcoolisées. Dima abhorre l'alcool, m'explique Poussia, qui partage cet avis.

« M. Dima va vous parler maintenant, s'il vous plaît. »

Poussia reste assis où il est. Je traverse la piste de danse avec mon interprète russe. Dima me tend la main, je la lui serre, elle est aussi douce que la mienne. Je m'agenouille devant lui sur la piste, imité par mon interprète. Ce n'est sans doute pas la position la plus confortable, mais il n'y a pas assez de place pour faire autrement. Dima et sa clique nous regardent par-dessus la balustrade. On m'a prévenu qu'il ne parle aucune autre langue que le russe, or je ne connais pas un traître mot de russe.

« M. Dima demande, que voulez-vous ? » me hurle à l'oreille mon interprète.

Je n'ai même pas entendu Dima parler tant la musique est forte, mais mon interprète, oui (c'est tout ce qui compte), et sa bouche est à dix centimètres de mon oreille droite. Notre génuflexion semble exiger un moment de bravade, donc je réponds que je souhaiterais qu'on baisse le volume, et Dima aurait-il l'amabilité d'enlever ses lunettes noires parce que c'est difficile d'avoir une conversation avec une paire d'yeux masqués ? Dima ordonne qu'on baisse la musique, puis il enlève ses Ray-Ban d'un geste lent, dévoilant des yeux porcins. Il attend toujours de savoir ce que je lui veux. Et maintenant que j'y pense, moi aussi.

« On me dit que vous êtes un gangster. C'est vrai ? »

Je n'ai pas moyen de savoir comment mon interprète traduit cette question, mais je le soupçonne de l'édulcorer un peu, parce que Dima semble très serein.

« M. Dima dit que dans ce pays tout le monde est gangster. Tout est pourri, tous les businessmen sont gangsters, tous les business sont des syndicats du crime.

— Alors puis-je demander à M. Dima dans quel secteur il opère, au juste ?

– M. Dima travaille dans l'import-export », traduit mon interprète d'une voix qui me supplie de ne pas me risquer sur ce terrain.

Mais je n'ai pas d'autre terrain sur lequel aller.

« Veuillez lui demander quel genre d'import-export. Demandez-lui donc.

– Ce n'est pas approprié.

– Parfait, alors demandez-lui combien il vaut. Pouvons-nous dire qu'il pèse cinq millions de dollars ? »

Mon interprète réticent a dû poser ma question ou une question approchante, parce que l'entourage de Dima ricane et que lui-même répond par un haussement d'épaules dédaigneux. Pas grave. Je crois que je vois où je veux en venir, à présent.

« Parfait, disons cent millions, deux cents millions, peu importe. Disons qu'il est assez facile de gagner beaucoup d'argent en Russie, de nos jours. Et si les choses restent telles qu'elles sont, nous pouvons supposer que, d'ici un ou deux ans, Dima sera un homme très riche. Richissime, même. Traduisez juste ça, je vous prie. C'est une affirmation toute simple. »

Et sans doute mon interprète traduit-il pour Dima, parce qu'un rictus s'affiche sur la partie inférieure de sa tête chauve en signe d'acquiescement.

« Dima a-t-il des enfants ? » j'enchaîne, sur ma lancée inconsciente.

En effet.

« Des petits-enfants ?

– Ce n'est pas pertinent. »

Dima a rechaussé ses Ray-Ban comme pour indiquer que cette conversation est terminée, mais je ne suis pas d'accord. Je me suis aventuré trop loin pour m'arrêter maintenant.

« Voilà ce que je veux vous dire. Aux États-Unis, comme Dima le sait très certainement, les requins de la finance de jadis ont fait fortune grâce à ce que nous pourrions appeler des méthodes non conventionnelles. »

Je suis heureux de déceler une lueur d'intérêt derrière les Ray-Ban.

« Mais en vieillissant, les requins ont regardé leurs enfants et petits-enfants, ils se sont piqués d'idéalisme et ils ont décidé qu'ils devaient créer un monde plus radieux et plus généreux que celui qu'ils avaient escroqué. »

Les yeux masqués restent fixés sur moi tandis que l'interprète traduit ce qu'il veut bien traduire.

« Alors la question que je voudrais poser à Dima est la suivante : pourrait-il imaginer qu'en vieillissant, disons d'ici dix ou quinze ans, un jour viendra où lui aussi se mettra à construire des hôpitaux, des écoles et des musées par philanthropie ? Je suis sérieux. Demandez-lui. Ce serait une manière de redonner quelque chose au peuple russe qu'il a... euh... eh bien, dépouillé. »

Les comédies classiques usent souvent de ce gag où les gens se parlent par l'intermédiaire d'un interprète : on pose une question, on la traduit, la personne à qui elle est posée écoute avec attention, puis agite les bras en tous sens et pérore pendant deux longues minutes du film, et l'interprète, après une pause théâtrale, répond juste « non », « oui » ou « peut-être ». Sans agiter les bras en tous sens, Dima s'exprime très posément en russe. Son club de supporters se met à glousser, les sentinelles à la coupe en brosse à l'entrée se mettent à glousser, mais Dima continue de parler. Quand il s'estime enfin satisfait, il croise les mains et attend que notre interprète relaie son message.

« Monsieur David, je suis au regret de dire que M. Dima vous dit d'aller vous faire foutre. »

* * *

Assis sous le lustre en cristal du hall de notre luxueux hôtel moscovite, un trentenaire élancé et discret, portant un complet gris et des lunettes, sirote un cocktail à l'orange tout en m'expliquant le code de conduite de la confrérie des voleurs, ou *vory*, dont il est un membre à part entière. On m'a dit qu'il était l'un des soldats de Dima. Peut-être est-il l'un de ces hommes en costume qui vendent des assurances incendie à mon éditeur.

Son choix précis de mots me rappelle plutôt un porte-parole du Foreign Office.

« Les *vory* ont-ils beaucoup changé depuis la chute du communisme soviétique ?

– Je dirais qu'ils ont élargi leurs activités. Grâce à la plus grande liberté de mouvement qui caractérise l'ère post-communiste et à de meilleurs systèmes de communication, on peut dire que les *vory* ont étendu leur influence dans de nombreux pays.

– Quels pays, par exemple ? »

Il vaudrait mieux parler de villes que de pays, m'explique-t-il : Varsovie, Madrid, Berlin, Rome, Londres, Naples, New York sont des villes favorables aux activités des *vory*.

« Et ici en Russie ?

– Je dirais, le chaos social en Russie a favorisé de nombreuses activités des *vory*.

– Comme quoi, par exemple ?

– S'il vous plaît ?

– Quelles activités ?

– Je dirais, ici en Russie la drogue rapporte bien. Et beaucoup de nouveaux business ne peuvent pas fonctionner sans le racket. Et nous avons aussi des maisons de jeu et beaucoup de clubs.

– Des bordels ?

– Les bordels ne sont pas nécessaires pour les *vory*. C'est mieux d'être propriétaire des femmes et de les faire travailler dans des hôtels. Des fois, les hôtels nous appartiennent aussi.

– L'origine ethnique est-elle un critère ?

– S'il vous plaît ?

– Les confréries de *vory* sont-elles issues de régions spécifiques ?

– Je dirais, aujourd'hui nous sommes composés de beaucoup de voleurs qui ne sont pas des Russes de souche.

– Comme par exemple ?

– Des Abkhazes, des Arméniens, des Slaves. Et aussi des juifs.

– Des Tchétchènes ?

– Avec les Tchétchènes, je dirais c'est différent.

– Existe-t-il du racisme au sein des *vory* ?

– Si un *vor* est un bon voleur et qu'il respecte les règles, les *vory* sont tous égaux.

– Vous en avez beaucoup, des règles ?

– Nous n'avons pas beaucoup de règles mais elles sont strictes.

– Veuillez me donner un exemple de vos règles, je vous prie. »

Il semble ravi de le faire. Un *vor* ne travaille pas pour une autorité. L'État est une autorité, donc il ne doit pas travailler pour l'État, ni combattre pour l'État, ni servir l'État en aucune façon. Il ne doit pas payer d'impôts à l'État.

« Les *vory* vénèrent-ils Dieu ?

– Oui.

– Un *vor* peut-il faire de la politique ?

– Si son but en faisant de la politique est d'étendre l'influence des *vory* et de ne pas aider l'autorité, il peut faire de la politique.

– Et s'il devient un homme politique de premier plan ? Populaire ? Qui réussit ? Peut-il rester un *vor* dans son cœur ?

– C'est possible.

– Est-ce qu'un *vor* en tue un autre s'il a violé la loi des *vory* ?

– Si c'est un ordre du conseil des *vory*, oui.

– Vous tueriez votre meilleur ami ?

– Si c'est nécessaire.

– Avez-vous tué beaucoup de gens, personnellement ?

– C'est possible.

– Avez-vous jamais envisagé de devenir avocat ?

– Non.

– Un *vor* peut-il se marier ?

– Il doit être un homme au-dessus des femmes. Il peut avoir de nombreuses femmes, mais pas se soumettre à elles parce qu'elles ne sont pas pertinentes.

– Donc il vaut mieux ne pas se marier ?

– La loi dit que le *vor* ne peut pas se marier.

– Mais certains le font ?

– C'est une règle.

– Un *vor* peut-il avoir des enfants ?

– Non.

– Mais certains le font ?

– Je dirais c'est possible. Ce n'est pas souhaitable. Mieux vaut aider les autres voleurs et se soumettre au conseil des *vory*.

– Et les mères et les pères de *vory*, alors ? Ils sont acceptables ?

– Les parents ne sont pas souhaitables. Il vaut mieux les abandonner.

– Parce qu'ils représentent l'autorité ?

– Il n'est pas permis de montrer des émotions tout en respectant la loi des voleurs.

– Mais certains *vory* aiment leur mère, quand même ?

– C'est possible.

– Avez-vous abandonné vos parents, vous ?

– Un peu. Peut-être pas assez.

– Êtes-vous jamais tombé amoureux d'une femme ?

– Ce n'est pas approprié.

– De poser la question ou de tomber amoureux ?

– Ce n'est pas approprié », répète-t-il.

Mais il ne peut s'empêcher de rougir, et il se met à pouffer comme un gamin, et mon interprète avec lui, et bientôt moi aussi. En humble lecteur de Dostoïevski, je me demande où l'éthique, la fierté et l'humanité peuvent bien se nicher dans l'âme criminelle russe contemporaine, parce que j'ai un personnage dans ma tête qui a besoin de le savoir.

Et d'ailleurs, il s'avère que j'en ai plusieurs, des personnages, qui finiront par peupler les deux romans plutôt équivoques que j'ai écrits sur la nouvelle Russie au lendemain de la chute du communisme : *Notre jeu* et *Single et Single*. Ces livres, qui m'emmenèrent en Russie, en Géorgie et dans l'ouest du Caucase, cherchaient à décrire l'ampleur de la corruption criminelle en Russie et les guerres que ce pays mène contre son propre Sud musulman. Une décennie plus tard, j'écrivis *Un traître à notre goût*, roman qui traitait de ce qui était devenu la première exportation russe juste après l'énergie : l'argent sale par milliards, volé dans les caisses même du pays.

* * *

Toujours présent, jamais pressant, tel était Poussia, notre champion de lutte d'Abkhazie. Il n'y eut qu'une occasion où je craignis de devoir faire appel à ses capacités physiques.

Cette fois, le night-club se trouve à Saint-Pétersbourg. Comme celui de Dima, il appartient à une étoile montante du business prénommé Karl, que ne lâche pas d'une semelle un avocat du nom d'Ilia. On nous a conduits au club dans un minibus blindé, avec une Land Rover elle aussi blindée en couverture. À l'entrée, qui se trouve au bout d'une allée pavée décorée de lampions, nous tombons sur le peloton habituel d'hommes en armes qui, en plus de l'incontournable mitraillette, arborent des grenades fixées à des crochets en cuivre poli sur leur cartouchière. À l'intérieur, les filles de la maison dansent lascivement les unes avec les autres au son d'une musique rock assourdissante en attendant que les clients débarquent.

Mais il n'y a aucun client, et il est 23 h 30 passées.

« Saint-Pétersbourg ne s'anime que très tard », m'explique Karl avec un sourire entendu en nous guidant vers une longue table dressée en notre honneur entre les banquettes en velours.

C'est un homme jeune aux manières surannées, au nez aquilin et à l'allure professorale. Ilia le balourd semble bien vulgaire, en comparaison. L'épouse blonde d'Ilia porte un manteau de zibeline alors que nous sommes en plein été. On nous escorte jusqu'à la rangée du haut d'un cercle pentu de sièges. En contrebas, la piste de danse sert aussi de ring de boxe, annonce fièrement Ilia, mais pas ce soir. Poussia s'assoit à ma gauche, mon fils Nick à ma droite. Ilia, à côté de son maître, marmonne dans son téléphone portable, les appels s'enchaînent en une succession robotique.

Toujours aucun autre client. Avec toutes ces banquettes vides autour de nous, la musique assourdissante qui nous distrait et les filles blasées qui se trémoussent dûment sur la piste de danse, la conversation à notre table faiblit quelque peu. C'est la circulation, m'explique Karl en se penchant pour me voir malgré l'imposante présence d'Ilia. C'est la nouvelle prospérité. Comme tout le monde a une voiture, de nos jours, la circulation dans Saint-Pétersbourg le soir, ça devient n'importe quoi.

Une heure passe.

C'est parce qu'on est jeudi, m'explique Karl. Le jeudi, le Tout-Saint-Pétersbourg va d'abord dans des soirées et seulement après dans les night-clubs. Je ne le crois pas, et je pense que Poussia non plus, et nous échangeons des regards inquiets. Trop de scénarios funestes se bousculent dans ma tête, et sans doute dans celle de Poussia. Le Tout-Saint-Pétersbourg sait-il quelque chose que nous ignorons ? Karl s'est-il attiré la rancœur d'un concurrent, sommes-nous sur le point d'être pulvérisés par une bombe ou déchiquetés par des rafales de tirs ? Ou encore (souvenir de ces grenades accrochées à leurs cartouchières), sommes-nous déjà pris en otage, d'où les négociations marmonnées d'Ilia sur son téléphone ?

Poussia pose un doigt sur ses lèvres, puis se lève pour aller aux toilettes et disparaît dans l'obscurité. Quelques instants plus tard il est de retour, avec un sourire plus doux que jamais. Il m'explique à mi-voix pour être couvert par la musique que notre hôte, Karl, a fait des économies de bouts de chandelle : les gardes qui arborent leurs grenades à la ceinture sont des Tchétchènes. Dans la société pétersbourgeoise, les gardes du corps tchétchènes, c'est rédhibitoire. Aucun people de Saint-Pétersbourg ne voudra être vu dans un night-club protégé par des Tchétchènes, ajoute Poussia.

* * *

Et Dima ? Il fallut un an de plus, mais, fait exceptionnel vu l'époque, il fut interpellé par la police moscovite, soit sur ordre de l'un de ses concurrents, soit (s'il n'avait pas craché au bassinet) sur ordre du Kremlin. Aux dernières nouvelles, il était en prison, à essayer d'expliquer pourquoi il avait dans sa cave deux collègues businessmen sérieusement amochés enchaînés au mur. Dans mon roman *Un traître à notre goût* figure mon propre Dima, qui n'a de commun avec le vrai que le prénom. Mon Dima à moi est un gangster endurci qui, contrairement à l'original, aurait vraiment pu financer des écoles, des hôpitaux et des musées.

19

Du sang et des larmes

Depuis un certain nombre d'années, j'éprouve une aversion puérile à l'idée de lire ce que l'on écrit sur moi dans la presse, que ce soit bon, mauvais ou ni l'un ni l'autre. Mais il peut arriver que mes défenses soient battues en brèche, comme en ce matin de l'automne 1991 où j'ouvris mon *Times* comme chaque matin pour y découvrir mon propre visage qui me fusillait du regard. À mon expression peu amène, je devinai d'emblée que le texte qui l'accompagnait ne serait guère bienveillant (les directeurs photo connaissent leur métier). En lisant l'article, je découvris qu'un théâtre en difficulté de Varsovie célébrait sa liberté post-communiste en montant une adaptation de *L'Espion qui venait du froid*. Sauf que le rapace le Carré [photo ci-contre] exigeait la somme faramineuse de cent cinquante livres par représentation. « Le prix de la liberté, visiblement. »

Un deuxième coup d'œil à la photographie me confirma que ce bonhomme était bien du genre à se lever le matin pour harceler les théâtres polonais en difficulté. Cupide. Vorace. Il n'y a qu'à regarder ses sourcils… Je perdis tout appétit pour mon petit-déjeuner.

Keep calm et appelle ton agent. À la deuxième tentative, je tombe sur Rainer. D'une voix que les romanciers qualifient de « tremblante », je lui lis l'article. Aurait-il été (suggéré-je avec délicatesse), serait-il possible qu'il ait été, juste pour cette fois, est-ce imaginable, un tantinet trop intraitable avec mes intérêts ?

Rainer est catégorique : bien au contraire. Les Polonais étant encore en convalescence après la chute du communisme, il a été tout sucre tout miel. Pour me le prouver, il énonce les termes qu'il a négociés avec le théâtre polonais : nous n'exigeons pas cent cinquante livres par représentation, mais seulement vingt-six, m'assure-t-il, c'est-à-dire le tarif syndical minimum, ou peut-être l'ai-je oublié ? Euh, oui, de fait, j'ai oublié. En plus, nous avons cédé les droits à titre gracieux. En un mot, un accord plus que généreux, David, une main tendue à un théâtre polonais en période de vaches maigres. Formidable, dis-je, à la fois stupéfait et intérieurement fou de rage.

Keep calm et envoie un fax au rédacteur en chef du *Times*. C'est un homme dont j'ai appris depuis à admirer la vie et les écrits, mais en 1991 j'étais moins au fait de toutes ses qualités. Sa réaction n'est pas de nature à me calmer. Elle est hautaine. Odieuse, pour le dire franchement. Il ne voit pas où est le problème avec cet article, et de toute façon un privilégié comme moi devrait savoir faire la part des choses. Voilà un conseil que je ne suis pas prêt à accepter. Mais à qui m'adresser ?

Bon sang mais c'est bien sûr ! Au propriétaire du journal, mon vieil ami Rupert Murdoch !

* * *

Enfin, « ami », c'est un grand mot. J'avais en effet rencontré Murdoch en société une ou deux fois, même si je doutais qu'il s'en souvienne. La première, c'était au milieu des années 1980, au restaurant Boulestin. Je déjeunais avec mon agent de l'époque quand Murdoch arriva. Mon agent nous présenta et Murdoch se joignit à nous pour boire un martini dry. Il avait exactement mon âge. Sa guerre à mort avec les syndicats du livre de Fleet Street battait son plein. Après en avoir un peu discuté avec lui, je lui demandai l'air de rien (peut-être enhardi par le martini) pourquoi il avait rompu avec la tradition. Dans le temps, précisai-je nonchalamment, les Anglais défavorisés embarquaient vers l'Australie pour y faire fortune. Aujourd'hui, un Australien pas défavorisé venait en Angleterre y faire fortune. Cherchez l'erreur. Remarque d'une stupidité crasse qui fit réagir Murdoch au quart de tour.

« Je vais vous dire pourquoi ! Parce que vous autres, vous n'avez rien dans le ciboulot ! » rétorqua-t-il en désignant son crâne du doigt pour appuyer son propos.

Lors de notre deuxième rencontre, à un dîner en ville, il avait régalé la tablée en termes crus de ses vues négatives sur la chute de l'Union soviétique. À la fin de la soirée, il m'avait tendu sa carte d'un geste auguste : téléphone, fax, adresse personnelle. À n'importe quelle heure, le téléphone sonne juste sur son bureau...

Keep calm et envoie un fax à Murdoch. Je pose trois conditions : premièrement, de plates excuses imprimées en bonne place dans le *Times* ; deuxièmement, un don généreux au théâtre polonais en difficulté ; et troisièmement (était-ce encore le martini qui parlait ?), un déjeuner. Le lendemain matin, sa réponse traînait par terre devant mon fax : « Conditions acceptées. Rupert. »

* * *

À cette époque, le Grill du Savoy avait un genre de section première classe pour les grosses légumes : des alcôves en fer à cheval tendues de velours rouge où, en des temps moins corsetés, des hommes de bien pouvaient amener une dame. Je murmure le nom de Murdoch au maître d'hôtel et on m'escorte jusqu'à l'un de ces petits salons. Je suis en avance. Murdoch arrive pile à l'heure.

Il est plus petit que dans mon souvenir, mais plus trapu, et il a acquis ce dandinement pressé avec léger basculement du bassin qu'adoptent les grands hommes d'affaires quand ils se rencontrent, la main tendue, sous l'œil des caméras. L'inclinaison de la tête par rapport au corps est plus prononcée que dans mon souvenir, et quand il plisse les yeux pour me gratifier de son sourire radieux, j'ai l'étrange impression qu'il me prend dans son viseur.

Nous nous asseyons face à face. Impossible de ne pas remarquer la troublante collection de bagues à sa main gauche. Nous commandons et nous échangeons quelques banalités. Rupert me dit qu'il est désolé de ce qu'ils ont écrit sur moi. Les Angliches sont de formidables stylistes, mais ils ne sont pas toujours au top sur les faits. Je réponds mais pas du tout, et merci pour votre réaction très fair-play. Assez de banalités. Il me regarde droit dans les yeux, et le sourire radieux n'est plus.

« Qui a tué Bob Maxwell ? » me demande-t-il.

Robert Maxwell, pour ceux qui ont la chance de ne pas se souvenir de lui, était un baron de la presse d'origine tchèque, parlementaire britannique et espion prétendument à la solde de plusieurs nations dont Israël, l'Union soviétique et la Grande-Bretagne. Il avait pris part au débarquement de Normandie en tant que jeune résistant tchèque, puis il avait gagné ses galons sous l'uniforme britannique et une médaille pour bravoure. Après la guerre, il avait travaillé pour le Foreign Office à Berlin. C'était aussi un fieffé menteur et un escroc de proportions et d'appétits gargantuesques qui détourna quatre cent quarante millions de livres du fonds de pension de ses propres entreprises, amassa quatre milliards de dettes qu'il n'avait aucun moyen de rembourser et fut retrouvé mort noyé en novembre 1991 au large de Tenerife, apparemment tombé du pont de son luxueux yacht baptisé du prénom de sa fille.

Les théories du complot furent légion. Pour certains, c'était à l'évidence le suicide d'un homme acculé par ses propres malversations ; pour d'autres, un meurtre commis par l'une des agences de renseignement pour lesquelles il avait censément travaillé, mais laquelle ? Pourquoi Murdoch s'imagine-t-il que je connais la réponse à cette question mieux qu'un autre me dépasse, mais je fais de mon mieux pour lui donner satisfaction. Eh bien, Rupert, si nous écartons l'hypothèse du suicide, alors je parierais que c'était les Israéliens, avancé-je.

« Pourquoi ? »

Comme nous tous, j'ai lu les rumeurs qui circulent, donc je les régurgite : Maxwell, l'agent de longue date du Mossad qui fait chanter ses anciens maîtres ; Maxwell, en relation d'affaires avec le Sentier lumineux au Pérou, auquel il a fourni des armes israéliennes en échange de cobalt, minerai stratégique ; Maxwell, qui menace de rendre la transaction publique si les Israéliens ne paient pas…

Mais Rupert Murdoch est déjà debout, à me serrer la main en me disant que c'était formidable de me revoir. Peut-être est-il aussi embarrassé que moi, ou juste ennuyé, parce que déjà il sort de la salle d'un pas conquérant, et les grands hommes ne signent jamais la note, ils laissent la besogne au petit personnel. Durée estimée du déjeuner : vingt-cinq minutes.

Aujourd'hui je regrette que nous n'ayons pas eu ce déjeuner deux mois plus tard, parce que j'aurais alors eu une théorie beaucoup plus intéressante à lui soumettre concernant la mort de Bob Maxwell.

* * *

Je suis à Londres, en train d'écrire sur la nouvelle Russie, et je cherche à interroger des opportunistes occidentaux qui profitent de cette ruée vers l'or. Quelqu'un m'a conseillé de rencontrer Barry, et ce quelqu'un a raison. Tôt ou tard il y a toujours un Barry, et quand vous lui mettez la main dessus vous avez intérêt à ne pas le lâcher. L'ami A vous présente à son ami B. L'ami B est désolé de ne pas pouvoir vous aider, mais peut-être que son ami C pourra. C ne peut pas, mais il apparaît que D est en ville, alors pourquoi ne pas appeler D, lui dire que vous êtes un ami de C et d'ailleurs voilà le numéro de D. Et pouf, vous vous retrouvez dans une pièce avec l'homme de la situation.

Barry est un gamin des faubourgs populaires de l'Est londonien qui a fait fortune dans les beaux quartiers de l'Ouest londonien : aucune classe, débit de mitraillette, curieux de rencontrer un écrivain mais ne lira jamais un livre sauf s'il y est vraiment obligé, transforme en or tout ce qu'il touche. De fait, il montre un intérêt autre que purement théorique à la façon de toucher le jackpot dans une Union soviétique en pleine désintégration. Tout ceci, me dit-il, explique pourquoi Bob Maxwell lui a téléphoné un jour pour lui demander (façon Bob) de ramener ses fesses à son bureau tout de suite et de lui dénicher un moyen de se faire une fortune en Russie en moins d'une semaine, sinon Bob sera sérieusement dans l'excrément.

Et oui, il se trouve que Barry est libre pour déjeuner aujourd'hui, David, alors du coup : Julia, ma petite, annulez mes rendez-vous de cet après-midi, d'accord ? David et moi allons faire un saut au Silver Grill. Appelez Martha et réservez pour deux dans un petit coin bien tranquille.

Et le truc à ne pas oublier, David, m'indique sévèrement Barry, d'abord dans le taxi, puis face à un beau filet de bœuf cuit comme il l'aime, c'est la date à laquelle Bob Maxwell me passe ce coup de fil. Juillet 1991, quatre mois avant que son corps finisse à la baille. Vous avez pigé ? Parce que sinon, vous allez rien entraver à la suite. OK, alors. Je commence.

* * *

« Je tiens Mikhaïl Gorbatchev, annonce Robert Maxwell à Barry dès le début de leur tête-à-tête dans le luxueux bureau panoramique de Maxwell. Alors voilà ce que j'attends de vous, Barry : vous prenez le yacht [ce fameux *Lady Ghislaine* où, en tombant du pont, Maxwell trouvera plus tard la mort, s'il n'était pas déjà mort avant de tomber], vous y passez trois jours maximum et vous revenez me voir avec un projet. Maintenant, cassez-vous. »

Et bien sûr, il y a une jolie commission à la clé pour Barry aussi, sinon il ne serait pas assis là, pas vrai ? Une avance pour qu'il y pense, plus un pourcentage sur les deals à venir. Il ne prend pas le yacht parce qu'il n'est pas trop yacht, mais il a un endroit retiré dans la campagne profonde où il aime aller réfléchir, et, vingt-quatre heures plus tard, pas les trois jours que lui avait donnés Bob, il revient dans le bureau du dernier étage avec son projet. Ou plutôt, David, avec trois projets. Tous en béton, tous assurés de générer de gros retours sur investissement, mais pas forcément au même taux.

D'abord, Bob, dit-il à Maxwell, il y a le pétrole, ça va de soi. Si Gorby pouvait juste vous refiler une des concessions d'État qui vont bientôt arriver sur le marché dans le Caucase, alors vous pourriez la revendre aux enchères aux rois du pétrole, ou au minimum louer les puits contre rémunération. Dans les deux cas, ce serait un joli coup, Bob.

Et le mauvais côté ? l'interrompt Maxwell. Il y a forcément un mauvais côté, bordel !

Le mauvais côté, Bob, c'est le temps. Et, à ce que vous me dites, c'est votre gros problème. Un deal pétrolier de cette ampleur, ça ne se fait pas du jour au lendemain, même quand on a un pote au Kremlin qui tire les ficelles, donc vous n'aurez rien à vendre avant, eh bien…

Il est à chier, ce projet. Quoi d'autre ?

Mon deuxième projet, Bob, c'est la ferraille. Et je ne vous parle pas de pousser votre brouette dans les rues de l'East End en hurlant pour quémander des vieux bouts de truc en fer, non. Je vous parle de la meilleure qualité de métal jamais fabriquée, des montagnes de métal, produit à tour de bras au mépris des coûts par une économie planifiée devenue folle : des hectares de chars rouillés, d'armes, d'usines fermées, de centrales électriques pourries et tout le bazar qui reste des plans quinquennaux ou septennaux ou de pas de plan du tout. Mais sur le marché mondial, Bob, c'est du métal brut inestimable qui attend là que quelqu'un comme vous mette la main dessus. Et personne pour le récupérer sinon vous. Vous rendrez service à la Russie en nettoyant toutes ces cochonneries. Une gentille lettre de notre pote au Kremlin vous remerciant de prendre cette peine, deux trois coups de fil à des gens dans le secteur du métal que je connais, et roule ma poule.

Sauf que ?

Le mauvais côté, Bob ? C'est les frais de récupération. Et, comment dire ?, c'est votre très forte visibilité personnelle à ce stade de votre vie, aux yeux du monde entier. Parce que, tôt ou tard, un mec là-bas va se demander pourquoi c'est Bob Maxwell qui se charge du nettoyage et pas un brave Russe bien de chez lui.

Alors Maxwell s'impatiente et demande à Barry quel est son troisième projet. Et Barry lui répond : Le sang, Bob.

* * *

« Le sang, Bob, c'est une matière première très précieuse sur tous les marchés. Mais le sang russe, correctement prélevé et mis en vente, c'est une mine d'or de première. Le citoyen russe, il est patriote. Quand il entend à la radio ou à la télé ou qu'il lit dans son journal qu'il y a eu un drame national, du genre une petite guerre quelque part, ou un déraillement de train, ou un crash d'avion, ou un tremblement de terre, ou un pipeline qui a explosé, ou un terroriste qui a fait péter une bombe sur un marché, le Russe il reste pas assis là, il va direct à l'hosto le plus proche et il donne son sang. Il le donne, Bob. Pour rien. Juste parce que c'est un bon citoyen. Des millions de litres. Ils se pointent, ils font gentiment la queue, de toute façon ils sont habitués, et ils donnent gratuitement leur sang. Voilà ce qu'ils font par bonté de cœur russe. Gratos. »

Devant son filet de bœuf, Barry marque une pause dans son récit au cas où j'aurais une question, mais aucune ne me vient, peut-être parce que j'ai le sentiment inquiétant que ce n'est plus à Robert Maxwell qu'il sert son pitch, mais à moi.

« Une fois que vous avez votre stock illimité de sang russe, gratuit, à la source, de quoi avez-vous besoin d'autre ? enchaîne Barry en abordant l'aspect logistique des choses. On est en Russie, donc le souci numéro un, c'est l'organisation. Le service de transfusion existe sur place, ça fait qu'on a déjà un genre de collecte, mais il faudra l'améliorer. Après, il y a la distribution. Ils ont des chambres froides dans toutes les villes de Russie. Tout ce qu'il faut faire, c'est augmenter la capacité. Plus de chambres froides, plus grandes et de meilleure qualité. Qui finance votre opération ? L'État soviétique, enfin, ce qu'il en reste. L'État soviétique, par bonté d'âme, améliore et modernise le service au niveau national, il était grand temps, et Gorby s'en félicite. Le Trésor soviétique finance l'opération au niveau central, chacune des républiques envoie un pourcentage prédéfini de sa collecte à une banque centrale du sang, à Moscou, près d'un des aéroports, en échange du financement initial. Et votre banque centrale du sang à Moscou, elle utilise le sang pour quoi, officiellement ? Pour des méga urgences non spécifiées dans le pays tout entier. Et vous, vous l'utilisez pour quoi ? Vous avez deux 747 réfrigérés qui font la navette entre les aéroports Cheremetievo et Kennedy. Même pas besoin de les acheter, vous les affrétez par mon intermédiaire. Vous envoyez le sang à New York, vous le faites tester en chemin pour le VIH par des chimistes, et je connais justement les types qu'il vous faut. Vous avez idée de ce que vaut un litre de sang caucasien testé pour le sida sur le marché mondial ? Je vais vous le dire… »

Et le mauvais côté, Barry ? Cette fois-ci, c'est moi qui pose la question, pas Maxwell, et Barry secoue déjà la tête.

« David, il n'y avait pas de mauvais côté. Ce sang aurait marché comme sur des roulettes. Je serais même surpris qu'il ne soit pas en train de marcher comme sur des roulettes pour quelqu'un d'autre à cet instant précis. »

Alors pourquoi pas pour Bob ?

C'est une question de date, vous voyez, David ? Barry en revient à cette date si importante sur laquelle il a insisté au début de son histoire.

« L'été 1991, vous vous souvenez ? Gorby s'accroche au pouvoir comme il peut. Le Parti craque à toutes les coutures et Eltsine veut la peau de Gorby. Quand vient l'automne, les républiques réclament leur indépendance à grands cris, et personne ne pense une seconde à envoyer du sang à Moscou. Il y a fort à parier que ce qu'elles pensent, c'est que Moscou pourrait envoyer quelque chose aux républiques, pour changer. »

Et votre ami Bob ?

« Bob Maxwell n'était pas aveugle et il n'était pas stupide, David. Quand il a appris que Gorby était cuit, il a compris que le sang, c'était mort et qu'il avait perdu sa dernière chance. S'il avait tenu un mois de plus, il aurait vu l'Union soviétique sombrer à jamais et Gorby couler avec le navire. Bob savait que la partie était terminée, alors il n'a pas traîné plus longtemps. »

Je repris cette idée de Barry sur la commercialisation du sang russe dans le roman que je finis par écrire, mais elle ne fonctionna pas aussi bien que je l'aurais voulu, peut-être parce que personne ne se tuait pour cette raison.

* * *

Petite coda à ce déjeuner de vingt-cinq minutes avec Rupert Murdoch au Grill du Savoy. L'un des anciens collaborateurs de Murdoch, décrivant la prestation de son ancien employeur devant la commission parlementaire britannique qui enquêtait sur les écoutes téléphoniques menées illégalement par l'un de ses journaux, raconta que les conseillers de Murdoch lui avaient recommandé d'enlever sa collection de bagues en or à la main gauche avant d'aller annoncer à son public, avec des trémolos dans la voix, que jamais de sa vie il ne s'était présenté devant quiconque avec autant d'humilité.

20

Dans la fosse aux ours

J'ai rencontré deux anciens chefs du KGB dans ma vie et je les ai appréciés tous les deux. Le dernier à occuper ce poste avant que le KGB change de nom (mais pas de pratiques) fut Vadim Bakatine. Quelqu'un d'intelligent a un jour comparé les services de renseignement à l'électricité dans une maison : le nouveau propriétaire emménage, il actionne l'interrupteur, et ce sont les mêmes ampoules qui se rallument.

Nous sommes en 1993. Vadim Bakatine, l'ancien chef du défunt KGB, dessine des flèches brisées sur son bloc-notes. Elles ont de beaux empennages, une hampe effilée, mais à mi-longueur elles décrivent un angle droit et deviennent des boomerangs, pointant chacune dans une direction différente vers l'extérieur de la page. Il est assis au garde-à-vous à la longue table de la salle de réunion de mon éditeur russe, son dos de centurion bien droit et la tête rentrée dans les épaules comme pour une inspection formelle. *Reforma Fund*, indique la face en anglais de sa carte de visite mal imprimée. *Fonds international pour les réformes économiques et sociales.*

C'est un homme massif aux airs de Viking, avec des cheveux roux, un sourire triste et des mains marbrées et puissantes. Né et élevé à Novossibirsk, il est ingénieur de formation, ancien directeur de travaux publics, ancien membre du Comité central du parti communiste, ancien ministre de l'Intérieur. En 1991, à sa surprise et pas franchement pour son plaisir, il se voit tendre par Mikhaïl Gorbatchev le calice empoisonné : Reprenez en main le KGB pour moi et nettoyez-moi tout ça. Assis là aujourd'hui à l'écouter, j'imagine aisément ce qui a pu pousser Gorbatchev à lui proposer ce poste : l'honnêteté évidente de Bakatine, une honnêteté opiniâtre qu'il a chevillée au corps, faite de silences délicats lorsqu'il soupèse soigneusement une question avant de lui apporter une réponse soigneusement soupesée.

« Mes recommandations n'ont pas fait un tabac au KGB, observe-t-il en dessinant une nouvelle flèche. Ce n'était pas une mission facile. »

Il veut dire : débarquer au QG du KGB sur la place Dzerjinski par un matin d'été, le purger d'un seul coup d'un seul de ses penchants autocratiques et créer un nouveau service d'espionnage désinfecté et doté d'une conscience sociale, apte à ses fonctions dans la Russie démocratique reconstruite dont Gorbatchev rêvait. Bakatine savait dès le début qu'il allait devoir batailler. Mais à quel point le savait-il ? Mystère. Était-il conscient que le KGB était une kleptocratie rationalisée qui avait déjà empoché une bonne partie des réserves de liquidités et d'or du pays et l'avait planquée à l'étranger ? Que ses chefaillons s'entendaient comme larrons en foire avec les syndicats du crime organisé ? Que nombre d'entre eux étaient des stalinistes de la vieille garde qui voyaient en Gorbatchev le Grand Destructeur ?

Quoi qu'il en soit, Bakatine accomplit un acte de pure glasnost qui reste unique dans les annales des services secrets tous pays confondus. Quelques semaines après sa prise de fonction, il remit à Robert Strauss, ambassadeur des États-Unis en Russie, un diagramme et un manuel d'utilisation de tous les micros qui avaient été cachés par les plombiers du KGB dans les entrailles du nouveau bâtiment destiné à accueillir l'ambassade américaine. Selon Strauss, Bakatine accomplit ce geste « sans demande de réciprocité, mû par un souci de coopération et de bonne volonté ». Selon une blague alors en vogue à Moscou, quand les techniciens américains eurent retiré tous les gadgets installés par le KGB, le bâtiment faillit s'effondrer.

« Avec les mecs de la technique, on ne peut jamais avoir de certitude, me confie Bakatine d'un ton très sérieux. J'ai dit à Strauss que je lui donnais le maximum que j'avais pu tirer d'eux. »

En récompense de ce courageux acte d'ouverture, il s'attira la fureur déchaînée de l'organisation qu'il dirigeait. On cria à la haute trahison, on supprima son poste et, pendant une courte période, sous la présidence de Boris Eltsine, le KGB fut démantelé et ses services rattachés à différents ministères, pour se voir promptement ressuscité avec des pouvoirs accrus et un nouveau nom sous le commandement personnel de Vladimir Poutine, lui-même pur produit de l'ancien KGB.

S'étant remis à ses flèches brisées, Bakatine médite sur l'espionnage. Ceux qui en vivent sont des obsessionnels déconnectés de la vie normale, dit-il. Lui-même est entré dans le monde de l'espionnage en profane et en est ressorti le même.

« Vous en savez beaucoup plus que moi sur ce monde, ajoute-t-il soudain en levant les yeux.

– Mais c'est faux ! Je suis un profane moi aussi. J'y ai travaillé quand j'étais jeune et j'en suis sorti il y a trente ans. Depuis ce jour, je vis de mon imagination.

– Alors c'est un jeu », commente-t-il en dessinant une nouvelle flèche.

Parle-t-il de moi ou du monde de l'espionnage ? Il secoue la tête comme pour indiquer que cela n'a guère d'importance. Et soudain, ses questions deviennent le cri mystifié d'un homme auquel on a arraché ses convictions. Où va le monde ? Où va la Russie ? Où est la voie du milieu, la voie de l'humain, entre les excès du capitalisme et ceux du socialisme ? Il affirme être socialiste. Il a été élevé dans le socialisme.

« Dès mon enfance, on m'a appris à croire que le communisme était la seule voie possible pour l'humanité. D'accord, les choses ont mal tourné. Le pouvoir est tombé entre de mauvaises mains, le

Parti a pris de mauvais tournants, mais je crois toujours que nous étions la force morale du bien dans le monde. Et que sommes-nous aujourd'hui ? Où est-elle, cette force morale ? »

* * *

Il serait difficile de trouver plus grand contraste entre deux hommes : Vadim Bakatine, l'ingénieur introspectif et fidèle du Parti originaire de Novossibirsk, et Evgueni Primakov, le fils à moitié juif d'une femme médecin et d'un père persécuté pour raisons politiques, élevé en Géorgie, érudit arabisant, homme d'État, académicien et, au cours d'un demi-siècle au service d'un système peu réputé pour sa tendresse envers ceux qui s'attirent sa disgrâce, expert en survie.

Contrairement à Bakatine, Primakov avait toutes les qualifications requises pour reprendre le KGB ou n'importe quelle autre grande agence de renseignement. En tant que jeune agent de terrain soviétique, nom de code MAKSIM, il avait espionné au Moyen-Orient et aux États-Unis comme correspondant de Radio Moscou ou journaliste pour la *Pravda* tout en poursuivant son ascension dans les cercles scientifiques et politiques du pouvoir soviétique. Et quand celui-ci se désintégra, Primakov persista, si bien que personne ne s'étonna quand, après cinq années à la tête du service des renseignements extérieurs de Russie, il fut promu ministre des Affaires étrangères. C'est en cette qualité qu'il vint un jour à Londres discuter de questions relatives à l'OTAN avec son homologue britannique, Malcolm Rifkind.

Et c'est le soir de ce même jour que ma femme et moi sommes conviés impromptu à dîner avec Primakov et son épouse à l'ambassade russe, sise à Kensington Palace Gardens. Le matin même, mon agent littéraire a reçu un coup de téléphone affolé du secrétariat privé de Rifkind : le ministre des Affaires étrangères requiert un exemplaire dédicacé d'un de mes livres pour offrir à son homologue russe Evgueni Primakov.

Un livre en particulier, ou n'importe lequel ? demande mon agent. *Les Gens de Smiley*. Et c'est pressé.

Je n'ai pas des piles entières de mes livres chez moi, mais j'ai réussi à dénicher un exemplaire broché des *Gens de Smiley* dans un état acceptable. Peut-être pour des raisons de restrictions budgétaires, le secrétariat de Rifkind n'a pas parlé de fournir un coursier, donc nous en avons appelé un, nous avons enveloppé le livre, nous avons libellé le paquet à l'attention de Rifkind au Foreign Office, SW1, et nous l'avons envoyé.

Deux heures plus tard, nouveau coup de fil du secrétariat privé. Le livre n'est pas arrivé, nom de Dieu, qu'est-ce qui se passe ? Appels paniqués de ma femme au service de coursiers : le paquet susmentionné a été livré au Foreign Office à telle heure et le reçu signé par le destinataire. Nous transmettons cette information au secrétariat privé. Oh la vache, il a dû rester coincé à la Sécurité, on va vérifier. Ils vérifient. Le livre, après avoir sans doute été reniflé, secoué et radiographié, est arraché aux griffes de la fichue Sécurité, et peut-être Rifkind ajoute-t-il son nom sous le mien, avec une ou deux phrases aimables, d'un ministre des Affaires étrangères à un autre. Nous ne le saurons jamais, puisque plus jamais mon agent ni moi-même n'avons eu de nouvelles de Rifkind ou de son secrétariat privé.

* * *

Il est temps de s'habiller et d'appeler un taxi. Mon épouse a investi dans des orchidées blanches en pot pour notre hôtesse, l'épouse de l'ambassadeur russe. J'ai rassemblé un sac de livres et de vidéos pour Primakov. Notre taxi s'arrête devant l'ambassade. Pas de lumières. Je suis un obsédé de la ponctualité, donc nous avons un quart d'heure d'avance. Mais c'est une belle soirée et il y a une voiture rouge de la police diplomatique garée quelques mètres plus loin.

« Bonsoir, messieurs.

— Bonsoir, madame. Bonsoir, monsieur.

– Nous avons un petit souci, messieurs. Nous sommes invités à dîner à l'ambassade de Russie, mais nous sommes en avance, et nous avons apporté ces cadeaux pour nos hôtes. Pouvons-nous vous les confier le temps de faire un petit tour dans Kensington Palace Gardens ?

– Bien sûr, monsieur, mais pas dans la voiture, désolé. Posez-les là sur le trottoir, et nous les surveillerons pour vous. »

Nous déposons nos paquets sur le trottoir, nous allons nous promener, nous revenons et nous récupérons nos paquets, qui n'ont pas explosé dans l'intervalle. Nous gravissons les marches de l'ambassade. Illumination soudaine quand la porte d'entrée s'ouvre. Des géants en costume jettent un regard noir à nos paquets. L'un d'eux tend les bras vers les orchidées, l'autre inspecte mon sac. On nous fait passer dans un magnifique salon totalement désert. Je suis assailli par des souvenirs importuns. Quand j'avais une vingtaine d'années et que j'étais un jeune espion plein d'avenir au service de Sa Majesté, j'avais assisté à une série d'atroces rencontres amicales anglo-soviétiques dans cette même pièce, avant d'être emmené à l'étage par des chasseurs de têtes du KGB excessivement amicaux pour visionner une énième fois *Le Cuirassé Potemkine* d'Eisenstein et être soumis une énième fois à une enquête courtoise sur ma vie, mes origines, mes conquêtes, mes convictions politiques et mes aspirations, tout cela dans le vain espoir que je devienne la cible d'une sollicitation des services secrets russes et que j'acquière ainsi aux yeux de mes maîtres anglais le statut enviable d'agent double. Cela ne se fit jamais, ce qui, étant donné l'ampleur de la pénétration de nos services de renseignement par les Soviétiques à l'époque, n'a rien d'étonnant. Ou peut-être n'avais-je pas le bon profil, ce qui ne m'étonnerait pas non plus.

Dans le temps, il y avait un petit bar dans un coin de cette magnifique pièce, qui dispensait du vin blanc tiède à tout camarade assez courageux pour fendre la foule. Aujourd'hui, il est tenu par une babouchka septuagénaire.

« Vous voulez la boisson ?

– Avec grand plaisir.

– Vous voulez quoi ?

– Du scotch, s'il vous plaît. Pour tous les deux.

– Whisky ?

– Oui c'est ça, du whisky.

– Vous voulez deux ? Pour elle aussi ?

– S'il vous plaît. Avec de l'eau de Seltz et sans glace.

– De l'eau ?

– De l'eau, ça ira très bien. »

Nous avons à peine bu notre première gorgée que les doubles portes s'ouvrent à la volée et qu'arrivent Primakov, escorté par son épouse et celle de l'ambassadeur russe, puis l'ambassadeur lui-même et une troupe d'apparatchiks bronzés en costume d'été. Primakov s'arrête devant nous, affiche un sourire réjoui et pointe un doigt accusateur vers mon verre.

« Que buvez-vous ?

– Du scotch.

– Vous êtes en Russie, maintenant. Passez à la vodka. »

Nous rendons nos verres intacts à la babouchka, nous nous joignons à la troupe et, à la vitesse d'un bataillon de l'infanterie légère, nous passons dans une élégante salle à manger pré-révolutionnaire. Une longue table éclairée à la bougie. Je m'assois à la place qu'on m'indique, en face de Primakov à une distance d'un mètre. Mon épouse est à deux sièges de moi du même côté, l'air beaucoup plus calme que je ne me sens. Des serveurs aux épaules carrées remplissent à ras bord nos verres de vodka. Je soupçonne Primakov d'en avoir un ou deux d'avance sur nous. Il est très joyeux, très pétulant. Son épouse, placée près de lui, est médecin, estonienne, blonde et belle, avec un rayonnement maternel. De l'autre côté de Primakov est assis son interprète, mais Primakov préfère s'exprimer dans son propre style vigoureux d'anglais et lui demander un mot si besoin.

Les apparatchiks en costume d'été, ai-je entre-temps appris, sont des ambassadeurs russes venus à Londres de tout le Moyen-Orient pour une conférence. Mon épouse et moi sommes les seuls non-Russes à cette table.

« Appelez-moi Evgueni, je vous appellerai David. »

Le dîner commence. Quand Primakov parle, tout le monde se tait. Il s'exprime par impulsions soudaines, après mûre réflexion, et consulte son interprète seulement quand il lui manque un mot. Comme la plupart des intellectuels russes que j'ai rencontrés, il n'est pas homme à apprécier les échanges de banalités. Ses sujets pour ce soir sont, dans l'ordre, Saddam Hussein, le président George Bush père, le Premier ministre Margaret Thatcher, et ses propres tentatives infructueuses pour essayer d'éviter la guerre du Golfe. C'est un communicant habile, vif et charismatique, qui ne vous lâche pas facilement des yeux. Il s'interrompt parfois pour m'adresser un large sourire, lever son verre et proposer un toast. Je lève mon verre, je lui rends son large sourire et je lui réponds. Il doit y avoir un serveur et une bouteille de vodka par invité. Il y en a en tout cas bien un de chaque pour moi. Si tu te retrouves pris dans un marathon vodka, m'a conseillé un ami anglais avant mon premier séjour en Russie, tiens-t'en à la vodka et n'essaie surtout pas cet atroce *Sekt* (champagne) de Crimée, pour l'amour de Dieu ! Je ne lui ai jamais été aussi reconnaissant de son conseil.

« Vous connaissez Tempête du Désert, David ? » demande Primakov.

Oui, Evgueni, je connais Tempête du Désert.

« Saddam, c'était l'ami à moi. Vous savez ce que je dis par ami, David ? »

Oui, Evgueni, je crois que dans ce contexte je sais ce que vous voulez dire par « ami ».

« Saddam, il téléphone à moi, raconte Primakov avec une indignation croissante. "Evgueni. Sauve-moi la face. Sors-moi du Koweït." »

Primakov ménage une pause pour que toute la signification de cette demande soit bien digérée. Peu à peu, c'est le cas. Il est en train de me dire que Saddam Hussein lui a demandé de persuader

George Bush père de le laisser retirer ses troupes du Koweït dans la dignité (pour lui sauver la face), auquel cas une guerre entre les États-Unis et l'Irak devenait inutile.

« Alors je vais vers Bush, poursuit Primakov en martelant le nom avec colère. Cet homme est... »

Discussion tendue avec son interprète. Si Primakov a de puissants explétifs sur le bout de la langue à l'encontre de George Bush père, il arrive à se refréner.

« Ce Bush n'est pas coopératif, affirme-t-il à regret en se permettant une moue indignée. Alors je viens en Angleterre. En Grande-Bretagne. Vers votre Thatcher. Je viens... »

Nouvel échange hâtif avec son interprète, et cette fois je capte le mot russe *datcha*, qui est à peu près le seul que je connaisse.

« Chequers, indique l'interprète, lui rappelant le nom de la résidence de villégiature du Premier ministre.

– Je viens à Chequers, répète-t-il en levant une main impérieuse pour nous imposer le silence, mais toute la table observe déjà un silence de mort. Pendant une heure entière, cette femme me donne la leçon. Ils veulent cette guerre ! »

* * *

Il est minuit passé quand mon épouse et moi redescendons le perron de l'ambassade russe pour nous retrouver en Angleterre. Primakov m'a-t-il posé une seule question personnelle ou politique pendant toute cette longue soirée ? Avons-nous parlé de littérature, d'espionnage, de la vie en général ? Si tel est le cas, je n'en ai pas souvenir. Je me rappelle juste qu'il semblait vouloir me faire partager son sentiment de frustration, me faire savoir que, en tant qu'homme de paix et être humain doué de raison, il s'était démené pour empêcher une guerre, et que ses efforts s'étaient heurtés à l'obstination de deux leaders occidentaux.

Il y a un épilogue ironique à cette anecdote que j'ai découvert seulement voici peu. Nous sommes dix ans plus tard. Bush junior étant au pouvoir et l'invasion de l'Irak une nouvelle fois imminente, Primakov prend l'avion pour Bagdad et adjure son vieil ami Saddam de remettre sous bonne garde aux Nations unies toute arme de destruction massive qu'il pourrait détenir ou ne pas détenir. Cette fois-ci, ce n'est pas Bush junior qui l'envoie balader, mais Saddam, au prétexte que jamais les Américains n'oseraient lui faire ça : ils ont trop de secrets en commun.

Je n'ai plus revu Primakov et je ne lui ai plus reparlé depuis ce dîner. Pas de lettre, pas d'e-mail. De temps à autre me parvenait une invitation de seconde main : dites à David que quand il est à Moscou, etc. Mais la Russie de Poutine ne m'attirait pas, et je ne l'ai donc jamais appelé. Jusqu'à ce jour du printemps 2015 où je reçois un message me disant qu'il est malade, et pourrais-je lui envoyer d'autres de mes romans à lire ? Puisque personne ne m'a précisé lesquels, mon épouse et moi remplissons un grand carton d'éditions brochées. Je signe chacun des livres, j'ajoute une dédicace et nous envoyons le carton par coursier à l'adresse qu'on nous a fournie, pour nous le voir réexpédié par les douanes russes au motif qu'il contient trop de livres d'un coup. Nous répartissons les livres dans plusieurs petits cartons et sans doute passent-ils le test puisque nous n'en entendons plus parler.

Et nous n'en entendrons plus jamais parler, parce que Evgueni Primakov est décédé avant de pouvoir les lire. On me dit qu'il a écrit des choses aimables sur moi dans ses Mémoires, ce qui me réjouit au plus haut point. Alors même que j'écris ces lignes, j'essaie de mettre la main dessus. Mais c'est toujours la Russie...[1]

1. Il m'a entre-temps été possible de me procurer ce texte. Voici ce qu'écrit Primakov dans *Vstretchi na perekrestkakh* : « Durant mon séjour dans la capitale britannique en mars 1997 en tant que ministre des Affaires étrangères, une autre "surprise" m'attendait : une rencontre avec John le Carré, l'un des tout meilleurs auteurs de thrillers politiques (à mon humble avis). L'ambassadeur Adamichine l'avait invité avec son épouse à ma demande. Cette soirée se déroula dans une atmosphère très détendue. Admirateurs de longue date de l'ex-espion David Cornwell, mondialement connu sous le nom de John le Carré, mon épouse et moi-même fûmes

Avec le recul, que me reste-t-il de cette soirée ? J'ai découvert voici longtemps que, en ces rares occasions où je me retrouve face à des hommes de pouvoir, mes facultés critiques m'abandonnent et que tout ce que j'ai envie de faire, c'est d'être là, d'écouter et d'observer. Pour Primakov, je fus un objet de curiosité d'un soir, une petite distraction, mais aussi, comme j'aime à le croire, l'occasion pour lui de parler à cœur ouvert à un écrivain dont l'œuvre avait rencontré un écho en lui.

Vadim Bakatine avait uniquement accepté de me rencontrer pour rendre service à un ami, mais, là encore, j'aime à penser que je lui ai donné l'occasion de dire ce qu'il ressentait. Dans mon expérience limitée de cette caste, les gens qui se trouvent à l'épicentre des choses n'ont pas vraiment idée de ce qui se passe autour d'eux, précisément parce qu'ils se trouvent à l'épicentre. Il a fallu qu'un Américain en visite à Moscou demande à Primakov lequel de mes personnages lui parlait le plus pour qu'il réponde : « Mais enfin, George Smiley, bien sûr ! »

* * *

Oldřich Černý ne doit en aucun cas être comparé ni à Bakatine ni à Primakov, tous deux communistes convaincus en leur temps. En 1993, quatre ans après la chute du mur de Berlin, Oldřich Černý (Olda pour ses amis) reprit en main le service de renseignement extérieur tchèque et, à la demande de son vieil ami et camarade dissident Václav Havel, entreprit de le transformer en un lieu accueillant pour la communauté des espions occidentaux. Pendant les cinq années de sa direction, il noua une relation étroite avec le MI6 britannique, et plus particulière-

---

enchantés de pouvoir converser avec cet homme passionnant et de recevoir un exemplaire des *Gens de Smiley* ainsi dédicacé par l'auteur : "Pour Evgueni Maximovitch Primakov, avec mes sentiments les plus cordiaux et l'espoir que nous vivrons un jour dans un monde meilleur que celui décrit dans ce livre." »

ment avec Richard Dearlove, qui en devint ensuite le patron sous Tony Blair. Peu après la retraite de Černý, j'allai à Prague passer deux jours avec lui, tantôt dans son minuscule appartement avec Helena, sa compagne depuis de longues années, tantôt dans l'un des nombreux bars en sous-sol de la ville, à boire du scotch sur des tables en pin brut.

Comme Bakatine, Černý ne connaissait strictement rien à l'espionnage avant de prendre ses fonctions, ce qui, lui avait expliqué Havel, était la raison même pour laquelle il l'avait choisi. Une fois en place, il découvrit avec stupeur l'état des lieux.

« Ces abrutis ne savaient même pas que la Guerre froide était terminée, putain ! » s'exclama-t-il entre deux gros éclats de rire.

Peu d'étrangers arrivent à jurer en anglais de façon authentique, mais Černý faisait exception à la règle. Il était venu étudier à Newcastle grâce à une bourse au moment du Printemps de Prague, c'est donc sans doute là qu'il avait appris à maîtriser cet art. De retour dans un pays repassé sous le joug russe, il traduisait des livres pour enfants le jour et écrivait des tracts dissidents anonymes la nuit.

« On avait des agents qui espionnaient l'Allemagne ! poursuivit-il avec incrédulité. En 1993, bordel ! On avait des agents dans la rue qui traquaient les prêtres et les éléments contestataires pour pouvoir leur défoncer la tronche à coups de gourdin ! Alors je leur ai dit : "Écoutez. Nous ne faisons plus ce genre de choses. Nous sommes une putain de démocratie !" »

Si Černý s'exprimait avec toute l'exubérance d'un homme libéré, c'est qu'il avait tout lieu de le faire. Il était anticommuniste de naissance et de nature. Son père, un résistant tchèque pendant la guerre, avait été emprisonné à Buchenwald par les nazis, puis condamné à vingt ans pour trahison par les communistes. L'un de ses souvenirs les plus anciens était d'avoir vu le cercueil de son père jeté sur le seuil de la maison familiale par les matons de la prison.

Il n'est donc guère étonnant que Černý, l'écrivain, le dramaturge, le traducteur, le diplômé de littérature anglaise, ait mené bataille toute sa vie contre la tyrannie politique, ni qu'il ait été régulièrement emmené pour interrogatoire par le KGB et le renseignement tchèque qui, n'ayant pas réussi à le recruter, avait choisi de le persécuter, à la place.

Bien qu'il se fût affirmé foncièrement incapable de reprendre la direction des espions de son pays après la scission de la Tchéco-slovaquie, on notera qu'il se maintint à ce poste pendant cinq ans, prit sa retraite avec les honneurs, partit diriger une fondation pour les droits de l'homme créée par son ami Havel et monta son propre think-tank spécialisé dans les questions de sécurité, qui, quinze ans plus tard et trois ans après sa mort, reste toujours aussi florissant.

* * *

À Londres, peu avant la mort de Černý, je rencontrai un Václav Havel vieillissant lors d'un déjeuner privé chez l'ambassadeur tchèque. Fatigué et visiblement malade, il était assis tout seul et ne parlait guère. Ceux qui le connaissaient savaient quand ne pas le déranger. Je m'approchai timidement et mentionnai le nom de Černý, disant avoir passé de très bons moments avec lui à Prague. Le visage de Havel s'illumina.

« Dans ce cas, vous avez eu beaucoup de chance », dit-il.

Et son sourire ne le quitta pas pendant un long moment.

21

Chez les Ingouches

J'avais entendu parler d'Issa Kostoïev, mais tel n'est sans doute pas votre cas si vous avez moins de cinquante ans. Il s'agit de l'officier de police russe à la tête du service des Crimes à caractère spécial qui, en 1990, avait réussi à arracher des aveux au serial killer Andreï Tchikatilo, ingénieur ukrainien responsable de cinquante-trois meurtres. De nos jours, Kostoïev est un député du Parlement russe qui n'a pas sa langue dans sa poche et réclame inlassablement plus de respect et de droits civiques pour les populations du Nord-Caucase, notamment pour son propre peuple, les Ingouches, dont le destin demeure selon lui inconnu du reste du monde.

Il était à peine né quand Staline décréta que tous les Tchétchènes et les Ingouches étaient des criminels collaborant avec l'envahisseur allemand, ce qui était évidemment faux. Le peuple ingouche fut déporté dans des camps de travail forcé au Kazakhstan, la mère de Kostoïev y compris. L'un de ses plus anciens souvenirs d'enfance est d'avoir vu des gardes russes à cheval la fouetter parce qu'elle avait glané du maïs non ramassé. Les Ingouches détestent tous les envahisseurs sans exception, dit-il d'une voix sinistre. Quand on finit par les autoriser à regagner leurs foyers après la mort de Staline, ils découvrirent que leurs maisons avaient été données à des Ossètes, usurpateurs christianisés du sud des montagnes qui avaient jadis servi d'hommes de main à Staline.

Mais ce qui le fait le plus enrager est le racisme du Russe

186

moyen envers son peuple. « Je suis un nègre russe ! Je peux me faire arrêter à tout moment dans les rues de Moscou juste parce que j'ai ce nez et ces oreilles d'Asiate ! » s'insurge-t-il en tirant furieusement dessus. Puis il change sans scrupule de métaphore et affirme que les Ingouches sont les Palestiniens de la Russie : « D'abord ils nous chassent de nos villes et de nos villages, et après ils nous haïssent parce qu'on a survécu ! »

Il se dit prêt à rassembler un groupe d'hommes pour m'emmener en Ingouchie, ça vous dit ? C'est une invitation lancée de façon spontanée mais parfaitement sincère, comme je le comprends bien vite. Nous allons explorer les splendeurs du paysage ensemble, nous allons rencontrer le peuple d'Ingouchie, et je pourrai me faire ma propre opinion. Encore sous le choc, je lui réponds que je suis très honoré, que rien ne me ferait plus plaisir, et nous topons là sur-le-champ. Nous sommes en 1993.

* * *

Les meilleurs interrogateurs ont chacun leur technique, un truc bien à eux qu'ils ont appris à transformer en arme de persuasion. Certains se présentent comme la raison incarnée, d'autres s'efforcent de faire peur ou de déstabiliser, d'autres encore vous submergent de franchise et de charme. Issa Kostoïev, grand homme coriace et totalement inconsolable, instille en vous à la seconde où vous le rencontrez une envie de lui faire plaisir. Rien de ce que vous pourrez dire ou faire, semble-t-il, ne pourra effacer de son visage cet air de tristesse perpétuelle qui accompagne son doux sourire de vieil homme.

« Et Tchikatilo ? Comment l'avez-vous coincé ? »

Il baisse à moitié ses lourdes paupières et pousse un petit soupir.

« À son haleine infecte, répond-il après avoir tiré une longue bouffée sur sa cigarette. Tchikatilo mangeait les parties intimes de ses victimes. Avec le temps, sa digestion en a été affectée. »

Un talkie-walkie grésille. Nous sommes assis côte à côte dans la pénombre du dernier étage d'un vieux bâtiment branlant de

Moscou, rideaux tirés. Des hommes armés entrent après avoir frappé à la porte, échangent quelques mots et ressortent. Des policiers ? Des patriotes ingouches ? Sommes-nous dans un bureau ou dans une planque ? Et au fait, il a raison : je me trouve parmi des exilés. La jeune femme à l'air strict qu'on me présente sous le simple surnom de « la procureure » pourrait aussi bien être l'une des combattantes de Salah Tamari à Sidon ou Beyrouth. La photocopieuse asthmatique, la machine à écrire antédiluvienne, les sandwiches à moitié mangés, les cendriers débordants et les canettes de Coca tiède sont les accessoires incontournables de l'existence fragile du Palestinien qui combat pour la liberté, tout comme l'énorme pistolet que Kostoïev accroche à sa ceinture au creux de ses reins, sauf quand il le fait glisser vers son aine pour un meilleur confort.

Je m'intéressais aux Ingouches en partie parce que, comme l'avait dit Kostoïev à juste titre, personne en Occident ne semblait en avoir entendu parler (mon agent littéraire américain me demanda même si je les avais inventés pour mon roman), mais surtout parce que, au cours de mes voyages, je m'étais pris de passion pour le destin des nations assujetties après la fin de la Guerre froide. Ce fut la même curiosité qui m'emmena à des époques variées au Kenya, au Congo, à Hong Kong et au Panamá. Au début des années 1990, l'avenir des républiques musulmanes du Nord-Caucase était encore dans la balance. Les « sphères d'intérêt » de la Guerre froide allaient-elles perdurer ? Maintenant que les Russes étaient libérés des chaînes du bolchevisme, leurs dépendances du Sud allaient peut-être vouloir se libérer de la Russie. Et si cela devait être le cas, leurs guerres séculaires avec l'Ours allaient-elles reprendre ?

Nous le savons aujourd'hui, la réponse est oui, et à un coût terrible. Mais au moment de ma conversation avec Kostoïev, les républiques d'Asie centrale réclamaient leur indépendance à cor et à cri et personne ne semblait prévoir (ou, si c'était le cas, s'en soucier) que le prix de la répression serait peut-être la radicalisation de millions de musulmans modérés.

J'avais décidé de situer mon nouveau roman en Tchétchénie, mais ma rencontre avec Kostoïev me fit plutôt choisir la cause des Ingouches voisins, dont on avait confisqué le petit pays pendant leur déportation. De retour en Cornouailles, je m'attelai à la préparation de notre voyage. Je déposai une demande de visa, que j'obtins grâce au soutien de Kostoïev. Dans la boutique de sport de Penzance, j'achetai un sac à dos et, croyez-le ou non, une banane. J'essayai aussi de me remettre un peu en forme pour ne pas me ridiculiser dans les plus hautes montagnes d'Europe. Je contactai des universitaires britanniques spécialistes des communautés musulmanes de Russie et je découvris, comme toujours quand on se met à creuser un peu, qu'il existait un réseau international de chercheurs passionnés qui ne vivaient que pour le Nord-Caucase. J'en devins un membre très novice et temporaire. Je cultivai les Tchétchènes et Ingouches expatriés en Europe, et je les questionnai sans relâche.

Pour des raisons que je ne cherchai pas à percer mais que je pouvais fort bien comprendre, Kostoïev préférait communiquer via des intermédiaires non caucasiens. Il me dit de faire le plein de cigarettes américaines et de babioles en tous genres. Il me recommanda une montre plaqué or pas trop chère, un ou deux briquets Zippo et quelques stylos à bille en métal, tout cela au cas où notre train vers le sud serait attaqué par des bandits. Il s'agissait là de bandits corrects, m'assura-t-il, qui ne voulaient tuer personne. C'est juste qu'ils se sentaient autorisés à exiger un droit de passage de quiconque traversait leur territoire.

Kostoïev avait réduit notre garde rapprochée à six hommes, ce qui serait amplement suffisant. J'achetai les babioles et les Zippo et les ajoutai au contenu de mon sac à dos. Quarante-huit heures avant mon départ pour Nazran via Moscou, notre intermédiaire me téléphona pour me dire que le voyage était annulé. Les « autorités compétentes » se disaient incapables d'assurer ma sécurité et souhaitaient que je ne vienne pas tant que les choses ne seraient pas calmées. Quelles autorités, je ne le sus jamais, mais quand je regardai les informations du soir deux jours plus tard, j'éprouvai de la reconnaissance à leur endroit. L'Armée rouge avait lancé une attaque terrestre et aérienne d'envergure sur la Tchétchénie, et l'Ingouchie voisine allait très probablement être entraînée dans cette guerre.

* * *

Quinze ans plus tard, quand j'écrivis *Un homme très recherché*, je choisis de faire de mon jeune musulman russe innocent pris dans « la guerre contre le terrorisme » un Tchétchène. Et je lui donnai le prénom de Kostoïev : Issa.

22

La récompense de Joseph Brodsky

Automne 1987, une journée ensoleillée. Mon épouse et moi déjeunons dans un restaurant chinois de Hampstead. Notre invité est Joseph Brodsky, ancien prisonnier politique en URSS à présent en exil, poète qui, pour ses nombreux admirateurs, incarne l'âme russe. Nous l'avons rencontré plusieurs fois ces dernières années mais, en toute honnêteté, nous ne savons pas trop pourquoi nous avons été recrutés pour le sortir aujourd'hui.

« Surtout ne le laissez boire ni fumer sous aucun prétexte », nous avait prévenus son hôtesse londonienne, une dame très en cour dans le monde de la culture. Malgré des problèmes cardiaques chroniques, Brodsky était enclin à faire les deux. Je lui avais répondu que je m'y efforcerais mais que, si j'en croyais mon expérience limitée de Joseph, il ferait ce que bon lui semblerait.

Joseph n'était pas toujours un partenaire de conversation facile, mais pendant ce déjeuner il se montra d'une jovialité inhabituelle, notamment grâce à quelques Black Label bien tassés consommés malgré les douces protestations de mon épouse et à plusieurs cigarettes fumées entre deux petites cuillerées de potage poulet-vermicelles.

J'ai souvent constaté que les écrivains n'ont pas grand-chose à se raconter hormis se plaindre de leurs agents, de leurs éditeurs et de leurs lecteurs (en tout cas, c'est ce qui se passe quand ils sont avec moi) et j'ai donc du mal à imaginer ce dont nous avons bien pu discuter, tant le fossé qui nous séparait était immense. J'avais lu ses poèmes, mais j'avais l'impression qu'il me manquait le mode d'emploi. J'avais beaucoup aimé ses essais, surtout celui sur Leningrad, où il avait été emprisonné, et j'étais ému par son adoration pour la défunte Anna Akhmatova. Mais je suppute qu'il n'avait pas lu un mot de ce que j'avais pu écrire et qu'il n'en ressentait nullement l'obligation.

Quoi qu'il en soit, nous étions en train de passer un excellent moment ensemble lorsque l'hôtesse de Joseph, une grande femme élégante, fit son apparition à la porte, l'air très sévère. Ma première pensée fut que, ayant jeté un coup d'œil aux bouteilles sur la table et aux nuages de fumée qui nous entouraient, elle allait nous gourmander pour avoir permis à Joseph de n'en faire qu'à sa tête. Mais je compris bientôt qu'elle essayait en fait de cacher son excitation.

« Joseph ! dit-elle, à bout de souffle. Vous avez gagné le prix ! »

Long silence pendant que Joseph tire sur sa cigarette et regarde la fumée les sourcils froncés.

« Quel prix ? grogne-t-il.

– Joseph, vous avez reçu le prix Nobel de littérature. »

La main de Joseph se plaque aussitôt sur sa bouche comme pour réprimer une insanité. Il en appelle à moi de ses yeux implorants – et il peut bien, car ni mon épouse ni moi n'avions la moindre idée qu'il était en lice pour le Nobel, et encore moins qu'aujourd'hui était le jour de l'annonce.

Je pose à son hôtesse la question évidente :

« Comment le savez-vous ?

– Parce que nous avons des journalistes scandinaves sur notre perron à la minute où je vous parle, Joseph, et ils veulent vous féliciter et vous interviewer. Joseph ! »

Les yeux peinés de Joseph me supplient encore : Faites quelque chose, semblent-ils dire, sortez-moi de là.

Je me tourne à nouveau vers son hôtesse.

« Peut-être que les journalistes scandinaves interviewent tous ceux qui sont sur la liste des présélectionnés, pas juste le lauréat, mais tous. »

Il y a un téléphone public dans le couloir. L'éditeur américain de Joseph, Roger Straus, a fait le voyage jusqu'à Londres pour se rendre disponible au cas où. En femme d'action, l'hôtesse appelle aussitôt son hôtel et demande sa chambre. Quand elle raccroche, elle sourit.

« Allez, Joseph, il faut rentrer, maintenant », dit-elle d'une voix douce en lui prenant le bras.

Joseph avale une dernière gorgée nostalgique de scotch et se lève avec une lenteur douloureuse. Il étreint son hôtesse et reçoit ses félicitations. Mon épouse et moi y ajoutons les nôtres. Nous sortons tous les quatre dans la rue ensoleillée. Joseph et moi sommes face à face. Pendant un instant, j'ai l'impression d'être l'ami du prisonnier sur le point de se faire jeter dans les geôles de Leningrad. Avec une impétuosité toute slave, il me prend dans ses bras, puis pose les mains sur mes épaules, me repousse et me laisse voir les larmes qui se forment dans ses yeux.

« C'est parti pour un an de blabla », déclare-t-il, avant de se laisser docilement entraîner vers ses interrogateurs.

23

De source mal informée

Si vous cherchez à découvrir les coulisses de la Formule 1, vous ne choisirez sans doute pas comme source un assistant mécanicien à l'imagination hyperactive et sans la moindre expérience des circuits. Et pourtant, cette analogie décrit bien ce que je ressentis en étant, du jour au lendemain et sur la seule foi de mes romans, érigé au statut de gourou sur toute question concernant de près ou de loin l'espionnage.

Lorsque me fut conféré ce titre de gloire, je renâclai au motif très réel que la Loi sur les secrets officiels m'interdisait de reconnaître que j'avais ne serait-ce que humé de loin le parfum du travail d'espion. La peur que mon ancien service, regrettant déjà d'avoir autorisé la publication de mes livres, puisse décider par dépit de faire de moi un exemple ne m'abandonnait que rarement, quand pourtant je n'avais presque rien de secret à divulguer. Mais ce qui m'importait encore plus, je le soupçonne même si je ne me l'avouais pas alors, était mon *amour-propre** d'écrivain. Je voulais que mes romans soient lus non pas comme les révélations camouflées d'un transfuge littéraire, mais comme des œuvres d'imagination qui devaient très peu à la réalité dont elles s'inspiraient.

Le temps passant, mes dénégations d'avoir jamais mis le pied dans le monde secret sonnaient plus creux chaque jour, notamment grâce à mes anciens collègues, qui n'avaient pas les mêmes scrupules que moi à griller ma couverture. Et quand la vérité me rattrapa, quand je protestai mollement que j'étais un écrivain qui se trouvait avoir été jadis espion plutôt qu'un espion qui s'était tourné vers l'écriture, le message unanime que je reçus en retour était : laisse tomber, quand on est espion, c'est pour la vie, et si moi je ne croyais pas à mes propres fictions, d'autres y croyaient, alors je n'avais qu'à l'accepter.

Et je l'ai accepté, bon gré mal gré. Pendant des années et des années, me semble-t-il aujourd'hui (une sorte d'âge d'or, pourrait-on dire), il ne se passait guère une semaine sans qu'un lecteur m'écrive en me demandant comment il pouvait devenir espion, ce à quoi je répondais sèchement : Écrivez à votre député, au Foreign Office, ou bien, si vous êtes encore scolarisé, allez voir votre conseiller d'orientation.

En réalité, on ne pouvait pas faire acte de candidature à l'époque, car l'idée était justement de ne pas avoir besoin de faire acte de candidature. Contrairement à aujourd'hui, on ne pouvait pas juste googler MI5 ou MI6 ou GCHQ (du nom de l'ancienne agence ultrasecrète de décryptage britannique). Il n'y avait pas d'encart publicitaire en première page du *Guardian* pour vous dire que si vous êtes capable de convaincre trois personnes dans une même pièce de faire ce que vous voulez qu'elles fassent, alors peut-être l'espionnage est un métier pour vous. Non. Il fallait se faire repérer. Si on faisait acte de candidature, on pouvait être un ennemi, alors que si on se faisait repérer, c'était impossible. Et on a bien vu à quel point ce système était infaillible...

Pour se faire repérer, il fallait être né coiffé. Il fallait être allé dans une bonne école, de préférence privée, et dans une bonne université, de préférence Oxford ou Cambridge. Idéalement, il fallait avoir quelques espions dans son arbre généalogique, ou tout du moins un ou deux militaires. À défaut, dans des circonstances qui vous resteraient inconnues, il fallait taper dans l'œil d'un directeur d'école, d'un professeur ou d'un doyen qui, vous ayant estimé digne d'être recruté, vous convoquait dans son bureau, fermait la porte et vous offrait un verre de sherry et l'occasion de rencontrer des amis intéressants à Londres.

Et si vous disiez que oui, vous étiez intéressé par une rencontre avec des amis intéressants, alors vous pouviez un jour recevoir une lettre postée sous une double enveloppe bleu pâle avec blason officiel gaufré qui accrochait l'œil, vous invitant à vous présenter à telle adresse à Whitehall, et votre vie d'espion pouvait commencer (ou pas). Dans mon cas, l'invitation avait comporté un déjeuner dans un sinistre club de Pall Mall avec un amiral intimidant qui me demanda si j'étais plutôt un homme d'intérieur ou d'extérieur. Je cherche encore la bonne réponse.

* * *

Si les aspirants espions se taillaient la part du lion dans mon courrier de lecteurs, les victimes de persécution par des forces inconnues n'arrivaient pas loin derrière. Ces appels au secours se ressemblaient beaucoup : mes correspondants se faisaient suivre, leur téléphone était sur écoute, leur voiture et leur maison étaient truffées de micros, leurs voisins avaient été subornés, leur courrier arrivait avec un jour de décalage, leur mari, leur épouse, leur amant faisaient des rapports sur eux, ils ne pouvaient jamais se garer sans se prendre une contravention, le percepteur les harcelait et il y avait toujours des hommes qui n'avaient pas l'air d'ouvriers pour traficoter dans les égouts devant leur maison depuis une semaine sans jamais finir leur réparation. Il eût été inutile de leur répondre qu'ils avaient sans doute raison sur tous les points.

En quelques occasions, mon identité apocryphe de maître espion vint me rattraper de plein fouet, comme en 1982, quand de jeunes dissidents membres d'un « commando de l'armée patriotique insurrectionnelle polonaise » s'emparèrent de l'ambassade de leur pays à Berne, ville où il se trouve que j'avais fait mes études, et s'installèrent pour ce qui s'avéra être un siège de trois jours.

Au beau milieu de la nuit, mon téléphone sonna à Londres. Mon correspondant était un illustre homme politique suisse que j'avais un jour rencontré par hasard. Il avait besoin de mes conseils en toute urgence et sous le sceau du secret, et ses collègues avec lui, m'expliqua-t-il d'une voix inhabituellement sonore, mais peut-être était-ce moi qui éprouvais un peu de mal à me réveiller. Il ne portait pas les communistes dans son cœur, m'assura-t-il. Pour tout dire, il détestait jusqu'au sol qu'ils foulaient et il partait du principe que moi aussi. Malgré tout, le gouvernement polonais, communiste ou pas, était légitime, et son ambassade à Berne avait droit à la protection totale de son pays hôte.

Je le suivais, jusque-là ? Oui. Tant mieux, parce qu'un groupe de jeunes Polonais venait de prendre le contrôle de l'ambassade à Berne manu militari, heureusement sans tirer le moindre coup de feu jusqu'à présent. J'écoutais toujours ? Oui. Et ces jeunes hommes étaient des anticommunistes, et en toute autre circonstance il les aurait applaudis des deux mains. Mais ce n'était pas le moment de se laisser aller à écouter ses préférences personnelles, n'est-ce pas, David ?

Non, en effet.

Donc ces garçons devaient être désarmés, comprenez-vous ? Il fallait les exfiltrer de l'ambassade et du pays le plus discrètement et le plus rapidement possible. Bref, puisque j'étais au fait de toutes ces choses, aurais-je l'obligeance de bien vouloir venir les faire sortir de là ?

D'une voix frôlant sans doute l'hystérie, je jurai à mon interlocuteur que je n'avais pas la moindre expertise dans ce domaine, que je ne parlais pas un traître mot de polonais, que je ne connaissais rien aux mouvements de résistance polonais et encore moins à l'art de négocier avec des preneurs d'otages, qu'ils fussent polonais, communistes ou autres. Ayant ainsi plaidé l'incompétence sur tous les tons, je crois avoir suggéré que ses collègues et lui se dénichent un prêtre polonophone ou, à défaut, sortent de son lit l'ambassadeur britannique à Berne et lui demandent officiellement le soutien de nos forces spéciales.

Je ne saurai jamais s'ils suivirent mon conseil, car mon illustre ami ne me raconta pas la fin de l'histoire. À en croire la presse, la police suisse prit le bâtiment d'assaut, captura les quatre rebelles et libéra les otages. Quand je le croisai par hasard, six mois plus tard, sur les pistes de ski et que je l'interrogeai à ce sujet, il répondit nonchalamment qu'il s'agissait juste d'une blague inoffensive – ce que je compris comme voulant dire que, quel qu'ait pu être l'accord négocié par les autorités suisses, il n'avait pas à être révélé à un simple étranger.

* * *

Ah oui, il y a eu le président italien, aussi.

Quand l'attaché culturel italien à Londres m'appela pour m'informer que le président Cossiga était de mes admirateurs et souhaitait m'inviter à déjeuner au palais du Quirinal à Rome, je ressentis une bouffée de fierté que peu d'auteurs ont l'honneur de connaître un jour. Pris-je la peine de me renseigner sur ses opinions politiques ou sa popularité du moment dans son pays ? Je n'en ai pas souvenir. J'étais sur un petit nuage.

Je demandai timidement à l'attaché culturel s'il y avait un de mes livres que le président admirait en particulier, ou si son admiration s'étendait à toute mon œuvre. L'attaché promit de se renseigner. Il me fournit dûment un titre : *La Taupe*.

Son Excellence monsieur le président préférerait-il la version anglaise, ou, par commodité de lecture, la traduction italienne ? La réponse m'alla droit au cœur : le président préférait me lire dans ma langue maternelle.

Le lendemain, j'emportai un exemplaire dudit ouvrage chez Sangorski & Sutcliffe, le nec plus ultra des relieurs londoniens, pour le faire recouvrir du vélin le plus fin sans regarder à la dépense – bleu roi, si je me souviens bien, sur lequel ressortirait le nom de l'auteur tracé à la feuille d'or. Comme les livres publiés en Angleterre à l'époque avaient un aspect miteux même tout neufs, l'effet ainsi produit était celui de quelque illustre grimoire antique auquel on aurait donné une nouvelle reliure.

J'ornai la page de titre de ma dédicace : *À Francesco Cossiga, président de la République italienne.* J'y ajoutai mon pseudonyme en grandes lettres et probablement mon respectueux hommage, ou mon plus profond respect ou mon allégeance éternelle.

En tout cas, avant d'inscrire ce que j'inscrivis, je passai assurément un long moment à réfléchir à la tournure appropriée et à l'essayer sur une feuille de brouillon avant de la faire entrer dans l'Histoire.

Et me voilà donc parti pour Rome avec le livre relié sous le bras.

Je crois que l'hôtel qu'on m'avait réservé s'appelait le Grand Hôtel, et je suis certain d'avoir mal dormi, d'avoir boudé mon petit-déjeuner et passé beaucoup de temps devant mon miroir à essayer de discipliner mes cheveux qui, dans les moments de stress, ont tendance à pousser de travers. Et j'achetai sans doute une cravate en soie exagérément chère dans l'une des petites vitrines-boutiques dont le concierge avait la clé.

Bien avant l'heure fixée, j'attendais dans l'avant-cour de l'hôtel en espérant au mieux l'arrivée d'un attaché de presse dans une voiture avec chauffeur. Rien ne m'avait préparé à la sublime limousine avec rideaux aux fenêtres qui s'arrêta devant l'entrée, ni à l'escorte de policiers motorisés vêtus de blanc, toutes sirènes hurlantes et tous gyrophares clignotants. Oui, rien que pour moi. Je montai dans le véhicule et, en moins de temps que je ne l'aurais souhaité, j'en ressortis pour me retrouver face à une cohorte de flashes. Sur l'escalier monumental que je gravis, des hommes impassibles en collant médiéval et arborant lunettes noires se mirent au garde-à-vous sur mon passage.

Il est important de comprendre que, à ce stade, j'avais rompu tout lien avec ce que nous appelons la réalité. L'occasion, les lieux, tout cela reste à ce jour pour moi dans une faille temporelle. Je suis à présent debout, seul, dans un immense salon, serrant contre mon cœur mon livre relié chez Sangorski & Sutcliffe. Qui pourrait ne pas se sentir écrasé par un tel gigantisme ? La réponse à cette question m'apparaît sous la forme d'un homme en complet gris qui descend d'un pas lent un magnifique escalier de pierre. La quintessence même du président italien : son extrême élégance, ses mots de bienvenue susurrés en italo-anglais alors qu'il avance vers moi les deux mains tendues pour marquer son plaisir exsudent l'assurance, la bienveillance et le pouvoir.

« Monsieur le Carré... Toute ma vie... Le moindre mot que vous ayez écrit... La moindre syllabe, dans ma mémoire... Bienvenue, dit-il après un petit soupir de contentement. Bienvenue au Quirinal. »

Je balbutie quelques remerciements. Une armée de quadragénaires en costume gris s'assemble derrière nous, mais ils gardent respectueusement leurs distances et m'apparaissent flous.

« Avant de monter à l'étage, permettez que je fais découvrir à vous quelques merveilles de ce palais », propose mon hôte de cette même voix melliflue.

Je permets. Côte à côte, nous progressons dans une magnifique galerie dont les hautes fenêtres s'ouvrent sur la ville éternelle. L'armée grise nous suit sans un bruit à distance révérencieuse. Mon hôte marque une pause le temps d'une plaisanterie :

« Ici, à notre droite, voyez cette petite pièce. C'est là que nous avons gardé Galilée quand il attendait de changer d'avis. »

Je glousse. Il glousse. Nous reprenons notre procession pour l'interrompre derechef, cette fois-ci devant une immense fenêtre. Tout Rome s'étend à nos pieds.

« Ici, à notre gauche, c'est le Vatican. Nous n'avons pas toujours été d'accord avec le Vatican. »

Nouveaux sourires entendus. Nous tournons dans une autre galerie, où nous nous retrouvons seuls un instant. En deux gestes prompts, j'essuie la sueur sur le vélin de Sangorski & Sutcliffe et je présente le volume à mon hôte.

Je vous ai apporté ceci, dis-je.

Il prend le livre, m'adresse un gracieux sourire, l'admire, l'ouvre, lit ma dédicace et me le rend.

« Magnifique, commente-t-il. Pourquoi ne pas le remettre en personne à monsieur le président ? »

* * *

Je n'ai guère de souvenir du déjeuner, du moins des mets et des boissons sans nul doute exquis. Une trentaine de personnes, dont l'armée grise et floue, avaient pris place de part et d'autre d'une longue table dans une salle moyenâgeuse d'une beauté céleste sise tout en haut du palais. Le président Francesco Cossiga, un homme à l'air déprimé portant des lunettes à verres teintés, était assis au centre, les épaules voûtées. Malgré les affirmations de son attaché culturel à Londres, il semblait ne pas parler anglais ou presque. Une interprète était à notre disposition, mais ses talents devinrent superflus quand nous optâmes pour le français. Il fut bientôt évident qu'elle ne traduisait pas juste pour nous deux, mais aussi pour l'armée grise alentour.

Je ne me rappelle plus ma deuxième tentative de remise de mon livre relié cuir, mais elle eut forcément lieu. Seul le thème général de la conversation me reste en mémoire, puisqu'il ne s'agissait ni de littérature, ni d'art, ni d'architecture, ni de politique, mais d'espionnage. Nos échanges se déroulèrent en une succession d'assauts soudains et imprévisibles chaque fois que Cossiga levait la tête pour me dévisager avec une intensité dérangeante à travers ses lunettes aux verres teintés.

Les sociétés pouvaient-elles vivre sans espions ? souhaitait-il savoir. Qu'en pensais-je ? Comment une prétendue démocratie pouvait-elle contrôler ses espions ? Comment *l'Italie* pouvait-elle les contrôler (comme si l'Italie était un cas à part, pas juste une démocratie mais *l'Italie*, notez les italiques) ? Pouvais-je lui donner franchement mon opinion, sans mâcher mes mots je vous prie, sur les services de renseignement italiens *en général** ? Étaient-ils compétents ? Constituaient-ils une force négative ou positive, selon moi ?

À toutes ces interrogations, je n'avais aucune réponse valable, ce qui est encore le cas aujourd'hui. J'ignorais tout du fonctionnement des services de renseignement italiens. Chaque fois que le président m'assaillait d'une nouvelle question, je remarquais que l'armée grise autour de nous s'arrêtait de manger et levait la tête comme sur un signal du chef d'orchestre, pour ne reprendre que lorsque j'en avais terminé de ma réponse fumeuse.

Soudain, le président partit. Peut-être en avait-il eu assez de moi, peut-être avait-il un monde à gérer. Il se leva d'un bond, me décocha un dernier regard perçant, me serra la main et me laissa avec les autres convives.

Des domestiques nous firent passer dans la salle adjacente, où nous attendaient café et digestifs. Personne ne parlait. Assis dans de moelleux fauteuils autour d'une table basse, les hommes en gris échangeaient parfois un murmure, comme s'ils craignaient d'être entendus. Et avec moi, rien. Puis, un par un, après une poignée de main et un hochement de tête, ils prirent congé.

C'est seulement une fois de retour à Londres que j'appris par des personnes bien informées que j'avais déjeuné avec les chefs réunis des multiples services de renseignement italiens. Cossiga avait à l'évidence pensé qu'ils pourraient apprendre une chose ou deux d'une source bien informée. Mortifié, humilié, ridiculisé, je me renseignai sur mon hôte, pour découvrir ce que j'aurais dû découvrir avant de partir d'un pas allègre chez Sangorski & Sutcliffe.

Le président Cossiga, s'étant déclaré après son élection le père de la nation, en était devenu le fléau. Il avait fait des sorties si virulentes contre ses anciens collègues de droite et de gauche qu'il s'était attiré le surnom de *picconatore* (celui qui donne des coups de pic tous azimuts). Il assurait à qui voulait l'entendre que l'Italie était un pays de fous.

Catholique ultraconservateur qui voyait le communisme comme l'Antéchrist, Cossiga quitta ce bas monde en 2010. Dans son vieil âge, selon la nécrologie qui parut dans le *Guardian*, il devint de plus en plus fou. L'histoire ne dit pas si mes énigmatiques conseils lui furent utiles.

* * *

Je fus également invité à déjeuner par Mme Thatcher. Son secrétariat souhaitait me recommander pour une décoration, et je refusai. Le fait que je n'aie pas voté pour elle n'avait rien à voir avec ma décision. Aujourd'hui comme hier, je pense que je ne suis pas fait pour notre système honorifique, que ce système symbolise pour une large part ce que je déteste le plus dans notre pays, que nous sommes mieux chacun de notre côté, et enfin, s'il faut un enfin, que, n'ayant aucune considération pour la critique littéraire britannique, je n'en ai logiquement aucune pour ses choix, même lorsque j'en fais partie. Dans ma réponse écrite, je pris soin d'assurer le secrétariat du Premier ministre que ma réticence n'émanait pas d'une animosité personnelle ou politique, je remerciai madame le Premier ministre et lui présentai mes hommages. Je partis du principe que je n'en entendrais plus parler.

J'avais tort. Dans une deuxième lettre, son secrétariat joua sur la corde sensible. Si jamais je regrettais une décision prise à brûle-pourpoint, le signataire souhaitait me faire savoir que la porte restait ouverte à une distinction honorifique. Je répondis, tout aussi courtoisement je l'espère, que, de mon point de vue, la porte était bien fermée et le resterait en toute circonstance similaire. Et de nouveau, mes remerciements. Et de nouveau, mes hommages à madame le Premier ministre. Et de nouveau, je partis du principe que l'affaire était close, jusqu'à ce qu'arrive une troisième lettre, qui m'invitait à déjeuner.

Il y avait six tables dressées dans la salle à manger du 10 Downing Street ce jour-là, mais je ne garde en mémoire que la nôtre, présidée par Mme Thatcher, avec à sa droite le Premier ministre néerlandais Ruud Lubbers, et à sa gauche moi-même, dans un costume gris tout neuf et trop ajusté. Nous devions être en 1982. Je rentrais tout juste du Moyen-Orient, Lubbers venait d'être nommé. Les trois autres convives à notre table m'apparaissent dans un grand flou rose. Pour des raisons qui m'échappent aujourd'hui, je supposai qu'il s'agissait d'industriels venus du Nord. Et je ne me rappelle pas les premiers échanges entre nous six, mais peut-être avaient-ils eu lieu pendant l'apéritif, avant que nous prenions place. Je me rappelle en revanche Mme Thatcher se tournant vers le Premier ministre néerlandais pour lui révéler ma notoriété.

« Alors, monsieur Lubbers…, commença-t-elle sur un ton laissant présager une agréable surprise. Ce monsieur est M. Cornwell, mais vous le connaissez sans doute sous son nom de plume, John le Carré. »

M. Lubbers se pencha en avant pour mieux me regarder. Il avait un visage jeune, presque poupin. Il me sourit, je lui souris, tout cela très amicalement, et il répondit « non » avant de se reculer sur sa chaise en souriant toujours.

Comme chacun le sait, Mme Thatcher n'appréciait guère qu'on lui réponde par la négative.

« Voyons, monsieur Lubbers, vous avez forcément entendu parler de John le Carré. Il a écrit *L'Espion qui venait du froid* et… et… d'autres livres formidables », conclut-elle après un moment d'hésitation.

En parfait homme politique, Lubbers accepta de reconsidérer sa position. De nouveau, il se pencha en avant, de nouveau il me dévisagea longuement, d'un air aussi aimable que précédemment, mais plus réfléchi, plus homme d'État.

« Non », répéta-t-il.

Visiblement satisfait d'avoir confirmé son diagnostic, il se recula une fois de plus sur son siège.

Ce fut au tour de Mme Thatcher de me toiser, et je fis l'expérience de ce que devait subir son gouvernement entièrement masculin[1] quand lui aussi s'attirait ses foudres.

« Eh bien, monsieur Cornwell, commença-t-elle comme si elle morigénait un élève ayant fait l'école buissonnière. Puisque vous êtes là…, enchaîna-t-elle d'un ton qui semblait impliquer que j'avais fait des pieds et des mains pour être invité. Avez-vous quelque chose à me dire ? »

Un peu tard, il me vint à l'esprit que j'avais en effet quelque chose à lui dire, mais d'assez peu agréable. Étant récemment rentré du Sud-Liban, je me sentis obligé de plaider la cause des Palestiniens privés d'État. Lubbers écouta. Les industriels du Nord écoutèrent. Mme Thatcher écouta plus attentivement que tous les

---

1. Mes recherches m'apprennent qu'il comportait en fait une femme, la baronne Young, mais à un portefeuille secondaire.

autres, et sans aucun de ces signes d'impatience qu'on lui reprochait souvent. Même quand je fus arrivé cahin-caha au terme de ma péroraison, elle continua d'écouter avant de finir par m'apporter une réponse.

« Épargnez-moi vos histoires larmoyantes, m'ordonna-t-elle avec une véhémence subite en martelant l'adjectif. Chaque jour, les gens en appellent à mes émotions. On ne peut pas gouverner de la sorte. Ça ne se fait pas. »

Sur quoi, en appelant à mes émotions à moi, elle me rappela que les Palestiniens avaient formé les terroristes de l'IRA qui avaient assassiné son ami et proche conseiller Airey Neave, héros de guerre et politicien britannique. Il n'y eut plus guère d'échanges entre nous, après cela. Elle eut la sagesse de se consacrer plutôt à ses industriels et à M. Lubbers.

Il m'arrive à l'occasion de me demander si Mme Thatcher n'avait pas en fait une raison cachée de m'inviter. Par exemple, était-elle en train de m'évaluer pour l'une de ses institutions non gouvernementales, ces étranges organismes publics quasi officiels avec de l'autorité et sans pouvoir (ou bien l'inverse ?).

Mais je trouvais difficile d'imaginer ce qu'elle aurait bien pu faire de moi – à moins, bien sûr, qu'elle n'ait voulu des conseils d'une source bien informée sur la façon de mettre un terme aux chamailleries entre ses services de renseignement.

24

Le gardien de son frère

J'ai hésité avant d'inclure le témoignage de Nicholas Elliott sur sa relation avec son ami et collègue espion, le traître Kim Philby, parce que son récit est une fiction qu'il en est venu à croire plutôt que la vérité objective ; et aussi parce que le nom de Philby n'est peut-être pas aussi parlant pour la génération actuelle que pour la mienne. En fin de compte, je n'ai pas pu résister à l'idée de vous l'offrir ici, amputé de ses passages descriptifs, comme une fenêtre ouverte sur l'establishment de l'espionnage britannique dans les années d'après-guerre, sur ses préjugés de classe et sur son état d'esprit.

L'ampleur de la trahison de Philby est à peine imaginable pour qui ne fait pas partie du métier. Rien qu'en Europe de l'Est, des dizaines, voire des centaines, d'agents britanniques furent emprisonnés, torturés et exécutés. Ceux qui n'avaient pas été trahis par Philby le furent par George Blake, lui aussi agent double au sein du MI6.

J'ai toujours été obnubilé par Philby et, comme je l'ai déjà écrit ailleurs, cela m'a entraîné dans une polémique publique avec son ami Graham Greene, ce que j'ai regretté, et avec des sommités comme Hugh Trevor-Roper, ce que je n'ai nullement regretté. À leurs yeux, Philby n'était qu'un brillant enfant des années 1930, décennie qui leur appartenait à eux et pas à nous : quand il fallut trancher entre le capitalisme d'un côté (pour les gens de gauche de l'époque, c'était synonyme de fascisme) et l'aube nouvelle du communisme de l'autre, Philby opta pour le communisme, alors que Greene choisissait le catholicisme et Trevor-Roper ni l'un ni l'autre. Et oui, d'accord, la décision de Philby se trouvait être hostile aux intérêts occidentaux, mais cette décision était la sienne, il avait le droit de la prendre et ce débat est clos.

Je considère, à l'inverse, que Philby fut poussé à trahir son pays par une addiction à la duplicité. Ce qui a pu commencer comme un engagement idéologique est devenu une dépendance psychologique, puis un besoin pathologique. Un seul camp ne lui suffisait pas ; il avait besoin du monde comme terrain de jeu. Dans son excellent tableau de l'amitié entre Philby et Elliott[1], Ben Macintyre raconte que lorsque Philby était entre deux eaux à Beyrouth, vers la fin peu glorieuse de sa carrière en tant qu'agent du MI6 et du KGB, redoutant que ses officiers traitants soviétiques ne l'aient abandonné, ce qui lui manquait le plus, en dehors de regarder des matches de cricket, était l'excitation de la double vie qui l'avait pendant si longtemps porté. Je le crois bien volontiers.

Mon animosité envers Philby s'est-elle adoucie au fil des ans ? Pas que je sache. Il existe un archétype du Britannique privilégié qui, tout en déplorant les maux de l'impérialisme, se voue à la deuxième puissance impériale dans l'illusion qu'il peut en influencer le destin. Je pense que Philby était de ceux-là. Alors qu'il conversait avec son biographe, Philip Knightley, il se serait demandé à voix haute pourquoi je lui en voulais. Je peux juste répondre que, comme Philby, je ne suis pas étranger aux passions contraires que peut déclencher un père ingérable, mais il y a d'autres moyens de punir la société.

C'est ici qu'apparaît Nicholas Elliott, l'ami le plus fidèle de Philby, son confident et son frère d'armes dévoué en temps de guerre comme en temps de paix, élève d'Eton, fils d'un des anciens directeurs de ladite école, aventurier, alpiniste et pigeon – et assurément l'espion le plus divertissant que j'aie jamais rencontré,

---

1. *Kim Philby, l'espion qui trahissait ses amis*, trad. Christophe Billon, Bruxelles, Ixelles éditions, 2014. (*N.d.T.*)

mais aussi, avec le recul, le plus énigmatique. Décrire aujourd'hui son apparence, c'est évoquer le ridicule du suranné, car il était d'un autre temps, *bon vivant**, pétulant. Je ne l'ai jamais vu porter autre chose qu'un costume trois pièces sombre d'une coupe irréprochable. Maigre comme un coucou, il semblait toujours flotter un peu au-dessus du sol d'un air désinvolte, un léger sourire sur le visage et un coude levé pour tenir le verre de martini ou la cigarette. Le bas de son gilet rentrait vers l'intérieur, jamais dans l'autre sens. On eût dit un homme du monde sorti tout droit des romans de P.G. Wodehouse jusque dans sa manière de parler, à cette différence près que ses propos étaient d'une franchise désarmante, cultivés et imprudemment irrespectueux de l'autorité. Je ne me suis jamais attiré sa défaveur, que je sache, mais ce n'est pas pour rien que Tiny Rowland, un des hommes d'affaires les plus implacables de la City de Londres, le décrivit un jour comme le « Harry Lime de Cheapside[1] ».

Parmi les nombreuses choses extraordinaires qu'Elliott a faites dans sa vie, toutefois, la plus extraordinaire et sans nul doute la plus douloureuse fut de s'asseoir en face de son ami proche, collègue et mentor Kim Philby à Beyrouth et de l'entendre avouer qu'il œuvrait pour les Soviétiques depuis tout le temps qu'ils se côtoyaient.

* * *

Pendant les années où je travaillais moi-même au MI6, Elliott et moi nous connaissions, mais seulement de loin. Quand j'avais passé mon premier entretien, il faisait partie du comité de sélection. Quand j'avais été recruté, lui était une huile du cinquième étage dont les coups en matière d'espionnage étaient présentés aux impétrants comme l'exemple même de ce qu'un bon agent de terrain peut accomplir. Il faisait la navette entre le Moyen-

---

1. Harry Lime est l'impitoyable héros du *Troisième Homme*, et Cheapside un quartier de Londres. (*N.d.T.*)

Orient et le siège du Service, où il avait l'élégance de venir donner une conférence ou assister à une réunion opérationnelle avant de repartir.

Je quittai le Service en 1964, à l'âge de trente-trois ans, en y ayant apporté une contribution négligeable. Elliott, lui, démissionna en 1969, à l'âge de cinquante-trois ans, en ayant joué un rôle central dans toutes les opérations majeures montées depuis le début de la Seconde Guerre mondiale. Nous sommes restés en contact éloigné. Il était agacé par l'interdiction que lui faisait notre ancien Service de divulguer certains secrets qui, selon lui, avaient dépassé depuis longtemps leur date de péremption. Il se croyait investi d'un droit, voire d'un devoir, de livrer son histoire à la postérité. Peut-être pensait-il que je pourrais l'y aider, en tant qu'intermédiaire ou « coupe-circuit » qui lui permettrait de faire connaître au monde ses exploits inégalés, comme il se devait.

Quoi qu'il en soit, un soir de mai 1986, dans ma maison de Hampstead, vingt-trois ans après avoir recueilli les aveux incomplets de Philby, il se livra à moi pour la première d'une longue série de rencontres. Je notais furieusement dans mon calepin tout ce qu'il racontait. En relisant une trentaine d'années plus tard mes notes manuscrites sur des feuilles jaunies retenues par une agrafe rouillée, je suis rassuré de constater qu'il y a à peine une rature. À un moment de nos échanges, j'essayai de le recruter pour écrire à quatre mains une pièce ayant pour protagonistes Kim et Nicholas, mais le vrai Elliott s'y refusa.

« Pouvons-nous ne plus jamais évoquer cette satanée pièce ? » m'écrivit-il en 1991. Aujourd'hui, grâce à Ben Macintyre, je me félicite de ne pas avoir insisté, car ce qu'Elliott me racontait n'était pas la véritable histoire, mais l'histoire de couverture de sa vie. Tout l'humour caustique qui le caractérisait n'aurait pu occulter la douleur de savoir que l'homme auquel il avait confié sans retenue ses secrets personnels et professionnels les plus intimes l'avait vendu à l'ennemi soviétique depuis le premier jour de leur longue amitié.

* * *

Elliott à propos de Philby : « Un charme fou, mais toujours dans la provocation. Je le connaissais vraiment bien, lui et surtout sa famille. Je les appréciais beaucoup. Je n'ai jamais rencontré un tel soiffard. Pendant tout le temps que je l'interrogeais, lui il marchait au scotch, au point que je devais littéralement le hisser dans un taxi pour le réexpédier chez lui. Je filais même cinq livres au chauffeur pour qu'il le porte dans l'escalier. Un soir, je l'ai emmené à un dîner en ville. Il a séduit tout le monde, et puis tout d'un coup il s'est mis à parler des nichons de la maîtresse de maison. Il a dit qu'elle avait la plus belle paire de seins de tout le Service. C'était complètement déplacé. Enfin quoi, quand on est invité à dîner, on ne se met pas à parler de la poitrine de l'hôtesse. Mais il était comme ça, il aimait choquer. J'ai bien connu son père, aussi. Il est venu dîner chez moi à Beyrouth le soir de sa mort. Un type fascinant. Il a raconté des tonnes de choses sur sa relation avec Ibn Séoud[1]. Eleanor, la troisième femme de Philby, l'adorait. Le paternel ne s'est pas privé de faire du gringue à la femme d'un convive, et puis il est parti. Quelques heures plus tard, il était mort. Ses derniers mots avaient été : "Mon Dieu, ce que je m'ennuie !" »

* * *

« Mon interrogatoire de Philby a duré longtemps. La séance à Beyrouth était la dernière de toute une série. On avait deux sources : un transfuge assez fiable et une figure maternelle. Le psy maison m'en avait parlé au téléphone, de la figure maternelle. Il avait eu Aileen, la deuxième femme de Philby, comme patiente et il m'a dit : "Elle m'a dégagé de mon serment d'Hippocrate. Il faut que je vous parle." Je suis allé le voir et il m'a révélé que Philby était homosexuel. Même s'il multipliait les liaisons, même

1. Fondateur et premier souverain de l'Arabie saoudite.

si Aileen, que je connaissais assez bien, le décrivait comme un chaud lapin expert en la matière, il était homosexuel et ça faisait partie d'un syndrome plus large. Sans preuve concrète, le psy était aussi convaincu qu'il était mal intentionné, qu'il travaillait pour les Russes, enfin, un truc du genre. Il n'aurait pas pu préciser, mais il en était sûr. Il m'a conseillé de chercher une figure maternelle. Il y a forcément une figure maternelle dans le paysage, m'a-t-il dit. Et de fait, c'était Flora Solomon[1], une juive qui travaillait chez Marks & Spencer comme acheteuse, je crois. Ils avaient milité au parti communiste ensemble. Elle s'était fâchée avec Philby à cause de la question juive. Philby travaillait pour le colonel Teague, chef de station à Jérusalem, et Teague était antisémite, d'où la colère de Solomon. Elle nous a raconté des choses sur lui. Le *Five* [MI5] gérait déjà le dossier à ce moment-là, alors je leur ai refilé l'info : trouvez la figure maternelle, Solomon. Ils ne m'ont pas écouté, évidemment. Les bureaucrates dans toute leur splendeur... »

* * *

« Les gens étaient très virulents contre Philby. Mais Sinclair et Menzies [anciens patrons du MI6], eux, ils ne voulaient rien entendre contre lui. »

* * *

« Un jour arrive un télégramme qui m'annonce qu'ils ont la preuve. Je renvoie un câble à White [sir Dick White, ancien directeur général du MI5 devenu chef du MI6] disant que je dois absolument avoir un tête-à-tête avec Philby. Ça durait depuis tellement longtemps, il fallait que je lui fasse raconter son histoire, je devais bien ça à sa famille. Comment je me sentais ? Eh bien, je ne pense pas être quelqu'un de très émotif, mais j'appréciais beaucoup ses femmes successives et ses enfants et j'avais toujours

---

1. Elle avait présenté Philby à Aileen en 1939.

eu le sentiment que Philby lui-même aimerait bien soulager sa conscience, se ranger des voitures et suivre le cricket, sa grande passion. Il connaissait toutes les statistiques sur le bout des doigts, et il pouvait vous les réciter jusqu'à pas d'heure. Dick White a donné son feu vert. J'ai pris l'avion pour Beyrouth. J'ai rencontré Philby et je lui ai dit : Si t'es si malin, par égard pour ta famille, tu déballes tout, parce que ton petit jeu est terminé. De toute façon, on n'aurait jamais pu le faire condamner en justice, il aurait tout nié en bloc. Cela dit, entre vous et moi, le marché était très clair : il devait tout avouer. Moi, je croyais qu'il en avait envie et c'est là qu'il m'a roulé dans la farine. Et surtout, il devait tout nous dire, mais vraiment tout, sur l'étendue des dégâts. C'était crucial pour qu'on puisse limiter la casse. Le KGB lui avait forcément demandé de suggérer d'autres agents susceptibles d'être approchés en vue d'un recrutement. Il avait peut-être donné des noms. Il fallait qu'on le sache, ça. Et puis aussi tout ce qu'il avait pu leur donner d'autre. C'était non négociable. »

Mes notes passent ensuite au discours direct :

« Quelles étaient les sanctions s'il refusait de coopérer ?

– Pardon ?

– Les sanctions, Nick. Vous pouviez le menacer de quoi, en dernier recours ? Vous pouviez le faire assommer et transférer à Londres, par exemple ?

– Mais personne n'en voulait à Londres, mon pauvre.

– Et la sanction suprême ? Pardonnez-moi, mais vous auriez pu le supprimer, le faire liquider ?

– Enfin, mon cher, c'était l'un des nôtres.

– Alors quel moyen de pression aviez-vous ?

– Je lui ai dit que c'était ça ou on coupait tous les ponts. Pas une ambassade, pas un consulat, pas une légation dans tout le Moyen-Orient ne voudrait rien avoir à faire avec lui, le monde des affaires ne s'en approcherait plus, sa carrière de journaliste serait flinguée, il deviendrait un paria, sa vie serait fichue. Il ne m'a jamais traversé l'esprit une seconde qu'il pourrait partir à Moscou. Il avait commis une faute dans le passé, il voulait forcément alléger sa conscience, donc il était obligé de parler. Après, on pourrait oublier. Et il y avait sa famille, et Eleanor… »

Je mentionne le destin de l'un des traîtres britanniques moins bien nés que Philby, qui a passé des années en prison alors que sa trahison était de moindre envergure.

« Ah, Vassall[1]… Ce n'était pas une flèche, il faut dire… »

* * *

Elliott reprend : « Ça, c'était la première séance. On a décidé de se revoir à 16 heures. À l'heure dite, il se pointe avec ses aveux écrits, huit ou neuf pages en petits caractères sur les dégâts à limiter et tout le reste, des masses d'infos. Et là, il me demande un service : Eleanor sait que tu es en ville, elle n'est pas au courant pour moi, mais si tu ne passes pas boire un verre, elle va flairer un loup… Alors, je réponds que oui, par égard pour Eleanor, je passerai boire un verre avec eux, mais que d'abord je dois crypter ces infos et les envoyer à Dick White. Le temps de faire ça, quand je suis arrivé chez lui, il était ivre mort par terre. On a dû le transporter dans son lit, avec Eleanor. Elle a pris le haut et moi le bas. Même bourré, il ne s'est jamais trahi, il n'a jamais lâché la moindre info de toute sa vie, à ce que je sais. Du coup, j'ai parlé à Eleanor. Je lui ai demandé : "Tu te doutes de ce qui se passe, hein ?" Elle a répondu : "Non." Alors j'ai dit : "C'est un espion russe, nom de Dieu !" Il avait raison, elle n'avait rien deviné. Je suis rentré à Londres et je l'ai confié à Peter Lunn[2] pour la suite de l'interrogatoire. Dick White avait rudement bien géré l'affaire, sauf qu'il n'avait encore rien dit aux Américains, et c'est moi qui ai dû filer à Washington annoncer la nouvelle.

1. John William Vassall, fils homosexuel d'un pasteur anglican et secrétaire de l'attaché naval à l'ambassade de Grande-Bretagne à Moscou, fut condamné à dix-huit ans de prison pour espionnage au profit du KGB.

2. Peter Lunn, alors chef de la station du MI6 à Beyrouth, avait été le premier des deux chefs de station que j'ai eus à Bonn.

Pauvre Jim Angleton[1] ! Lui qui ne tarissait pas d'éloges sur Philby, qu'il avait connu chef de station à Washington, quand il a découvert la vérité, c'est-à-dire quand je lui ai révélé la vérité, il est passé d'un extrême à l'autre. J'ai encore dîné avec lui il y a quelques jours, tiens. »

* * *

« Vous voulez savoir ce que je pense ? Je pense qu'un jour le KGB va sortir la suite de l'autobiographie de Philby. Le premier bouquin s'arrête net à 1947, et j'imagine qu'ils en ont un deuxième en stock.

S'il y a bien un truc que Philby a dû leur dire, c'est d'améliorer le look de leurs barbouzes. De les habiller correctement, de les faire se laver pour qu'ils puent moins, de les rendre un peu plus classe. Aujourd'hui, c'est le jour et la nuit. Ils ont des types hyper élégants, propres sur eux, impeccables. Vous pouvez parier votre chapeau que c'est Philby qui est derrière ça.

Non, on n'a jamais envisagé de le tuer. Mais il m'a bien eu. Je pensais qu'il voulait rester où il était. »

* * *

« Quand même, avec le recul, quand on repense à tout ce qu'on a pu faire… Ah ça, on a bien rigolé ! Mon Dieu, ces crises de rire qu'on s'est tapées ! Mais bon, on était vraiment des amateurs, vous ne trouvez pas ? Toutes ces filières dans le Caucase, les agents infiltrés et exfiltrés, c'était d'un amateurisme !

Enfin, ce qui est sûr, c'est qu'il a donné Volkov[2] et qu'ils l'ont tué.

1. James Jesus Angleton, chef du contre-espionnage à la CIA, alcoolique et paranoïaque, convaincu que le réseau rouge du KGB s'étendait jusque dans les moindres recoins du monde occidental. Quand Philby était en poste à Washington, pendant des parties d'échecs bien arrosées, il lui avait donné des conseils sur l'art de gérer les agents doubles.

2. En 1945, Konstantin Volkov, officier de carrière dans le renseignement affecté au consulat soviétique d'Istanbul, affirma connaître l'existence

214

Alors quand il m'a écrit de Moscou pour m'inviter à le rejoindre à Berlin ou à Helsinki sans rien dire à ma femme Elizabeth ni à Dick White, je lui ai répondu d'aller fleurir la tombe de Volkov pour moi. J'étais assez content de ma réponse. Enfin merde, à la fin, il me prenait pour qui ? Évidemment que j'allais leur en parler, à Elizabeth en premier et à Dick White juste derrière. J'étais allé dîner avec Gehlen[1] – vous l'avez connu, Gehlen ? –, je suis rentré tard et sur le seuil de ma porte, j'ai trouvé une enveloppe toute simple avec "Nick" écrit dessus qui avait été déposée là. "Si tu peux venir, envoie-moi une carte postale de la colonne Nelson pour Helsinki ou des Horse Guards pour Berlin" ou une connerie dans le genre. Non mais je répète, il me prenait pour qui ? Pour l'opération albanaise[2] ? Bon, d'accord, il l'avait sans doute grillée aussi, celle-là ; et je ne parle même pas de la Russie, à l'époque on avait des mecs formidables là-bas, eux non plus, je ne sais pas ce qui leur est arrivé. Bref, il veut me rencontrer parce qu'il se sent seul. Ben tiens, il avait qu'à pas partir ! Il m'a berné. J'ai écrit un bouquin où je parle de lui. Chez Sherwood Press. Tous les grands éditeurs voulaient me faire raconter l'interrogatoire, mais j'ai refusé. C'est plus un livre de souvenirs pour mes amis alpinistes[3]. On ne peut pas écrire sur le Service. Et l'interrogatoire est un art. Vous, vous le comprenez. Ça a duré tellement longtemps. Bon, j'en étais où, déjà ? »

---

de trois espions soviétiques infiltrés au Foreign Office, dont l'un dans le contre-espionnage. Philby se chargea du dossier, et un Volkov couvert de bandages fut embarqué dans un avion cargo soviétique à destination de Moscou. J'ai utilisé une version de cet épisode dans *La Taupe*.

1. Reinhard Gehlen, à l'époque directeur du BND, le service de renseignement extérieur de l'Allemagne de l'Ouest. Voir le chapitre 8 du présent ouvrage.

2. Tentative ratée du MI6 et de la CIA en 1949 de subvertir le gouvernement albanais, qui eut pour conséquences la mort d'au moins trois cents agents et de nombreuses arrestations et exécutions parmi la population. Kim Philby en était l'un des organisateurs.

3. Elliott, comme son père, était un alpiniste passionné.

* * *

Elliott se laissait parfois aller à évoquer d'autres affaires sur lesquelles il avait travaillé. La plus retentissante concernait Oleg Penkovsky, colonel du GRU qui fournit à l'Ouest des informations secrètes vitales sur la défense soviétique à la veille de la crise des missiles de Cuba. Elliott était fou de rage à cause de *Carnets d'un agent secret*, un « journal intime » de Penkovsky concocté par la CIA comme outil de propagande typique de la Guerre froide :

« Une horreur, ce livre. Il élevait Penkovsky au statut de saint ou de héros alors qu'il n'était ni l'un ni l'autre. C'était juste un type vexé de ne pas avoir été promu. Les Américains n'en ont pas voulu, mais Shergy[1] a senti qu'il était réglo. Il avait le nez pour ça. On n'avait rien en commun avec Shergy, mais on s'entendait à merveille. *Les extrêmes se touchent**. J'étais responsable des opérations et Shergy était mon bras droit. Un formidable agent de terrain, très intuitif, qui ne se trompait presque jamais. Lui aussi avait percé Philby à jour, et très tôt. Shergold a étudié le cas Penkovsky, il a eu un bon feeling, alors on l'a recruté. Dans le monde de l'espionnage, faire confiance à quelqu'un réclame beaucoup de courage. N'importe quel crétin peut revenir à son bureau et dire : "Je ne suis pas totalement sûr de ce type. D'un côté ceci, mais d'un autre côté cela..." Il faut une bonne dose de cran pour faire le grand saut et affirmer : "Je crois en lui." C'est ce que Shergy a fait et nous, on l'a suivi. Les femmes... Penkovsky avait des putes à Paris qu'on lui fournissait, et il s'est plaint qu'il ne pouvait rien faire avec : juste une fois par nuit et terminé. On a dû envoyer à Paris le médecin du service pour qu'il lui fasse une piqûre dans les fesses histoire de l'aider à assurer. Ah ça, c'est pas les crises de rire qui manquent, dans ce métier, même que ça aide à tenir. Non mais quelle rigolade ! Comment a-t-on jamais pu considérer

---

1. Harold (Shergy) Shergold, contrôleur des opérations du bloc soviétique au MI6.

216

Penkovsky comme un héros ? D'accord, il faut du courage pour trahir, et ça vaut aussi pour Philby, d'ailleurs. Un jour, Shergy a démissionné. Il avait un caractère de cochon. Je suis arrivé et j'ai trouvé sa lettre sur mon bureau. "Considérant que Dick White (enfin, il avait écrit *le CSS* [pour chef des services secrets], bien sûr) a transmis des informations aux Américains sans mon accord et a ainsi compromis ma source hautement sensible, je souhaite présenter ma démission pour que cela serve d'exemple aux autres membres du Service" ou quelque chose dans le genre. White s'est excusé et Shergy a fini par revenir sur sa décision, sauf qu'il a fallu que je m'emploie à le persuader. Il était vraiment soupe au lait, mais quel agent de terrain exceptionnel ! Et il avait vu juste pour Penkovsky. Du grand art... »

* * *

Elliott à propos de sir Claude Dansey, également connu sous le nom de colonel Z, chef adjoint du MI6 pendant la Seconde Guerre mondiale : « Un enfoiré de première. Et bête, avec ça. Un gros dur mal embouché. Il envoyait aux gens des mémos immondes, il entretenait des querelles. Un salaud fini, quoi. J'ai repris ses réseaux quand je suis devenu chef de station à Berne après la guerre, et je dois reconnaître qu'il avait d'excellentes sources haut placées dans le monde des affaires. Il avait le chic pour leur soutirer des services. Il était très fort, pour ça. »

À propos de sir George Young, adjoint de sir Dick White pendant la Guerre froide : « Bourré de défauts. Brillant, brut de décoffrage, incapable de bosser en équipe. Après le Service, il est entré chez Hambros [Bank]. Je leur ai demandé un jour s'il avait un bilan plutôt positif ou négatif, ils m'ont répondu que ça devait s'équilibrer : il leur avait ramené une partie de la fortune du chah d'Iran, mais il avait fait d'énormes boulettes qui leur avaient coûté à peu près autant que ce qu'il leur avait rapporté. »

Sur le professeur Hugh Trevor-Roper, historien et membre du SIS (Secret Intelligence Service) pendant la guerre : « Un éminent universitaire, tout ça, mais mollasson, inefficace et un peu pervers sur les bords. Qu'est-ce que j'ai pu rire quand il a foncé tête baissée dans cette histoire de carnets de Hitler ! Tout le Service savait que c'étaient des faux, mais lui, il s'est fait avoir comme un bleu alors que jamais Hitler n'aurait pu écrire ça ! Pendant la guerre, je ne voulais pas l'avoir dans les pattes. Quand j'étais le numéro un à Chypre, j'ai dit à mon planton que si un certain capitaine Trevor-Roper se présentait à la porte, il devait lui enfoncer sa baïonnette dans le cul. Hugh s'est pointé, le planton lui a répété ce que j'avais dit et Hugh en est resté comme deux ronds de flan. Quelle rigolade ! C'est ça que j'aimais bien dans le Service. Les franches rigolades. »

À propos du recrutement d'une prostituée destinée à une cible potentielle du SIS au Moyen-Orient : « Ça devait se passer au St Ermin's Hotel. Elle a refusé d'y aller parce que c'était trop près de la Chambre des communes. "Mon mari est député." Et elle voulait qu'on lui donne son 4 juin pour aller récupérer son fils à Eton. Je lui ai dit : "Dans ce cas, peut-être préféreriez-vous que nous trouvions quelqu'un d'autre ? » Elle n'a pas hésité un quart de seconde : "Tout ce que je veux savoir, c'est combien ça paye." »

À propos de Graham Greene : « Je l'ai rencontré en Sierra Leone pendant la guerre. Il m'attendait sur le port et, dès que j'ai été à portée de voix, il m'a crié : "Vous avez apporté des capotes ?" Il faisait une fixette sur les eunuques parce qu'il avait découvert dans le livre de codes de la station que le Service avait un groupe de codes spécifique pour désigner les eunuques. Ça devait remonter à l'époque où on en employait dans les harems comme agents. Bref, il n'attendait qu'une chose, c'était de pouvoir envoyer un message en casant *eunuque* dedans. Et un jour, il a trouvé un moyen. Le siège voulait qu'il assiste à une réunion quelque part, au Cap je crois, pour une opération qu'il avait montée ou un truc du genre. Non, d'ailleurs, pas une opération, je le connais, il n'en a jamais monté. Quoi qu'il en soit, il a répondu : "Comme l'eunuque, je suis dans l'incapacité de venir." »

Souvenir de la vie en Turquie sous couverture diplomatique pendant la guerre : « Dîner à la résidence de l'ambassadeur. La guerre bat son plein. Et là, l'ambassadrice laisse échapper un cri parce que j'ai coupé la pointe. "La pointe de quoi ? – Du fromage." Alors je lui dis : "Mais c'est le serveur qui me l'a présenté, ce foutu fromage !" Et elle me répond : "Mais vous, vous en avez coupé la pointe." Je sais même pas où ils sont allés le chercher, leur frometon, vu qu'on est en pleine guerre. Du cheddar. Et le serveur qui me l'avait tendu, c'était qui ? Cicéron[1], le type qui vendait tous nos secrets à l'Abwehr. Le débarquement et tout le tintouin. Et les Boches, ils ne l'ont pas cru. Le coup classique du manque de confiance. »

Je raconte à Elliott que, pendant que j'étais au MI5, le conseiller juridique du Service avait voulu poursuivre Graham Greene en vertu de la Loi sur les secrets officiels pour avoir révélé dans son roman *Notre agent à La Havane* la relation entre un chef de station et son principal agent.

« Je sais, même qu'il a frôlé la correctionnelle. Il l'aurait pas volé, tiens. »

* * *

Souvenir peut-être le plus mémorable entre tous, quand Elliott me raconte une conversation avec Philby, qu'il commençait tout juste à sonder sur son passage à Cambridge :

« "On a l'air de penser que tu pourrais t'être compromis.

– Et pourquoi cela ?

– Oh, tu sais, les premières amours, l'affiliation…

– À quoi ?

---

1. Cicéron était un agent secret allemand du nom d'Elyesa Bazna, qui travaillait comme valet auprès de sir Hughe Knatchbull-Hugessen, l'ambassadeur britannique à Ankara. On pense aujourd'hui qu'il était un agent britannique depuis le début, avec pour mission de transmettre de fausses informations aux Allemands. Peut-être Elliott faisait-il de même avec moi.

– C'était un groupe très stimulant, à ce qu'on raconte. C'est à cela que sert l'université, d'ailleurs, à ce que tous les gauchistes se réunissent… Ça s'appelait bien les Apôtres[1] ?" »

* * *

En 1987, deux ans avant la chute du mur de Berlin, je me trouvais à Moscou. Lors d'une réception offerte par l'Union des écrivains soviétiques, Genrikh Borovik, un journaliste pigiste ayant des contacts au KGB, m'invita chez lui pour rencontrer un vieil ami admirateur de mon œuvre. Je lui demandai de qui il s'agissait, et il me répondit : « Kim Philby. » Je tiens aujourd'hui de source assez sûre que Philby se savait alors mourant et espérait que je collaborerais avec lui sur le second volume de ses Mémoires, ce fameux livre qu'il gardait sous le coude, selon Elliott. En la circonstance, je refusai de le rencontrer. Elliott s'en réjouit – du moins je le crois. Mais peut-être avait-il secrètement espéré malgré tout que je pourrais lui apporter des nouvelles de son vieil ami.

Elliott m'avait servi sa version aseptisée de sa dernière rencontre avec Kim Philby et de ses prétendus soupçons à son sujet dans les années qui l'avaient précédée. La vérité vraie, comme nous le savons grâce à Ben Macintyre, était que, du jour où les soupçons s'étaient portés sur Philby, Elliott s'était battu bec et ongles pour protéger son collègue et meilleur ami. Ce fut seulement lorsque le dossier contre Philby était devenu trop accablant qu'Elliott s'efforça d'obtenir des aveux de son vieux

---

1. Les Apôtres de Cambridge, également connus sous le nom de Conversazione Society, est un groupe secret de discussion intellectuelle fondé en 1820 et réunissant quelques heureux élus de l'université. Selon leurs propres dires, ils pratiquaient « l'homoérotisme » et « l'amour platonique ». Dans les années 1930, cette société fut exploitée par des chasseurs de têtes soviétiques qui voulaient gagner à la cause communiste de jeunes étudiants prometteurs. Mais Kim Philby ne figure nulle part sur la liste des anciens membres.

camarade – et des aveux partiels, au mieux. Nous ne saurons sans doute jamais de façon certaine s'il avait reçu l'ordre de laisser à Philby l'espace nécessaire pour réussir sa fuite à Moscou. Quoi qu'il en soit, Elliott m'a trompé, comme il se trompait lui-même.

25

Quel Panamá !

En 1885, les efforts titanesques de la France pour construire un canal au niveau de la mer qui traverserait le Darién se soldèrent par un fiasco : les investisseurs de tout poil, gros ou petits, se retrouvèrent ruinés. En conséquence, toáut le pays résonna du cri douloureux de « *Quel Panamá!** » Il est peu probable que cette expression ait perduré dans la langue française, mais elle décrit bien mon rapport à ce beau pays, qui commença en 1947 lorsque mon père, Ronnie, m'envoya à Paris récupérer cinq cents livres auprès de l'ambassadeur du Panamá en France, un certain comte Mario da Bernaschina, qui occupait une charmante maison sise dans l'une de ces élégantes rues qui partent des Champs-Élysées et embaument le parfum de femme.

À l'heure que l'on m'avait fixée, j'arrivai un soir à la porte de l'ambassadeur, vêtu de mon uniforme scolaire gris, mes cheveux bien brossés partagés par une raie. J'avais seize ans. L'ambassadeur, m'avait dit mon père, était un type sensass qui serait ravi de s'acquitter d'une vieille dette d'honneur. J'avais très envie de le croire. Plus tôt dans la journée, j'avais entrepris une démarche semblable à l'hôtel George V qui n'avait pas été couronnée de succès. Le concierge de l'hôtel, un prénommé Anatole, encore un type sensass, veillait sur les clubs de golf de Ronnie. Je devais glisser en douce dix livres à Anatole (somme considérable à l'époque, qui représentait presque la totalité de l'argent que Ronnie m'avait donné pour le voyage) et, en échange, Anatole me remettrait les clubs.

Or Anatole, après avoir empoché les dix livres et s'être aimablement enquis de la santé de Ronnie, se dit fort désolé, mais, bien qu'il fût très désireux de rendre les clubs, il avait reçu de la direction de l'hôtel l'ordre de les garder jusqu'à ce que Ronnie ait payé sa note. Un coup de fil à Londres en PCV n'avait pas résolu l'affaire.

Dieu du ciel, fiston, pourquoi n'as-tu pas envoyé chercher le directeur ? Ils pensent que ton vieux veut les arnaquer ou quoi ?
Non, bien sûr, Père.

La porte de la belle maison fut ouverte par la femme la plus désirable que j'avais jamais vue. Je devais me tenir une marche plus bas qu'elle car, dans mon souvenir, elle me sourit de haut comme l'ange de la rédemption. Elle avait les épaules nues, les cheveux noirs, et elle portait une robe légère dont les multiples couches de mousseline n'arrivaient pas à dissimuler sa silhouette. Quand on a seize ans, les femmes sont désirables quel que soit leur âge. Aujourd'hui, je lui donnerais une trentaine épanouie.

« Vous êtes le fils de Ronnie ? » me demanda-t-elle d'un air incrédule.

Elle se recula pour me laisser passer en la frôlant. Posant une main sur chacune de mes épaules, elle m'examina de la tête aux pieds d'un œil taquin sous la lumière du vestibule et sembla trouver le tout satisfaisant.

« Et vous êtes venu voir Mario.
— Si cela ne dérange pas. »

Ses mains étaient toujours posées sur mes épaules tandis que ses yeux aux multiples nuances continuaient de m'examiner.

« Vous êtes encore un enfant », remarqua-t-elle comme pour s'en souvenir.

Le comte était debout dans son salon, dos à la cheminée, comme tous les ambassadeurs dans les films de l'époque : corpulent, vêtu d'une veste de velours, les mains dans le dos, cette chevelure impeccablement coiffée qu'ils avaient tous (on employait alors l'adjectif *crantée*) et la poignée de main un peu tordue d'un homme à un autre homme même si je n'étais encore qu'un enfant.

La comtesse (car c'est le statut que je lui ai attribué) ne me demande pas si je bois de l'alcool, encore moins si j'aime le daïquiri. De toute façon, j'aurais fallacieusement répondu aux deux questions par l'affirmative. Elle me tend un verre givré dans lequel est piquée une cerise et nous nous asseyons tous sur des sièges moelleux pour échanger de ces propos que l'on échange dans les ambassades : *Est-ce que la ville me plaît ? Ai-je beaucoup d'amis à Paris ? Une petite amie, peut-être ?* Clin d'œil coquin. Questions auxquelles je fais sans aucun doute de convaincantes réponses mensongères sans mentionner ni clubs de golf ni concierges d'hôtel jusqu'au moment où un silence dans la conversation m'incite à comprendre qu'il est temps d'aborder le sujet de ma visite, dont l'expérience m'a appris qu'il vaut mieux l'attaquer de biais que frontalement.

« Mon père me dit que vous avez, vous et lui, une petite affaire à régler, monsieur », avancé-je d'une voix qui me semble lointaine sous l'effet du daïquiri.

Laissez-moi vous expliquer ici la nature de cette petite affaire qui, contrairement à nombre des transactions de Ronnie, était la simplicité même. En tant que diplomate et ambassadeur de premier plan, fiston (j'essaie de rendre l'enthousiasme avec lequel Ronnie m'avait briefé pour ma mission), le comte était exempt de ces ennuyeuses tracasseries que sont les impôts et les taxes à l'exportation. Le comte pouvait importer ou exporter ce qu'il voulait. Si, par exemple, quelqu'un choisissait d'envoyer au comte une barrique de whisky écossais sans marque, non vieilli, coûtant quatre pence le litre, sous couvert de l'immunité diplomatique, puis que le comte embouteillait ce whisky pour l'expédier au Panamá ou vers tout autre pays de son choix via la valise diplomatique, cela ne regardait que lui.

De même, si le comte choisissait d'exporter ce whisky sans marque et non vieilli dans des bouteilles d'une certaine forme (similaire, disons, à celle du Haig Dimple, marque très appréciée à l'époque), cela aussi, c'était son bon droit, tout comme le choix de l'étiquette et la description du contenu. Mon unique préoccupation devait être de récupérer l'argent du comte – en espèces, fiston, pas d'entourloupe – et, ainsi pourvu, je pouvais aller m'offrir une bonne grillade aux frais de Ronnie, garder le reçu, attraper le premier ferry du lendemain matin et me rendre directement à ses majestueux bureaux du West End de Londres avec le reste de la somme.

« Une petite affaire, David ? répéta le comte du ton suspicieux que prenait mon maître d'internat. De quelle petite affaire peut-il bien s'agir ?

– Les cinq cents livres que vous lui devez, monsieur. »

Je me rappelle son sourire étonné, plein de longanimité. Je me rappelle les canapés richement tapissés et les coussins soyeux, les miroirs anciens, les dorures et ma comtesse, ses longues jambes croisées sous les couches de mousseline. Le comte m'examinait toujours avec une expression de surprise mêlée de sympathie. Ma comtesse faisait de même. Puis ils s'examinèrent l'un l'autre comme pour comparer leurs notes sur ce qu'ils avaient observé.

« Voilà qui est fort regrettable, David ! Lorsque j'ai appris que vous veniez me voir, j'espérais plutôt que c'était pour m'apporter une partie de la grosse somme d'argent que j'ai investie dans les entreprises de votre cher père. »

Je ne sais toujours pas comment j'ai réagi à cette réponse ahurissante, ni même si j'étais aussi ahuri que j'aurais dû l'être. Je me rappelle avoir un instant perdu tout sens de l'heure et du lieu, et je suppose que cela était dû en partie au daïquiri et en partie au fait que je me rendais compte que je n'avais rien à dire, que je n'avais aucun droit d'être assis dans ce salon et que je ferais mieux de présenter mes excuses et de partir. Et là, je pris conscience que j'étais seul dans la pièce. Au bout d'un moment, mon hôte et mon hôtesse revinrent. Le sourire du comte était cordial et détendu. La comtesse semblait particulièrement satisfaite.

« Alors, David, si nous allions dîner et parler de choses plus agréables ? » dit le comte, comme si tout était pardonné.

Ils aimaient bien aller dans un restaurant russe qui se trouvait à cinquante mètres de chez eux. Dans mon souvenir, c'est un endroit exigu dans lequel il n'y a que nous trois et un homme portant une ample chemise blanche qui pince les cordes d'une balalaïka. Pendant le dîner, tandis que le comte me parlait de choses plus agréables, la comtesse fit sauter une de ses chaussures et me caressa la jambe de son orteil couvert d'un bas. Sur la minuscule piste de danse, elle me susurra *Les Yeux noirs* en serrant contre elle mon corps tout entier et en me mordillant le lobe de l'oreille tout en flirtant avec le joueur de balalaïka sous le regard indulgent du comte. Quand nous revînmes à la table, le comte décida qu'il était temps d'aller se coucher. La comtesse appuya cette suggestion d'une pression sur ma main.

Ma mémoire m'évite de me rappeler les excuses que je présentai mais, je ne sais trop comment, je les présentai. Je ne sais trop comment, mes pas me portèrent jusqu'à un banc dans un parc et, je ne sais trop comment, je parvins à rester l'enfant qu'elle avait dit que j'étais. Bien des années après, de nouveau seul à Paris, j'ai essayé de retrouver la rue, la maison, le restaurant, mais aucune réalité n'aurait pu leur rendre justice.

* * *

Je ne prétends pas que ce soit la séduction magnétique du comte et de la comtesse qui, un demi-siècle plus tard, m'attira au Panamá le temps d'écrire deux romans et de tourner un film. Simplement, le souvenir de cette soirée sensuelle inaccomplie resta gravé dans ma mémoire, ne serait-ce que comme un écueil évité de justesse au cours d'une interminable adolescence. Quelques jours après mon arrivée à Panamá, je me renseignai : Bernaschina ? Personne n'en avait entendu parler. Un comte ? Originaire du Panamá ? Cela semblait très peu probable. Peut-être avais-je rêvé tout cela ? Oh que non.

J'étais venu au Panamá me documenter en vue d'un roman auquel, contrairement à mon habitude, j'avais déjà donné un titre : *Le Directeur de nuit*. Je recherchais le genre d'escrocs, de bonimenteurs et de transactions louches qui pimenteraient la vie d'un marchand d'armes anglais amoral du nom de Richard Onslow Roper. Roper serait un escroc de haut vol, alors que mon père avait été un escroc de bas vol ayant connu de multiples crashes. Quand Ronnie avait essayé de vendre des armes en Indonésie, il avait fini en prison. Roper, lui, œuvre en toute impunité jusqu'au jour où il rencontre son destin en la personne d'un ancien soldat des forces spéciales, Jonathan Pyne, devenu directeur de nuit d'un hôtel.

Secrètement accompagné de Pyne, j'avais découvert une cache pour lui et sa maîtresse parmi les splendeurs de Louxor, exploré les hôtels de luxe du Caire et de Zurich, les forêts et les mines d'or de la région de Nord-du-Québec, pour me rendre ensuite à Miami afin d'y consulter la Drug Enforcement Administration américaine, où l'on m'assura que Roper ne trouverait pas d'endroit plus approprié pour un échange armes contre drogues que la zone franche de Colón, au Panamá, à l'entrée ouest du Canal. À Colón, me dit-on, Roper pourrait être sûr de recevoir des services officiels le total manque d'attention que réclamait son projet.

Et s'il souhaitait organiser une démonstration grandeur nature de ses marchandises sans soulever un intérêt malvenu ? demandai-je. Panamá toujours, me répondit-on. Allez chercher dans les montagnes du centre. Personne ne pose de questions là-haut.

* * *

Dans une forêt panaméenne humide à flanc de colline, près de la frontière du Costa Rica, un conseiller militaire américain (maintenant retraité, insiste-t-il) me fait visiter un camp sinistre où des instructeurs de la CIA ont autrefois entraîné les forces spéciales d'une demi-douzaine de pays d'Amérique centrale à l'époque où les États-Unis soutenaient les narco-dictateurs de la région dans leur combat contre tout ce qui ressemblait de près ou de loin au communisme. En tirant sur un fil de fer, on fait surgir des broussailles des cibles peintes de couleurs criardes et criblées de balles : une Espagnole de l'époque coloniale aux seins nus qui tient une kalachnikov, un pirate ensanglanté portant le tricorne et brandissant un coutelas, une petite fille rousse, la bouche ouverte, qui est censée hurler « Ne me tuez pas, je suis une enfant ! ». À l'orée de la forêt, des cages en bois pour les animaux capturés dans la jungle : tigres des montagnes, chats sauvages, antilopes, serpents, singes, tous morts de faim et pourrissant dans leurs cellules. Et, dans une volière dégoûtante, les restes de perruches, d'aigles, de grues, de milans et de vautours.

Pour endurcir les gars, m'explique mon guide. Pour leur apprendre à être sans pitié.

* * *

À Panamá, un courtois Panaméen prénommé Luis m'accompagne jusqu'au palais des Hérons pour rencontrer Endara, le président en exercice. En chemin, il me régale des scandales du moment.

Les hérons éponymes que je vais voir se pavaner dans la cour devant le Palais ne sont pas les descendants de nombreuses générations de hérons, comme le veut la croyance populaire. Ce sont des imposteurs, s'indigne Luis, qu'on a fait entrer clandestinement dans le palais en pleine nuit. Lorsque le président Jimmy Carter est venu rendre visite à son homologue panaméen, ses agents secrets ont vaporisé du désinfectant dans tout le palais. À la tombée de la nuit, la volée de hérons présidentiels gisait morte dans l'avant-cour. Des volatiles de remplacement d'origine inconnue, pris au filet à Colón, furent amenés par avion de ligne quelques minutes avant l'arrivée de Carter.

Récemment veuf, Endara a épousé sa maîtresse quelques mois après la disparition de sa première femme, enchaîne Luis. Le président a cinquante-quatre ans, son épouse, étudiante à l'université de Panamá, en a vingt-deux. La presse nationale s'amuse de cet événement et surnomme Endara « El Gordo Feliz », ou « Bouboule le bienheureux ».

Nous traversons la cour du Palais, admirons les hérons de contrefaçon et empruntons le splendide escalier de l'époque coloniale espagnole. Les photographies de ses débuts montraient Endara comme le bagarreur des rues qu'il avait été jadis, mais l'Endara qui me reçoit ressemble tellement à mon comte que, n'étaient le queue-de-pie et l'écharpe rouge barrant l'ample gilet blanc, j'aurais pu, en rêve, lui demander cinq cents livres. À ses pieds, une jeune femme accroupie à quatre pattes, le derrière bien moulé dans un jean de couturier, se bat avec un palais en Lego qu'elle est en train d'assembler avec les enfants du président.

« Chérie ! lui crie Endara, en anglais par égard pour moi. Regarde qui est là ! Tu as entendu parler de… », et caetera.

Toujours à genoux, la première dame me jette un bref coup d'œil et reprend sa construction.

« Mais, chérie, bien sûr que tu as entendu parler de lui ! l'implore le président. Tu as lu ses livres formidables ! Nous les avons lus tous les deux ! »

Un peu tard, l'ancien diplomate se réveille en moi :

« Madame, il n'y a absolument aucune raison pour que vous ayez entendu parler de moi. Mais vous avez sûrement entendu parler de Sean Connery, l'acteur qui jouait dans le dernier film adapté d'un de mes romans ? »

Long silence.

« Vous êtes un ami de M. Connery ?

– En effet, dis-je (alors que je le connais à peine).

– Soyez le bienvenu au Panamá. »

* * *

Au Club Unión, où les gens riches et célèbres du Panamá daignent descendre sur terre, je me renseigne à nouveau sur le comte Mario da Bernaschina, ambassadeur en France, époux putatif de la comtesse, fournisseur de scotch sans marque. Personne ne se souvient de lui ou, si l'on s'en souvient, on préfère ne pas s'en souvenir. Il faut un infatigable ami panaméen prénommé Roberto pour m'informer, après une enquête prolongée, que non seulement le comte a bien existé mais qu'il a joué un rôle insignifiant dans l'histoire instable de son pays.

Son titre de comte « venait d'Espagne en passant par la Suisse », allez comprendre ce que cela voulait dire. Il avait été l'ami d'Arnulfo Arias, président du Panamá. Quand Arias avait été renversé par Torrijos, Bernaschina avait fui jusqu'à la zone américaine du Canal et prétendu être l'ancien ministre des Affaires étrangères d'Arias, ce qui était faux. Il avait cependant vécu sur un grand pied pendant plusieurs années jusqu'à ce qu'un soir, alors qu'il dînait dans un club américain, j'imagine sans regarder à la dépense, il soit kidnappé par la police secrète de Torrijos. Incarcéré dans la célèbre prison La Modelo, il fut accusé de complot contre l'État, de trahison et de sédition. Trois mois plus tard, il était mystérieusement relâché. Bien que, sur ses vieux jours, il se vantât d'avoir été diplomate pendant vingt-cinq ans, il n'avait jamais travaillé aux Affaires étrangères panaméennes, et encore moins été ambassadeur en France. De la comtesse, si c'est ce qu'elle était, Dieu merci on ne me dit rien. Mes rêves d'adolescence purent rester intacts.

Quant à cette barrique de whisky sans marque et la question non résolue de savoir qui devait cinq cents livres à qui, une seule chose est certaine : quand un arnaqueur en rencontre un autre, les deux finissent par crier à l'arnaque.

* * *

Les pays aussi sont des personnages. Après un rôle de figuration dans *Le Directeur de nuit*, le Panamá réclame la vedette dans un nouveau roman que j'ai en tête, bien que ce soit cinq ans plus tard. Mon futur héros est ce personnage tant négligé du monde de l'espionnage, le fabricateur de renseignements ou, comme on dit dans le jargon du métier, le tuyauteur. Certes, Graham Greene le mit à l'honneur dans *Notre agent à La Havane*. Mais les inventions du pauvre Wormold n'ont pas pour conséquence une guerre soudaine. Je voulais que la farce vire à la tragédie. Les États-Unis avaient déjà réussi l'exploit d'envahir le Panamá alors qu'ils occupaient encore le pays. Eh bien, qu'ils l'envahissent une seconde fois en se fondant sur les renseignements inventés par mon tuyauteur.

Mais qui serait-il ? Il devait être socialement quelconque, affable, innocent, aimable, insignifiant sur l'échiquier du monde mais quand même volontaire, loyal envers ce qu'il aimait plus que tout (sa femme, ses enfants, son métier), et surtout imaginatif. Les services secrets ont un faible pour les imaginatifs, c'est bien connu. Nombre de leurs rejetons les plus célèbres (Allen Dulles, pour commencer) étaient de purs imaginatifs. Et il devait travailler dans le secteur des services, où il serait amené à frayer avec les grands, les vertueux, les puissants et les crédules. Un coiffeur à la mode, alors, un *Figaro** ? Un antiquaire ? Un galeriste ? Ou un tailleur ?

Il n'y a que deux ou trois de mes livres dont je puisse dire sans mentir : « C'est là que tout a commencé. » *L'Espion qui venait du froid* est né à l'aéroport de Londres, lorsqu'un quadragénaire râblé s'est affalé sur un tabouret de bar à côté de moi, a plongé la main dans la poche de son imperméable et jeté sur le comptoir de la monnaie d'une demi-douzaine de pays. Avec ses pognes de catcheur, il a farfouillé parmi les pièces jusqu'à en rassembler assez de la même devise.

« Un grand scotch, a-t-il commandé. Sans glace, surtout. »

C'est tout ce que je l'ai jamais entendu dire, du moins me semble-t-il aujourd'hui, mais j'avais cru déceler une pointe d'accent irlandais. Quand son verre est arrivé, il y a porté les lèvres dans le geste expérimenté de l'alcoolique et l'a vidé en deux gorgées. Et puis il est parti en traînant les pieds, sans regarder personne. Était-il un représentant de commerce qui connaissait des revers de fortune ? Son nom me restera à jamais inconnu, mais il est devenu mon espion, Alec Leamas, dans *L'Espion qui venait du froid*.

* * *

Et puis, il y a eu Doug.

Un ami américain de passage à Londres suggère que nous passions voir son tailleur, Doug Hayward, qui tient une boutique à

Mount Street, dans le West End. Nous sommes au milieu des années 1990. Mon ami vient de Hollywood. Doug Hayward habille nombre de stars et d'acteurs, me dit-il. Je ne sais pourquoi, on ne s'attend pas à trouver un tailleur assis, mais à notre arrivée Doug trône sur un fauteuil à oreilles et parle au téléphone. L'une des raisons pour lesquelles il reste souvent assis, m'expliquera-t-il plus tard, c'est qu'il est grand et qu'il ne veut pas dominer ses clients de sa taille.

Il est en train de parler à une femme – en tout cas c'est ce que je déduis des multiples « ma chérie », « très chère » et références à son « homme ». Il a une voix autoritaire bien timbrée dont il a fait disparaître les traces de cockney, mais le rythme est toujours là. Dans sa jeunesse, Doug a passé beaucoup de temps à travailler son élocution afin de pouvoir parler chic à ses clients. Puis arrivent les années 1960, le parler chic n'est plus à la mode, les accents régionaux font leur retour et, grâce surtout à Michael Caine, client de Doug, le cockney revient au goût du jour. Mais Doug refuse d'avoir appris à parler chic pour rien, aussi s'accroche-t-il à son chic pendant que les gens chics s'encanaillent pour apprendre à parler vulgaire.

« Allons, écoute, ma chérie, dit Doug au téléphone. Je suis désolé que ton homme coure le guilledou, parce que je vous aime bien tous les deux. Mais regarde les choses comme ça : quand vous vous êtes rencontrés, tu étais sa bonne amie et il avait sa régulière. Et puis il s'est débarrassé de la régulière et il a épousé sa bonne amie, enchaîne-t-il avant de marquer une pause pour faire son petit effet parce que, maintenant, il sait que nous écoutons. Donc il y a une place à prendre, n'est-ce pas, ma chérie ? »

« Être tailleur, c'est du théâtre, nous explique Doug pendant le déjeuner. Les gens ne viennent pas me voir parce qu'il leur faut un costume. Ils viennent pour les potins. Ils viennent pour retrouver leur jeunesse, pour papoter un peu. Est-ce qu'ils savent ce qu'ils veulent ? Bien sûr que non. N'importe qui peut habiller Michael Caine, mais qui peut habiller Charles Laughton ? Un costume, il faut que quelqu'un en assume la responsabilité. L'autre jour, un type m'a demandé pourquoi je ne fais pas des costumes comme Armani. "Écoutez, je lui ai dit, Armani fait des costumes Armani bien mieux que moi. Si vous voulez un costume Armani, allez à Bond Street et achetez-en un, ça vous économisera six cents livres." »

J'ai nommé mon tailleur Pendel, pas Hayward, et intitulé mon livre *Le Tailleur de Panamá*, en hommage tacite au *Tailleur de Gloucester* de Beatrix Potter. J'ai donné à Pendel un contexte familial à moitié juif parce que, à cette époque, la plupart de nos tailleurs, comme les cinéastes américains des premiers temps, étaient des immigrés d'Europe centrale qui vivaient dans l'East End. Et Pendel en raison du mot allemand qui signifie « pendule », parce que j'aimais à croire qu'il balançait entre la réalité et la fiction. Tout ce qui me manquait à présent, c'était un gredin anglais bien né décadent qui pourrait recruter mon Pendel et l'utiliser pour se remplir les poches. Et là, pour toute personne comme moi qui a enseigné à Eton, il y avait pléthore de candidats.

26

Sous couverture

Nous lui avons fait nos adieux voici quelques années seulement, mais je n'ai pas le droit de vous dire quand ni où. Je ne peux pas non plus vous dire si nous l'avons incinéré ou enterré, si c'était en ville ou à la campagne, s'il se prénommait Tom, Dick ou Harry, ni si la cérémonie religieuse était catholique ou non.

Je l'appellerai Harry.

L'épouse de Harry était présente aux obsèques, la même depuis cinquante ans, droite comme un I. Par amour pour lui, elle s'était fait cracher dessus dans la file d'attente à la poissonnerie, conspuer par les voisins, et avait vu sa maison mise à sac par la police, qui croyait faire son devoir en malmenant la forte tête de la section locale du parti communiste. Leur enfant, aujourd'hui adulte, était là aussi, qui avait subi des humiliations similaires à l'école et ailleurs, par la suite. Mais je ne peux vous dire si c'était un garçon ou une fille, ni si il ou elle a trouvé son coin de paradis dans ce monde que Harry croyait protéger. La veuve faisait front comme toujours sous la pression, mais l'enfant devenu adulte était écrasé de douleur, au mépris non dissimulé de sa mère, qui attendait de sa progéniture ce maintien qu'une vie d'épreuves lui avait appris à ériger en valeur fondamentale.

* * *

Je suis allé aux funérailles parce que, voilà bien longtemps, j'avais été l'officier traitant de Harry – responsabilité aussi lourde que délicate, car, depuis l'adolescence, il avait consacré toute son énergie à déjouer les plans des ennemis supposés de son pays en se faisant passer pour l'un d'eux. Harry s'était imprégné du dogme communiste jusqu'à en faire une seconde nature, façonné l'esprit jusqu'à n'en plus reconnaître la tournure originelle. Avec notre aide, il s'était entraîné à penser et réagir au débotté comme un militant. Pourtant, il arrivait toujours le sourire aux lèvres au débriefing hebdomadaire avec son officier traitant.

« Tout va bien, Harry ? demandais-je.

– À merveille, merci. Et vous ? Et comment va votre dame ? »

Harry avait endossé toutes les corvées auxquelles ses camarades étaient trop contents d'échapper en soirée et le week-end. Il avait battu le pavé pour essayer de vendre *The Daily Worker*, l'organe du Parti (il mettait les invendus à la poubelle et couvrait la différence avec de l'argent à nous). Il avait servi de messager et de chasseur de têtes pour les attachés culturels soviétiques ou les troisièmes secrétaires du KGB de passage, et accepté leurs fastidieuses missions de collecte d'informations sur les industries de pointe implantées dans la région où il habitait – quitte à ce que nous lui en fournissions quand il n'en dénichait pas par lui-même, après nous être assurés de leur innocuité.

Peu à peu, grâce à sa diligence et à son dévouement à la cause, Harry monta en grade jusqu'à devenir un camarade apprécié auquel on confiait des missions semi-conspiratrices qui, même s'il les exploitait au maximum et nous avec lui, ne valaient pas grand-chose sur le marché du renseignement. Mais cette absence de succès importait peu, lui assurions-nous, car il était notre précieux informateur, l'homme de la situation, au bon endroit au bon moment. Si tu n'as rien entendu, Harry, c'est très bien aussi, ça veut dire qu'on peut dormir un peu plus tranquille la nuit, lui expliquions-nous. Et Harry de remarquer gaiement qu'il faut bien que quelqu'un nettoie les égouts, pas vrai, John (ou autre nom d'emprunt que j'utilisais alors) ? Et nous de lui répondre : Oui, Harry, il faut bien que quelqu'un le fasse, et merci d'être ce quelqu'un.

235

De temps à autre, peut-être pour lui soutenir le moral, nous pénétrions dans le monde obscur de l'infiltré : Si jamais les Rouges nous envahissent, Harry, et que tu te retrouves un beau jour grand manitou du Parti dans ton district, tu deviendras l'agent de liaison avec le mouvement de résistance qui devra rejeter ces enfoirés à la mer. Dans l'éventualité de ce scénario, nous allions au grenier sortir son radio-émetteur de sa cachette et le dépoussiérer, puis nous regardions Harry envoyer de faux messages à un quartier général souterrain imaginaire et recevoir de faux ordres en retour, tout cela pour le préparer à l'occupation imminente de l'Angleterre par les Soviétiques. Nous étions tous un peu mal à l'aise, et Harry le premier, mais cela faisait partie du boulot et nous nous exécutions.

Depuis que j'ai quitté le monde du secret, je n'ai cessé de chercher à percer les motivations de Harry et de son épouse, ainsi que celles des autres Harry et de leurs épouses respectives. Les psys s'en seraient donné à cœur joie avec lui, mais la réciproque n'aurait pas été fausse. « Bon, et alors, je suis censé faire quoi, moi ? leur aurait-il demandé. Rester assis à regarder mon pays se faire bouffer par le Parti ? »

Loin de prendre du plaisir à sa duplicité, Harry la supportait comme faisant partie intégrante de sa vocation. Nous lui versions un salaire de misère – plus l'aurait gêné et, de toute façon, il n'aurait jamais pu en profiter – et lui assurions une retraite dérisoire. Nous ajoutions à cette « pension alimentaire » tout le respect et l'amitié que permettaient les contraintes de sécurité. Avec le temps, Harry et son épouse, qui endossait le rôle de la femme du bon camarade, devinrent discrètement un peu mystiques. Le ministre du culte qu'ils embrassèrent semble ne s'être jamais demandé pourquoi deux communistes purs et durs comme eux venaient le voir pour prier.

À l'issue des funérailles, après le départ des amis, de la famille et des camarades du Parti, un homme avenant en imperméable et cravate noire vint jusqu'à ma voiture me serrer la main. « Je suis du Service, murmura-t-il timidement. Harry est mon troisième ce mois-ci. Ils meurent tous en même temps, ma parole. »

Harry était l'un des sans-grades de cette piétaille d'hommes et de femmes honorables qui croyaient les communistes résolus à détruire leur patrie chérie et considéraient de leur devoir d'agir. Il trouvait les Rouges assez sympathiques, à leur manière, idéalistes quoique un peu dérangés. Ayant mis sa vie au service de ses convictions, il mourut en soldat inconnu de la Guerre froide.

La pratique consistant à infiltrer des espions dans des organisations supposées subversives est vieille comme le monde. Selon le bon mot attribué à J. Edgar Hoover quand on lui apprit que Kim Philby était un agent double soviétique : « Dites-leur que Jésus n'en avait que douze, et que l'un d'entre eux était un agent double. »

Aujourd'hui, quand la presse nous rapporte que des policiers infiltrés noyautent des associations pacifistes ou de défense des animaux, prennent une maîtresse et ont des enfants sous leur fausse identité, nous sommes scandalisés parce que nous savons d'emblée que ces cibles ne justifient en rien une telle duplicité et ses conséquences humaines. Dieu merci, Harry n'opérait pas de cette façon, et il était absolument convaincu du bien-fondé moral de son travail. Il considérait l'Internationale communiste comme l'ennemi de son pays, et son émanation britannique comme l'ennemi de l'intérieur. Aucun communiste britannique que j'aie jamais rencontré n'aurait souscrit à cette vision, mais l'establishment y croyait dur comme fer, et cela suffisait à Harry.

27

À la chasse
aux seigneurs de la guerre

Mon roman avait tout, y compris un titre : *Le Chant de la mission*. Il se passait à Londres et au Congo oriental, et avait pour personnage central Salvo (abréviation de Salvador), fils d'un missionnaire irlandais errant et d'une fille de chef congolais, qui dès sa plus tendre enfance avait subi un lavage de cerveau administré par des missionnaires chrétiens zélés, et avait été frappé d'ostracisme pour les péchés supposés de son père, de sorte que pleurer dans ma bière en m'identifiant à lui ne me posait aucun souci.

J'avais trois chefs de guerre congolais, porte-drapeaux respectifs de la tribu ou du groupe social dont ils étaient issus. J'avais multiplié les déjeuners avec une petite cohorte de mercenaires britanniques et sud-africains et conçu une intrigue suffisamment lâche pour l'adapter aux besoins et aux lubies de mes personnages à mesure que l'histoire progressait sur le papier.

J'avais une jeune et belle infirmière congolaise, enfant du Kivu, qui travaillait dans un hôpital de l'Est londonien et rêvait d'une seule chose : retourner auprès des siens. J'avais arpenté les couloirs de son hôpital, patienté dans ses salles d'attente, observé le ballet des médecins et des infirmières, consigné les changements de tours de garde et, à distance respectueuse, suivi des groupes d'infirmières épuisées qui rentraient à pied dans leurs quartiers ou leurs foyers pour dormir. À Londres et à Ostende, j'avais passé de longues heures en tête à tête avec de nombreux exilés congolais clandestins, à écouter leurs récits de viols et de persécutions à grande échelle.

238

Mais il y avait un petit souci. Je n'avais aucune expérience directe du pays que je décrivais, et j'ignorais presque tout de son peuple autochtone. Les trois chefs de guerre congolais que mon mercenaire principal, Maxie, avait embringués dans une opération destinée à saisir les rênes du pouvoir au Kivu n'étaient pas de vrais personnages, juste des hommes en kit assemblés à partir de renseignements de seconde main et de ma propre imagination sous-informée. Quant à la grande province du Kivu et à sa capitale Bukavu, elles étaient des lieux fantasmés, créés sur la base de vieux guides de voyage et de sites internet. Tout cet échafaudage avait été inventé à un moment de ma vie où, pour des raisons familiales, je ne pouvais pas voyager. Maintenant, j'étais enfin libre de faire ce que, les circonstances eussent-elles été meilleures, j'aurais fait un an plus tôt : aller sur le terrain.

L'attrait était irrésistible. Construite au début du XXe siècle par des colons belges à la pointe sud du lac Kivu, le plus élevé et le plus frais des grands lacs africains, Bukavu m'apparaissait comme un paradis perdu. J'avais des visions d'un brumeux Shangri-La aux larges rues bordées de bougainvillées et de villas aux jardins luxuriants descendant en pente douce vers la rive du lac. Le sol volcanique des collines environnantes était si fertile et le climat si doux, m'avaient appris mes guides touristiques, que rares étaient les fruits, fleurs ou légumes qui n'y prospéraient pas.

Le Congo oriental était également un piège mortel – ça aussi, je l'avais lu. Les richesses de cette région attiraient depuis des siècles toutes les espèces connues de prédateurs humains, depuis les milices rwandaises pillardes jusqu'aux hommes d'affaires opportunistes avec luxueux bureaux à Londres, Houston, Saint-Pétersbourg ou Pékin. Depuis le génocide rwandais, Bukavu était en première ligne dans la crise des réfugiés. Les insurgés hutus ayant passé la frontière pour fuir le Rwanda utilisaient la ville comme base pour leurs représailles contre le gouvernement qui les avait chassés. Lors de ce qu'on appela la Première Guerre du Congo, la ville fut saccagée.

Alors, à quoi ressemblait-elle aujourd'hui ? Et quelle ambiance y régnait-il ? Bukavu était la ville natale de mon héros Salvo. Non loin de là, dans la savane, s'élevait le séminaire catholique qui avait hébergé le père de Salvo, ce prêtre irlandais aussi faillible que généreux qui avait cédé aux charmes d'une femme d'une tribu locale. Ce serait bien de trouver ce séminaire également.

* * *

J'avais beaucoup apprécié *In the Footsteps of Mr. Kurtz* de Michela Wrong, journaliste ayant passé douze ans de sa vie sur le continent africain, notamment à Kinshasa, la capitale congolaise, et qui avait couvert le Rwanda post-génocide pour Reuters et la BBC. Je l'invitai à déjeuner. Pourrait-elle m'aider ? Peut-être. Pourrait-elle même m'accompagner à Bukavu ? Peut-être, mais à certaines conditions. Il faudrait que Jason Stearns soit aussi du voyage.

À vingt-neuf ans, Jason Stearns, polyglotte spécialiste de l'Afrique, travaillait comme expert au sein de l'International Crisis Group et, miraculeusement pour ce qui me concernait, il avait passé trois ans à Bukavu comme conseiller politique des Nations unies. Il parlait parfaitement français et swahili et un nombre inconnu d'autres langues africaines. Il était tenu pour l'un des plus grands connaisseurs occidentaux du Congo.

Autre petit miracle, il s'avéra que Jason et Michela avaient eux aussi des raisons professionnelles d'aller au Congo oriental. Ils acceptèrent de faire coïncider leur séjour avec le mien. Ils eurent la patience de lire une affligeante première ébauche de mon roman et de me signaler ses nombreuses erreurs. Mais, du coup, tous deux comprirent quel genre de personnes j'avais besoin de rencontrer et quels lieux j'avais besoin de voir. Tout en haut de ma liste arrivaient mes trois chefs de guerre, puis les missionnaires, séminaires et écoles catholiques de l'enfance de Salvo.

Pour une fois, les recommandations du Foreign Office étaient très claires : n'allez pas au Congo oriental. Mais Jason s'était renseigné de son côté et nous informa que Bukavu était relativement calme, quand bien même la République démocratique du Congo s'apprêtait à organiser ses premières élections pluralistes en quarante et un ans, ce qui provoquait certaines tensions sur place. Le moment était donc idéalement choisi pour mes compagnons de voyage, tout comme pour mes personnages et moi-même, puisque mon roman se déroulait dans la période préélectorale. Nous étions en 2006, douze ans après le génocide rwandais. En y repensant, j'ai un peu honte de les avoir persuadés de m'emmener. Si quoi que ce soit avait mal tourné, ce qui, au Kivu, était pratiquement assuré, ils se seraient retrouvés avec sur les bras un septuagénaire chenu et pas très agile.

* * *

Bien avant que notre jeep ait quitté Kigali, la capitale rwandaise, et atteint la frontière congolaise, mon monde imaginaire s'était évaporé pour être remplacé par le monde réel. À Kigali, l'Hôtel des Mille Collines (renommé Hôtel Rwanda dans le film du même nom) avait un air de normalité oppressant. J'avais cherché en vain une photographie commémorative de l'acteur Don Cheadle ou du personnage qu'il incarnait, Paul Rusesabagina, le véritable patron de l'hôtel qui, en 1994, l'avait reconverti en refuge secret pour les Tutsis fuyant le *panga* et le fusil.

Mais cette histoire n'avait plus d'écho chez les hommes aujourd'hui au pouvoir. Au bout de dix minutes au Rwanda, si on ouvrait les yeux, on savait que le gouvernement à majorité tutsie tenait le pays en coupe réglée. Des fenêtres de notre voiture pendant notre trajet dans les collines en direction de Bukavu, nous eûmes un aperçu de la justice rwandaise en action. Dans des prairies immaculées qui n'auraient pas déparaillé au cœur d'une vallée suisse, des villageois étaient accroupis en cercle comme des écoliers en colonie de vacances. Au centre, au lieu de professeurs, des hommes portant l'uniforme rose des prisonniers gesticulaient ou restaient immobiles, tête baissée. Pour écluser l'arriéré de présumés *génocidaires** en attente de procès, Kigali avait réinstitué les tribunaux de village traditionnels. Tout un chacun pouvait être procureur ou défenseur, mais les juges étaient nommés par le nouveau gouvernement.

Une heure avant d'arriver à la frontière congolaise, nous quittâmes la route pour gravir une colline afin de découvrir quelques-unes des victimes du génocide. Un ancien collège dominait des vallées amoureusement entretenues. Le conservateur, lui-même improbable survivant, nous fit visiter une classe après l'autre. Les morts par centaines (des familles entières qu'on avait trompées en leur disant de se regrouper pour plus de sécurité et qui avaient été massacrées de main d'homme, un membre après l'autre) étaient étendus par quatre ou six sur des palettes en bois et recouverts de ce qui ressemblait à un mélange durci de farine et d'eau. Une femme protégée par un masque et portant un seau en ajoutait une couche supplémentaire. Combien de temps continuerait-elle à les badigeonner ainsi ? Combien de temps se conserveraient-ils ? Beaucoup étaient des enfants. Dans un pays où les fermiers procèdent eux-mêmes à l'abattage des bêtes, la technique leur était venue naturellement : d'abord on coupe les tendons, et après on a tout le temps qu'on veut. Les mains, les bras et les pieds étaient stockés à part dans des paniers. Les vêtements déchirés, brunis par le sang, pour la plupart de taille enfant, pendaient aux poutres d'un sombre préau.

« Quand allez-vous les enterrer ?

– Quand ils auront rempli leur fonction. »

Leur fonction : servir de preuve que ce massacre était réellement arrivé.

Les victimes n'ont personne pour les nommer, pour les pleurer, pour les enterrer, nous explique notre guide : les proches des morts sont morts aussi. Nous laissons les corps exposés pour faire taire les incrédules et les révisionnistes.

* * *

Des soldats rwandais en uniforme vert à l'américaine sont apparus au bord de la route. Le poste-frontière congolais est un abri délabré posé de l'autre côté d'un pont métallique qui enjambe un affluent du fleuve Ruzizi. Un groupe d'auxiliaires féminines des douanes nous attend : elles scrutent nos passeports et nos certificats de vaccination d'un œil sévère, secouent la tête et discutent entre elles. Plus un pays est plongé dans l'anarchie, plus intraitable est sa bureaucratie.

Mais nous avons Jason avec nous.

Une porte intérieure s'ouvre à la volée, des cris de joie fusent de part et d'autre. Jason disparaît. Avec des éclats de rire en guise de félicitations, nos papiers nous sont restitués. Nous disons adieu au parfait tarmac rwandais et, pendant cinq minutes, nous cahotons sur d'énormes nids-de-poule remplis de la boue rouge du Kivu jusqu'à notre hôtel. Jason, comme mon Salvo, maîtrise les dialectes africains. Quand les passions se déchaînent, il commence par se joindre à toute l'excitation, puis, par de douces paroles, parvient à calmer les protagonistes. Ce n'est pas calculé, c'est instinctif. Je m'imagine très bien mon Salvo, enfant du conflit et pacificateur-né, faire exactement la même chose.

* * *

Dans tous les coins chauds du globe où je me suis prudemment aventuré, il existe un point d'eau vers lequel un rituel secret fait converger plumitifs, espions, humanitaires et profiteurs. À Saigon, c'était le Continental ; à Phnom Penh, le Phnom ; à Vientiane, le Constellation ; à Beyrouth, le Commodore ; et ici à Bukavu, c'est l'Orchid, villa coloniale basse entourée de discrets bungalows dans une enceinte grillagée en bordure de lac. Le propriétaire en est un *colon** belge ayant roulé sa bosse qui serait mort vidé de son sang lors d'une des guerres du Kivu si son frère, depuis décédé, ne l'avait pas emmené clandestinement en lieu sûr. Assise dans un coin de la salle à manger, une Allemande d'un âge certain parle avec nostalgie aux étrangers du temps où les Blancs étaient rois à Bukavu et où elle pouvait conduire son Alfa Romeo à quatre-vingt-dix kilomètres-heure sur le boulevard. Le lendemain matin, nous empruntons le même chemin qu'elle, quoique à moindre vitesse.

Le boulevard est toujours large et rectiligne, mais, comme toutes les rues de Bukavu, il est criblé de nids-de-poule creusés par l'eau de pluie rougeâtre qui se déverse des montagnes environnantes. Les maisons, bijoux Art nouveau décatis, exhibent leurs angles arrondis, leurs larges baies vitrées et leurs vérandas en fer à cheval. La ville est bâtie sur cinq péninsules « telle une main verte caressant la surface du lac », comme le disent les plus lyriques des guides touristiques. La plus grande des cinq, et jadis la plus sélect, est La Botte, où Mobutu, le roi-empereur fou du Zaïre, avait une de ses nombreuses résidences. Selon les soldats qui nous en interdisent l'entrée, la villa est en travaux pour accueillir le nouveau président congolais, Joseph Kabila, fils né au Kivu d'un révolutionnaire marxiste-maoïste. En 1997, le père de Kabila a chassé Mobutu du pouvoir avant d'être assassiné par son propre garde du corps à peine quatre ans plus tard.

Nappé d'une brume vaporeuse, le lac est traversé dans le sens de la longueur par la frontière avec le Rwanda. La pointe de La Botte est orientée vers l'est. Les poissons y sont très petits. Le monstre du lac s'appelle *mamba mutu*, une créature mi-femme microcodile qui n'aime rien tant que se nourrir de cervelle humaine. Tout en écoutant mon guide, je griffonne de multiples notes dont je sais que je ne les utiliserai jamais. Je ne suis pas fan des appareils photo. Quand j'écris une note, ma mémoire enregistre cette pensée ; quand je prends une photo, l'appareil me vole mon travail.

Nous entrons dans un séminaire catholique. Le père de Salvo appartenait à cette congrégation. Ses murs de brique aveugles sont différents de tout ce qui les entoure dans la rue. Derrière eux s'étend un monde de jardins, d'antennes paraboliques, de chambres d'amis, de salles de réunion, d'ordinateurs, de bibliothèques et de serviteurs muets. Dans la cantine, un vieux prêtre blanc en jean se dirige à pas lents vers la cafetière, nous accorde un long regard désincarné et repart. Si le père de Salvo était encore en vie, me dis-je, il aurait cette allure.

Un prêtre congolais en habit marron se lamente sur les risques que courent ses frères africains quand leurs pénitents leur confessent leurs haines raciales de façon trop éloquente. Une fois enflammés par cette rhétorique passionnée qu'ils sont censés apaiser, nous dit-il, ils sont capables de devenir les pires extrémistes de tous. On raconte ainsi qu'au Rwanda des prêtres, par ailleurs fort bons, ont convoqué tous les Tutsis de leur paroisse dans leur église, qui a ensuite été brûlée ou rasée avec la bénédiction de ces mêmes prêtres.

Pendant qu'il parle, je note dans mon calepin – non pas ses brillantes paroles, comme il pourrait le supposer, mais plutôt la manière dont il les prononce, cette élégance gutturale et lente de son français africain érudit, et la tristesse avec laquelle il relate les péchés de ses frères.

* * *

Thomas correspond tellement peu à mes attentes que j'en abandonne aussitôt tous mes préjugés. Grand, charmant, vêtu d'un costume bleu bien coupé, il nous reçoit avec une parfaite affabilité de diplomate. Sa maison, gardée par des sentinelles armées de fusils semi-automatiques, est spacieuse et tape-à-l'œil. Pendant notre conversation, un immense écran de télévision diffuse un match de football sans le son. Aucun chef de guerre sorti de mon imagination mal informée n'a jamais ressemblé à cela.

Thomas est un Banyamulenge. Son peuple est en guerre perpétuelle au Congo depuis vingt ans. Ce sont des pasteurs originaires du Rwanda qui se sont installés sur les hauts plateaux des monts Mulenge au Sud-Kivu au fil des deux cents dernières années. Redoutés pour leurs aptitudes guerrières et leurs principes autarciques, détestés pour leurs affinités supposées avec le Rwanda, ils sont les premiers à être mis au pilori en période de troubles.

Je lui demande si les élections pluralistes à venir vont améliorer leur sort. Sa réponse n'est pas rassurante. Les perdants diront à juste titre que le scrutin était truqué, les vainqueurs rafleront la mise et les Banyamulenge seront rendus responsables de tout comme d'habitude. Ce n'est pas pour rien qu'on les surnomme les juifs de l'Afrique occidentale : quel que soit le problème, c'est de leur faute. Thomas n'est guère plus sensible aux efforts déployés par Kinshasa pour incorporer les nombreuses milices du Congo dans une armée nationale unifiée :

« Beaucoup d'hommes à nous se sont enrôlés, puis ont déserté et se sont réfugiés dans les montagnes. Dans l'armée, on se fait tuer, on se fait insulter, alors même qu'on a livré et remporté de nombreuses batailles pour eux. »

Il reconnaît pourtant qu'il existe une lueur d'espoir. Les Maï-Maï, gardiens autoproclamés d'un Congo délivré de tous les « étrangers » (et notamment des Banyamulenge), sont en train de découvrir le lourd tribut à payer quand on devient soldat de Kinshasa. Il ne développe pas plus.

« Quand les Maï-Maï auront appris à se méfier de Kinshasa, peut-être se rapprocheront-ils de nous. »

Nous sommes sur le point de le découvrir. Jason s'est arrangé pour que nous rencontrions un colonel des Maï-Maï, la plus grande et la plus tristement célèbre des nombreuses milices armées du Congo, qui sera le deuxième de mes chefs de guerre.

* * *

Comme Thomas, le colonel est tiré à quatre épingles, non pas dans un costume bleu bien coupé, mais dans le grand uniforme de l'armée nationale du Congo si décriée. Son treillis kaki fourni par Kinshasa est impeccablement repassé, ses galons étincellent au soleil de la mi-journée. Il porte des bagues en or à tous les doigts de la main droite. Deux téléphones portables sont posés sur la table devant lui. Nous sommes assis dans un café en plein air. De l'autre côté de la route, embusqués derrière un muret de sacs de sable, des casques bleus pakistanais nous surveillent, fusil en main. Le combat, c'est toute ma vie, nous explique le colonel. En son temps, il a commandé des combattants qui n'avaient pas plus de huit ans. Aujourd'hui, ils sont tous adultes.

« Certains groupes ethniques présents dans mon pays ne méritent pas d'y vivre. Nous les combattons parce que nous craignons qu'ils ne s'emparent de notre terre congolaise sacrée. On ne peut pas faire confiance au gouvernement de Kinshasa, quel qu'il soit, pour s'en occuper, alors on le fait nous-mêmes. Après la chute de Mobutu, nous sommes montés au créneau avec nos *pangas*, nos arcs et nos flèches. Les Maï-Maï sont une force créée par nos ancêtres. Notre *dawa* nous sert de bouclier. »

Par *dawa*, il fait référence aux pouvoirs magiques qui permettent aux Maï-Maï de dévier les balles qui fusent ou de les transformer en eau : *Maï*.

« Quand vous vous retrouvez face à un AK-47 qui vous tire droit dessus et que rien ne vous arrive, vous savez que notre *dawa* est bien réelle. »

Dans ce cas, comment les Maï-Maï expliquent-ils leurs morts et leurs blessés ? demandé-je aussi délicatement que possible.

« Si l'un de nos guerriers tombe, c'est parce qu'il s'agit d'un voleur, d'un violeur, d'un homme qui n'a pas respecté nos rituels ou qui nourrissait de mauvaises pensées envers un camarade en allant au feu. Nos morts sont nos pécheurs. Nous laissons nos sorciers les enterrer sans cérémonie. »

Et les Banyamulenge ? Que pense le colonel des Banyamulenge dans le climat politique actuel ?

« S'ils déclenchent une nouvelle guerre, nous les tuerons. »

Cependant, lorsqu'il fulmine contre Kinshasa, le colonel se rapproche plus qu'il ne le croit des sentiments exprimés la veille au soir par Thomas, son ennemi juré.

« Les *salauds** de Kinshasa ont marginalisé les Maï-Maï. Ils ont oublié que nous nous sommes battus pour eux et que nous avons sauvé leur peau. Ils ne nous paient pas, ils ne nous écoutent pas et tant que nous sommes soldats, ils ne nous accordent pas le droit de vote. Mieux vaut que nous retournions dans la brousse. Au fait, ça coûte combien, un ordinateur ? »

* * *

Il était désormais temps d'aller à l'aéroport de Bukavu pour alimenter la scène d'action finale de mon roman. Pendant la semaine, il y avait eu quelques émeutes en ville et des tirs sporadiques. Le couvre-feu était toujours en vigueur. La route de l'aéroport était tenue par les Maï-Maï, mais Jason affirmait qu'il n'y avait pas de danger à l'emprunter, donc je partais du principe qu'il avait obtenu un sauf-conduit du colonel. Alors même que nous nous apprêtions à partir, on nous apprit que, couvre-feu ou pas, le centre-ville était bloqué par des manifestants qui brûlaient des pneus. À en croire la rumeur, un homme avait pris une hypothèque de quatre cents dollars sur sa maison pour financer une opération chirurgicale nécessaire à son épouse. Quand les soldats de Kinshasa, privés de leur solde, en avaient eu vent, ils avaient pillé sa maison, l'avaient tué et avaient volé cet argent. Des voisins en colère avaient capturé les soldats, mais des renforts étaient arrivés pour les récupérer. Une jeune fille de quinze ans avait été abattue et la foule s'était insurgée.

Après un trajet à une vitesse affolante dans des rues à la chaussée inégale, notre véhicule atteignit la route de Goma et roula vers le nord sur la rive ouest du lac Kivu. L'aérodrome avait récemment été le théâtre de violents combats. Une milice rwandaise en avait pris possession et y était restée plusieurs mois avant d'en être chassée. À présent, il était sous la protection conjointe de casques bleus indiens et uruguayens. Les Uruguayens nous régalèrent d'un magnifique déjeuner et nous invitèrent à les retrouver bientôt pour une fiesta digne de ce nom.

« Que feriez-vous si les Rwandais revenaient ? demandai-je à notre hôte uruguayen.

— *Vamos* », répliqua-t-il sans la moindre hésitation : on se tirerait vite fait.

En réalité, je voulais découvrir ce que ses camarades et lui feraient si une bande de mercenaires blancs lourdement armés atterrissaient impromptu, ce que j'avais prévu pour mon roman. Je préfère éviter de présenter mes hypothèses si directement, mais je ne doutais pas que, s'il avait connu le véritable motif de ma question, sa réponse aurait été la même.

Après la visite de l'aérodrome, retour en ville. La route de terre rouge était frappée par un déluge tropical. Notre véhicule descendit une colline pour se retrouver devant un lac asséché qui se remplissait rapidement alors que, quelques heures avant, il servait de parking. Un homme en costume noir, debout sur le toit de sa voiture qui se faisait engloutir, agitait les bras pour appeler à l'aide, attraction divertissante pour une foule sans cesse plus nombreuse. L'arrivée de notre jeep avec deux hommes blancs et une femme blanche à bord ajouta au pittoresque. En un rien de temps, une bande de gamins fondit sur nous pour secouer le véhicule de droite à gauche. Dans leur enthousiasme, ils auraient pu nous faire basculer dans le lac si Jason n'était pas sorti d'un bond et, s'adressant à eux dans leur propre langue, ne les avait calmés en les faisant rire.

La scène était tellement banale pour Michela qu'elle n'en garde pas souvenir. Moi, si.

* * *

La discothèque est mon dernier souvenir de Bukavu, mais aussi le plus marquant. Dans mon roman, elle appartient à l'héritier d'une fortune commerciale du Congo oriental éduqué en France, qui finira par sauver Salvo. Lui aussi, à sa façon, est un chef de guerre, dont les troupes sont les jeunes intellectuels et hommes d'affaires de Bukavu. Et ils sont tous là.

En raison du couvre-feu, la ville est mortellement calme. Il pleut. Je ne garde pas souvenir d'une enseigne lumineuse ou de gorilles nous toisant à l'entrée, juste d'une rangée de petits bâtiments Art déco s'enfonçant dans la nuit et d'une rampe en corde le long d'un escalier de pierre mal éclairé. Nous descendons à tâtons. La musique et les stroboscopes nous engloutissent soudain. Jason disparaît dans une mer de bras noirs accueillants tandis qu'on scande son prénom.

Les Congolais savent s'amuser comme personne, m'a-t-on dit, et ici, enfin, je les vois en action. À l'écart de la piste de danse se joue une partie de billard. Je me joins aux spectateurs. Tout autour de la table, chaque coup est accueilli par un silence tendu. Une fois la dernière bille empochée, le vainqueur est soulevé à bout de bras sous les vivats et porté en triomphe autour de la salle. Au bar, de jolies filles discutent en riant. À notre table, tandis que j'écoute quelqu'un me donner son avis sur Voltaire (ou bien était-ce Proust ?), Michela éconduit poliment un ivrogne. Jason a rejoint les danseurs sur la piste. Je lui laisserai le dernier mot :

« Malgré tous les problèmes du Congo, on rencontre moins de gens déprimés dans les rues de Bukavu que dans celles de New York. »

* * *

J'espère avoir inclus cette réplique dans le roman, mais je ne l'ai pas relu depuis longtemps. Le Congo oriental fut ma dernière excursion dans les champs de la mort. Le roman rend-il justice à cette expérience ? Bien sûr que non. Mais ce que j'ai appris là-bas reste inoubliable.

28

Richard Burton a besoin de moi

Chaque fois que je me permets de repenser à ma première rencontre avec Martin Ritt, le metteur en scène américain chevronné de *L'Espion qui venait du froid*, je rougis en pensant aux vêtements ridicules que je portais ce jour-là.

Nous étions en 1963. Mon roman n'avait pas encore été publié. Ritt en avait acheté les droits d'adaptation sur la seule foi d'un tapuscrit que lui avait glissé en douce mon agent littéraire ou mon éditeur, ou peut-être un brillant esprit employé dans une officine de photocopie et qui avait un copain dans les studios, en l'occurrence ceux de la Paramount. Ritt se vanta par la suite d'en avoir volé les droits. Je finis par tomber d'accord avec lui bien plus tard mais, à l'époque, je vis en lui un homme d'une infinie générosité qui avait pris la peine de venir de Los Angeles avec quelques amis du même avis afin de m'inviter à déjeuner dans ce haut lieu du luxe édouardien qu'est le Connaught Hotel et de me tenir des propos flatteurs sur mon livre.

De mon côté, j'étais venu en avion depuis Bonn, capitale de l'Allemagne de l'Ouest, aux frais de Sa Majesté la reine. J'étais alors un diplomate en exercice de trente-deux ans et je n'avais jamais rencontré de gens du cinéma. Enfant, comme tous les garçons de ma génération, j'étais tombé amoureux de Deanna Durbin et j'avais ri aux larmes devant les films des Three Stooges. Pendant la guerre, au cinéma, j'avais abattu des avions allemands pilotés par Eric Portman et triomphé de la Gestapo avec Leslie

Howard. (Mon père était si intimement persuadé que Portman était un nazi qu'il disait qu'on devrait l'enfermer.) Mais depuis, avec le mariage, des enfants en bas âge et très peu d'argent, je n'étais pas allé voir beaucoup de films. J'avais un charmant agent littéraire basé à Londres dont l'ambition dans la vie, s'il s'était écouté, aurait été de jouer de la batterie dans un orchestre de jazz. Il avait sans doute une meilleure connaissance que moi du monde du cinéma, mais pas de beaucoup, à mon avis. C'est pourtant lui qui avait négocié le contrat pour le film et moi qui, au terme d'un déjeuner sympathique avec lui, l'avais signé.

Comme je l'ai raconté précédemment, une partie de mon travail de second secrétaire d'ambassade à Bonn consistait à escorter les dignitaires allemands lors de leurs tournées auprès du gouvernement britannique et de l'opposition parlementaire, et c'est là ce qui m'avait amené à Londres. Ceci explique pourquoi, lorsque je me dérobai à mes devoirs officiels pour déjeuner avec Martin Ritt au Connaught, je portais une veste noire ajustée, un gilet noir, une cravate argentée et un pantalon à rayures grises et noires, tenue que les Allemands appellent *Stresemann* d'après un homme d'État prussien auquel incomba brièvement le poste de chancelier de la République de Weimar. Cela explique aussi pourquoi, lors de notre poignée de main, Ritt me demanda d'une voix sonore et cordiale pourquoi j'étais attifé comme un maître d'hôtel.

Et que portait donc Ritt pour se croire autorisé à me poser cette impudente question ? Dans le restaurant du Connaught régnait un code vestimentaire très strict, mais, au Grill, en 1963, on avait appris avec quelque réticence à tolérer de petites entorses. Tassé dans un coin de la salle, flanqué de quatre vieux tromblons de l'industrie cinématographique, Martin Ritt, plus âgé que moi de dix-sept ans et de plusieurs siècles, portait une chemise noire de révolutionnaire boutonnée jusqu'au cou, un pantalon effrangé trop large retenu par un élastique et, à mes yeux l'accessoire le plus extraordinaire, une casquette d'ouvrier à la visière relevée au lieu d'être rabattue. L'arborer ainsi en intérieur, dans mon Angleterre diplomatique de l'époque, était à peu près aussi acceptable que de manger des petits pois avec un couteau, comprenez-vous. Et tout cela sur la stature d'ours d'un vieux footballeur empâté qui avait le large visage tanné d'un habitant d'Europe centrale marqué par toute la misère du monde, d'épais cheveux grisonnants coiffés en arrière et des yeux inquisiteurs aux paupières lourdes qu'encadraient des lunettes à monture noire.

« Je vous l'avais pas dit, qu'il serait jeune ? demanda-t-il fièrement à ses comparses tandis que je m'efforçais d'expliquer pourquoi j'étais attifé comme un maître d'hôtel.

– Mais oui, Marty, mais oui », acquiescèrent-ils, parce que les metteurs en scène de cinéma, je le sais maintenant, ont toujours raison.

* * *

Et Marty Ritt encore plus que la plupart. C'était un homme en or, un metteur en scène accompli au CV impressionnant. Il avait servi dans l'armée américaine pendant la Seconde Guerre mondiale. Il avait été, sinon membre du parti communiste, du moins l'un de ses compagnons de route les plus fervents. Son admiration indéfectible pour Karl Marx lui avait valu d'être mis sur liste noire par l'industrie télévisuelle, pour laquelle il avait été un acteur et un réalisateur remarqué. Il avait monté nombre de pièces de théâtre, souvent de gauche, y compris un spectacle au Madison Square Garden au bénéfice du Fonds de secours russe après la guerre. Il avait réalisé dix longs métrages d'affilée, notamment *Le Plus Sauvage d'entre tous* avec Paul Newman l'année précédente. Sitôt que nous fûmes assis, il ne cacha pas qu'il voyait dans mon roman une sorte de croisement entre ses convictions de jeunesse et son état présent de dégoût impuissant pour le maccarthysme, pour la lâcheté de trop de ses pairs et camarades à la barre des témoins, pour l'échec du communisme et la stérilité écœurante de la Guerre froide.

Ritt était prompt à révéler qu'il était juif jusqu'à la moelle. Si sa famille n'avait pas souffert directement de l'Holocauste (mais

253

je pense que si), lui personnellement avait souffert et continuait à souffrir pour tout son peuple. Exprimée avec ferveur et clarté, son identité juive était pour lui un sujet récurrent, qui devint d'autant plus pertinent quand il commença à parler du film qu'il avait l'intention de tirer de mon roman. Dans *L'Espion qui venait du froid*, deux communistes idéalistes, une bibliothécaire londonienne naïve et un membre des services secrets est-allemands, sont impitoyablement sacrifiés pour le bien de la cause occidentale (capitaliste). Tous deux sont juifs.

Martin Ritt faisait de ce film une affaire personnelle.

Et moi ? Quelles qualifications acquises dans la grande université de la vie avais-je à offrir en retour ? Mon *Stresemann* ? Mon éducation, même interrompue, dans une *public school* britannique ? Un roman que j'avais imaginé à partir de petits bouts d'expériences vécues par personne interposée ? Ou bien le fait perturbant, que Dieu merci je ne pouvais pas lui révéler, que j'avais passé une bonne partie de ma vie récente à œuvrer dans les prés carrés protégés du renseignement britannique pour combattre la cause à laquelle lui-même adhérait avec enthousiasme, comme il me l'avait confié sans détour ?

Voilà encore une chose que j'ai apprise en chemin. Peu importait que moi aussi je sois en train de commencer à remettre en question les engagements simplistes de ma jeunesse. Le cinéma est le moyen de faire se rapprocher d'irréconciliables contraires. Et ceci ne fut jamais plus évident que lorsque Richard Burton se glissa dans le rôle d'Alec Leamas.

* * *

Je ne me rappelle plus à quel moment j'appris que Burton avait le rôle. Pendant notre déjeuner au Grill du Connaught, Marty Ritt m'avait demandé qui je voyais pour incarner Leamas et j'avais suggéré Trevor Howard ou Peter Finch, à condition que Finch soit prêt à jouer avec l'accent anglais plutôt qu'australien, parce que je tenais à ce que ce soit une histoire très britannique à propos de comportements secrets très britanniques. Ritt, qui savait écouter, me dit qu'il me comprenait, qu'il aimait les deux acteurs mais craignait qu'aucun des deux ne soit assez célèbre pour porter le budget. Quelques semaines plus tard, quand je repris l'avion pour Londres, aux frais de la Paramount cette fois, pour aller en repérages, il me dit qu'il avait proposé le rôle à Burt Lancaster.

Pour jouer un Anglais, Marty ?

Un Canadien. Burt est un grand acteur. Burt le jouera canadien, David.

Que répondre à cela ? Lancaster était certes un grand acteur, mais mon Leamas n'était pas un grand Canadien. Or entre-temps était advenu le Long Silence Inexpliqué.

Chaque fois qu'un film s'est fait (ou pas) à partir de mes romans, il y a toujours eu l'Emballement Initial, suivi du Long Silence Inexpliqué, qui peut durer quelques mois, plusieurs années ou toujours. Le projet est-il tombé à l'eau ou bien avance-t-il à toute vapeur sans que personne me l'ait dit ? À l'abri des regards du bas peuple, d'énormes sommes d'argent circulent, des scénarios sont commandés, écrits et rejetés, des agents bataillent et mentent. Dans des pièces barricadées, des gamins imberbes portant cravate produisent à qui mieux mieux des bijoux de créativité juvénile. Mais hors l'enceinte du Camp Hollywood, impossible de se procurer des renseignements solides pour la bonne raison que, selon les paroles immortelles de William Goldman, personne ne sait rien sur rien.

Richard Burton s'imposa, c'est tout ce que je peux dire maintenant. Son arrivée ne me fut pas annoncée par un orchestre à mille violons, juste par un correspondant à l'enthousiasme de groupie : « Grande nouvelle, David. Richard Burton a signé pour jouer Leamas. » Ce n'était pas Marty Ritt au téléphone, mais mon éditeur américain, Jack Geoghegan, qui frôlait l'extase mystique. « Et en plus, David, vous allez bientôt le rencontrer. » Geoghegan était un vrai pro des métiers du livre. Il avait débuté comme représentant en cuir pour chaussures et avait accédé au poste de directeur des ventes chez Doubleday. À l'approche de la retraite, il avait fait l'acquisition de sa propre petite maison d'édition, Coward

McCann. Avec le succès inattendu de mon roman et l'adjonction de Richard Burton, il vivait un rêve éveillé.

Ce devait être fin 1964, parce que j'avais quitté la fonction publique pour m'installer comme écrivain à plein temps d'abord en Grèce, ensuite à Vienne. Je me préparais à me rendre aux États-Unis pour la première fois et il se trouve que Burton interprétait Hamlet à Broadway dans une mise en scène cosignée par John Gielgud, qui prêtait aussi sa voix au fantôme. Le spectacle recréait l'ambiance d'une répétition générale, et une captation en serait faite pour diffusion ultérieure en salles. Geoghegan m'emmènerait le voir, puis il me présenterait à Burton dans sa loge. Une audience avec le pape n'aurait pu l'enchanter plus.

Et l'interprétation de Burton était homérique. Et nous avions les meilleurs fauteuils. Et, dans sa loge, il fut tout à fait charmant, me disant que mon livre était ce qu'il avait lu de mieux depuis je ne sais quand. Et moi, je lui dis que son Hamlet était meilleur que celui de Laurence Olivier, meilleur même que celui de Gielgud, poursuivis-je sans réfléchir (car ce dernier était très certainement dans la pièce), meilleur que tous les autres. Mais la question que je me posais en secret au milieu de ce déluge de compliments réciproques, c'était : comment cette magnifique et puissante voix de baryton gallois et cet irrésistible talent de mâle triple alpha vont-ils entrer dans le corps d'un espion britannique entre deux âges et au bout du rouleau ne se caractérisant ni par son charisme, ni par son élocution classique, ni par son physique de dieu grec au visage grêlé ?

Bien que je ne l'aie pas su à l'époque, la même question devait tarauder Ritt, parce que l'un des premiers de leurs nombreux affrontements dans la guerre qui s'ensuivit porta sur le moyen de mettre la voix de Burton en sourdine, chose que l'intéressé n'était guère enclin à accepter.

* * *

Nous sommes maintenant en 1965. J'apprends par hasard (je n'avais toujours pas d'agent pour le cinéma, aussi devais-je avoir un espion bien placé) que, dans le dernier scénario tiré de mon roman, Alec Leamas, au lieu de donner un coup de poing à un épicier et d'être emprisonné pour cela, devait être enfermé dans un hôpital psychiatrique dont il s'échappait en sautant par une fenêtre du premier étage. Le Leamas de mon roman ne se serait jamais, au grand jamais, approché d'un hôpital psychiatrique, alors que faisait-il là-dedans ? Réponse : pour Hollywood, apparemment, l'asile était plus sexy que la prison.

Quelques semaines plus tard, la nouvelle filtra que le scénariste, blacklisté comme Ritt en son temps, était tombé malade et que Paul Dehn avait pris le relais. J'étais désolé pour le scénariste, mais soulagé. Dehn était anglais lui aussi, il avait écrit le scénario de l'excellent *Ordres d'exécution*, et puis il était de la famille : pendant la guerre, il avait entraîné des agents alliés à tuer sans bruit et pris part à des missions secrètes en France et en Norvège.

Je le rencontrai à Londres. Il ne supportait pas les hôpitaux psychiatriques, il n'avait aucun scrupule concernant les coups de poing aux épiciers et il fut heureux de remettre Leamas en prison pour la durée nécessaire. Et c'est le scénario de Dehn qui arriva chez moi deux mois après, accompagné d'un mot gentil de Ritt me demandant mes commentaires.

J'étais alors installé à Vienne et, dans la meilleure tradition des écrivains auréolés d'un succès inespéré, je me débattais avec un roman qui ne m'inspirait pas, une fortune dont je n'avais jamais rêvé et une pagaille conjugale dont j'étais entièrement responsable. Je lus le scénario, qui me plut, je dis à Ritt qu'il me plaisait et je retournai à mon roman et à ma pagaille. Quelques soirs plus tard, mon téléphone sonna. C'était Ritt. Il m'appelait des studios Ardmore, en Irlande, où le tournage était censé avoir commencé. Il avait la voix étranglée d'un homme qu'on a pris en otage et dont c'est le dernier message.

Richard a besoin de vous, David. Richard a tellement besoin de vous qu'il ne dira pas son texte tant que vous ne l'aurez pas récrit.

Mais qu'est-ce qui ne va pas avec le texte de Richard, Marty ? Je l'ai trouvé très bien.

Ce n'est pas la question, David. Richard a besoin de vous et il bloque le tournage tant que vous ne serez pas là. Nous vous payons un billet en première classe et nous vous avons réservé une suite. Que vous faut-il de plus ?

S'il était vrai que Burton arrêtait le tournage pour me faire venir, j'aurais pu demander la lune et l'obtenir. Mais je crois bien que je n'ai rien demandé du tout. Cela remonte à cinquante ans et il est possible que les archives de la Paramount racontent une autre histoire, mais j'en doute. Peut-être étais-je si désireux de voir mon film se faire que je m'en fichais ou que je n'ai pas osé. Peut-être voulais-je fuir Vienne et la pagaille dont j'étais responsable.

Ou peut-être étais-je encore naïf au point d'ignorer que c'était là une occasion si unique qu'un agent de cinéma aurait vendu père et mère pour en tirer parti : un film qui avait reçu le feu vert, toute une équipe de la Paramount en stand-by dont soixante électriciens traînant sur le plateau sans rien d'autre à faire que de manger des hamburgers aux frais de la princesse, et l'une des stars les plus en vue de l'époque refusant de tourner tant que l'on ne parachuterait pas cette créature méprisée entre toutes dans la grande ménagerie du cinéma, *l'auteur d'origine, nom de Dieu !*, pour lui tenir la main.

Ce dont je suis certain, c'est que je reposai le combiné et que, le lendemain matin, je partis pour Dublin parce que Richard avait besoin de moi.

* * *

Était-ce vraiment le cas, d'ailleurs ?

Ou bien était-ce surtout Marty qui avait besoin de moi ?

Théoriquement, j'étais à Dublin pour récrire le texte de Burton, ce qui impliquait de retravailler certaines scènes pour les rendre à son goût. Mais le goût de Burton n'était pas toujours celui de Ritt et c'est ainsi je devins, pendant cette brève période, leur médiateur. Je me rappelle m'être assis avec Ritt pour arranger une scène, puis m'asseoir avec Burton pour la réarranger, puis courir retrouver

Ritt, mais je n'ai pas souvenir de m'être jamais assis avec les deux ensemble. Et cela ne dura que quelques jours, à l'issue desquels Ritt se déclara satisfait des révisions et Burton cessa de s'opposer, en tout cas à moi. Mais lorsque j'annonçai à Ritt que je rentrais à Vienne, il me fit un de ces sermons dont il avait le secret.

Il faut que quelqu'un veille sur Richard, David. Richard boit trop. Richard a besoin d'un ami.

Richard a besoin d'un ami ? Ne venait-il pas d'épouser Elizabeth Taylor ? N'était-elle donc pas une amie ? N'était-elle pas sur place avec lui, à interrompre le tournage chaque fois qu'elle débarquait sur le plateau en Rolls-Royce blanche, entourée d'autres amis tels que Yul Brynner ou Franco Zeffirelli, tels que des avoués et des agents en visite, tels que toute la maisonnée Burton composée de dix-sept personnes, qui occupait un étage entier du plus luxueux hôtel de Dublin et qui, si j'avais bien compris, comprenait leurs enfants respectifs issus de divers mariages, les précepteurs desdits enfants, des coiffeurs, des secrétaires, et, selon un insolent membre de l'équipe, le type qui coupait les griffes de leur perroquet ? Tout ce monde, et Richard avait quand même besoin de moi ?

Bien sûr qu'il avait besoin de moi. Il était Alec Leamas.

Or Alec Leamas était un solitaire en pleine errance, une épave à la carrière fichue, et les seules personnes auxquelles il pouvait parler étaient des inconnus comme moi. Je ne m'en rendais pas compte à l'époque, mais je m'initiais là à ce qui se passe lorsqu'un acteur explore les zones les plus sombres de sa vie afin d'y puiser des éléments pour le rôle qu'il s'apprête à interpréter. Et le premier élément à exploiter quand on est cette épave d'Alec Leamas, c'est la solitude. Ce qui signifiait que, tant que Burton serait Leamas, toute la cour de Burton serait son ennemi avoué. Si Leamas marchait seul, Burton devait en faire autant. Si Leamas avait une demi-bouteille de Johnnie Walker dans la poche de son imperméable, Burton aussi. Et il en buvait de grandes goulées chaque fois que la solitude lui devenait insupportable, même si, comme cela fut vite évident, Leamas était doté d'une qualité qui faisait défaut à Burton : lui tenait l'alcool.

Dans quelle mesure cela affectait sa vie domestique, je n'en avais aucune idée, sinon par les bribes de conversation entre hommes que nous avions en sirotant du scotch : il était en disgrâce, Elizabeth n'était pas ravie ravie... Mais je ne me fiais pas trop à ces confidences. Comme beaucoup d'acteurs, Burton n'avait de cesse de se faire immédiatement un ami de toute personne rencontrée, ce que je constatai en le regardant user de son charme auprès de tout le monde, depuis le chef électricien jusqu'à la fille qui servait le thé, ce qui visiblement agaçait prodigieusement notre metteur en scène.

En même temps, Taylor avait peut-être ses raisons de ne pas être ravie ravie. Burton avait insisté auprès de Ritt pour qu'elle ait le rôle principal, mais Ritt l'avait confié à Claire Bloom, avec qui, selon la rumeur, Burton avait eu jadis une amourette. Et bien que Claire se confinât résolument dans sa caravane quand elle ne tournait pas, une Elizabeth bafouée pouvait difficilement apprécier de les voir flirter sur le plateau.

* * *

À présent, imaginez une place illuminée de Dublin traversée par un mur de Berlin reconstruit dans toute sa hideuse laideur en parpaings gris et barbelés. Les pubs ferment et tout Dublin est évidemment là pour profiter du spectacle. Fait exceptionnel, il ne pleut pas, aussi une équipe de pompiers de Dublin est prête à intervenir, car Oswald Morris, notre chef opérateur, aime que ses rues soient humides la nuit. Le long du mur, des décorateurs et des techniciens procèdent aux derniers ajustements. Il y a un endroit où des écrous forment une échelle sommaire à peine visible. Morris et Ritt sont occupés à l'étudier.

D'un instant à l'autre, Leamas va grimper à cette échelle, repousser les barbelés puis, étalé sur le sommet du mur, fixer avec horreur, de l'autre côté en bas, le cadavre de la pauvre femme qu'il a trahie bien malgré lui. Dans le roman, elle s'appelle Liz mais dans le film, pour des raisons évidentes, on l'a rebaptisée Nan.

D'un instant à l'autre, un assistant réalisateur ou autre préposé descendra les marches à l'extérieur de la fenêtre de la lugubre pièce en demi-sous-sol où Burton et moi sommes cloîtrés depuis deux heures. De là, Alec Leamas, vêtu d'un imperméable élimé, apparaîtra, prendra sa position devant le mur et, sur ordre de Ritt, commencera son ascension fatale.

Sauf que non. La demi-bouteille de Johnnie Walker est finie depuis longtemps et, bien que j'aie réussi à en boire la majeure partie, Leamas serait peut-être encore en état de grimper, mais Burton absolument pas.

Entre-temps, sous les vivats de la foule, la Rolls-Royce blanche conduite par son chauffeur français a fait son apparition. Burton, que la clameur extérieure tire trop tard de sa somnolence, s'écrie d'une voix rauque : « Nom de Dieu, Elizabeth, pauvre idiote ! » et monte les marches quatre à quatre. Déployant à plein volume cette voix de baryton que Ritt est décidé à mettre en sourdine, il vitupère contre le chauffeur dans un français approximatif (alors que ledit chauffeur parle très bien anglais) pour avoir livré Elizabeth à la populace dublinoise – un danger assez limité, pourrait-on penser, puisque toutes les forces de police de Dublin sont venues observer cette scène cocasse.

Mais impossible de résister à la fureur lyrique de Burton. Emportant Elizabeth, qui, par la fenêtre baissée, exprime son mécontentement par des regards furieux, le chauffeur passe la marche arrière et retourne au bercail sans demander son reste, laissant Marty Ritt debout à côté du mur, coiffé de sa casquette d'ouvrier, avec l'air de l'homme le plus seul et le plus furieux de la planète.

* * *

Sur le coup et à l'occasion depuis, quand j'ai vu travailler ensemble des acteurs et des réalisateurs sur d'autres films, je me suis demandé ce qui pouvait bien être la cause de l'hostilité de plus en plus ouverte entre Burton et Ritt, et j'en suis arrivé à la conclusion qu'elle était inéluctable. Certes, il y avait l'irritation due au fait que Ritt ait préféré Claire Bloom à Elizabeth Taylor pour le rôle de Nan. Mais à mon avis, la cause remonte à plus loin, à l'époque où Ritt était un gauchiste inscrit sur liste noire, blessé et furieux. Loin d'être une simple posture, chez lui, la conscience de classe était inscrite dans son ADN.

Au cours d'une des rares conversations de fond que j'ai eues avec Burton durant notre courte relation, il se vanta presque de son mépris pour l'homme de spectacle en lui et me dit qu'il aurait voulu être un Paul Scofield, c'est-à-dire éviter l'outrance des superproductions et l'argent des superproductions et n'accepter que des rôles ayant une vraie substance artistique. Ritt aurait applaudi des deux mains.

Mais cela n'excusait pas Burton pour autant. Le militant de gauche pur et dur, l'artiste engagé, le défenseur du mariage qu'était Ritt voyait en Burton l'incarnation de presque tous les défauts qui l'horripilaient. Parmi les citations qu'on attribue au réalisateur, l'une est emblématique : « Je n'ai pas un grand respect pour le talent. Le talent, c'est dans les gènes. C'est ce qu'on en fait qui compte. » Faire passer le profit avant l'art et le sexe avant la famille, exhiber sa richesse autant que sa femme, s'imbiber d'alcool de manière ostentatoire, se pavaner comme un dieu pendant que la plèbe réclamait justice à grands cris, c'était déjà grave, mais gâcher son talent, c'était un péché contre les dieux et les hommes. Et plus le talent était grand (or Burton avait des talents multiples et exceptionnels), plus grand était le péché aux yeux de Ritt.

En 1952, l'année où Ritt avait été mis sur liste noire, Burton, le prodige gallois de vingt-six ans à la voix d'or, se lançait dans sa carrière hollywoodienne. Ce n'était pas un hasard si plusieurs membres de l'équipe de *L'Espion qui venait du froid*, Claire Bloom et Sam Wanamaker en tête, avaient été blacklistés eux aussi. Il suffisait de prononcer le nom de n'importe qui ayant vécu cette période pour que Ritt dégaine : « Où était-il quand nous avions besoin de lui ? » Il voulait dire : nous a-t-il défendus, nous a-t-il trahis ou est-il resté muet comme un lâche ? Je ne serais pas surpris si, inconsciemment ou consciemment, cette même question pesait sur sa relation avec Burton.

* * *

Nous sommes sur la côte néerlandaise, dans une villa sur la plage de Scheveningen balayée par les vents. C'est la dernière journée du tournage de *L'Espion qui venait du froid*. Une scène d'intérieur intimiste. Leamas est en train de négocier sa propre destruction en acceptant de passer en Allemagne de l'Est pour livrer de précieux secrets aux ennemis de son pays. Je traîne quelque part derrière Oswald Morris et Martin Ritt en faisant de mon mieux pour ne pas gêner. La tension entre Burton et Ritt est palpable. Les indications de Ritt sont laconiques, lapidaires. Burton réagit à peine. Comme toujours pour les plans serrés, les acteurs parlent si bas et avec si peu d'effets qu'ils semblent aux non-initiés en train de répéter plutôt que de jouer. C'est pourquoi je suis très surpris quand Ritt annonce « C'est dans la boîte » et que la scène est terminée.

Mais elle n'est pas terminée. Un silence tendu s'installe, comme si tout le monde sauf moi savait ce qui va se passer. Puis Ritt, qui après tout est lui-même un grand acteur doté d'un très bon sens du timing, prononce ces mots qu'il réservait sans doute pour cet instant précis :

« *Richard, je viens de faire tirer son dernier coup à une vieille pute, et il fallait que ce soit devant un miroir.* »

Vrai ? Juste ?

Pas vrai, loin s'en faut, et pas juste du tout. Richard Burton était un artiste sérieux, cultivé, un autodidacte devenu un puits de science, avec des appétits et des défauts que, d'une manière ou d'une autre, nous partageons tous. S'il était victime de ses propres faiblesses, ces accès de puritanisme gallois qui cherchaient à les corriger n'étaient pas si éloignés de ceux de Ritt. Il était insolent, malicieux, généreux mais forcément manipulateur, car cela vient avec la célébrité. Je ne l'ai jamais connu dans des jours

263

plus sereins, mais je le regrette. Ce fut un magnifique Alec Leamas et, une autre année, son interprétation aurait pu lui valoir l'Oscar qui lui échappa toute sa vie. Le film était sinistre et tourné en noir et blanc, ce qui n'était pas au goût du jour en 1965.

Avec un metteur en scène ou un acteur de moindre envergure, le film n'eût pas été le même. À l'époque, j'imagine que mes instincts protecteurs penchaient plutôt vers Ritt, le gros bonhomme vaillant et amer, que vers le sublime et imprévisible Burton. Un metteur en scène porte tout le poids du film sur son dos, y compris les lubies de sa star. J'avais parfois le sentiment que Burton se donnait du mal pour rabaisser Ritt mais, en fin de compte, je crois qu'ils étaient assez bien assortis. Et c'est assurément Ritt qui eut le dernier mot. C'était un metteur en scène brillant, passionné, dont la colère indignée ne se laissa jamais apaiser.

29

Alec Guinness

Alec Guinness est mort avec sa discrétion coutumière. Il m'avait écrit une semaine avant sa disparition pour me faire part de ses inquiétudes concernant la maladie de son épouse Merula. Fidèle à lui-même, il avait à peine mentionné la sienne.

Impossible de lui dire à quel point il était génial, bien sûr. Si on avait la bêtise de s'y risquer, on s'attirait un regard noir. Mais en 1994, à l'occasion de ses quatre-vingts ans, une opération clandestine réussie montée par l'éditeur Christopher Sinclair-Stevenson résulta en un beau volume relié intitulé *Alec*, qui lui fut remis pour son anniversaire. Il renfermait des souvenirs, des poèmes, des témoignages d'affection et des remerciements, essentiellement écrits par de vieux amis. Je n'étais pas là lorsqu'il le reçut, mais je suis sûr qu'Alec se montra dûment grognon. Et peut-être aussi un peu content, ne serait-ce que parce qu'il chérissait l'amitié aussi profondément qu'il détestait les hommages, et dans cet ouvrage au moins se retrouvaient beaucoup de ses amis.

En comparaison avec la plupart des contributeurs de ce volume commémoratif, j'étais entré récemment dans la vie d'Alec, mais nous nous étions rapprochés grâce à différents projets professionnels étalés sur environ cinq ans, et nous étions restés en contact amical depuis. J'ai toujours été fier de notre relation, mais jamais si fier que lorsqu'il choisit ce texte que j'avais écrit pour ses quatre-vingts ans comme préface à son dernier livre de souvenirs.

Alec avait dit et répété qu'il ne souhaitait aucun hommage

265

funèbre, aucune réunion d'amis posthume, aucun étalage d'émotions. Mais j'ai l'excuse de savoir que ce petit portrait plaisait suffisamment à cet homme discret à l'extrême pour qu'il choisisse de l'offrir au monde.

* * *

Ce qui suit est en partie extrait de ma préface à ses Mémoires, agrémenté de quelques réflexions ultérieures :

Ce n'est pas un compagnon plaisant. Et pourquoi le serait-il ? L'enfant observateur tapi à l'intérieur de cet homme de quatre-vingts ans n'a toujours pas trouvé de havre de sécurité ni de réponse facile. Les privations et les humiliations remontant à trois quarts de siècle ne sont pas effacées. C'est comme s'il s'efforçait encore d'apaiser le monde adulte qui l'entoure, d'en extraire un peu d'amour, de lui quémander un sourire, d'en chasser ou d'en apprivoiser la monstruosité.

Mais il en abhorre les flatteries et en questionne les louanges. Il est aussi méfiant que les enfants apprennent à l'être. Il n'accorde sa confiance qu'après un long moment, avec des précautions infinies, et il est prêt à la reprendre à tout moment. Si vous êtes de ses incurables admirateurs, comme moi, vous vous efforcez de garder cette information pour vous.

Il se raccroche désespérément à l'aspect formel des choses. N'ayant que trop connu le chaos, il chérit les bonnes manières et le bon ordre. S'il sait s'incliner devant la beauté physique, il adore aussi les clowns, les singes et les gens bizarres dans la rue, les regardant comme s'ils étaient ses alliés naturels.

Jour et nuit, il étudie et enregistre les tics de l'ennemi adulte, il façonne son visage, sa voix et son corps en de multiples avatars de nous-mêmes tout en explorant simultanément la palette de sa propre nature : me préférez-vous comme ci, ou comme ça, ou encore comme ça ? À l'infini. Quand il construit un personnage, il dépouille éhontément les gens qui l'entourent.

Le regarder endosser une nouvelle identité, c'est observer un homme qui part en mission en territoire ennemi. Le déguisement est-il adapté pour lui (*lui* étant lui-même dans sa nouvelle incarnation) ? Les lunettes lui vont-elles ? Non, essayons plutôt celles-là. Ses chaussures sont-elles trop élégantes, trop neuves, vont-elles le trahir ? Et cette démarche, ce petit mouvement du genou, ce regard, cette posture… ça n'est pas un peu trop, d'après vous ? Et s'il a l'apparence de l'autochtone, en aura-t-il la façon de parler ? Maîtrisera-t-il le dialecte ?

Quand le spectacle ou la journée de tournage se termine et qu'il redevient Alec, son visage malléable luisant d'avoir été démaquillé, le cigarillo tremblant légèrement dans la main potelée, on ne peut s'empêcher de penser que le monde dans lequel il est revenu semble bien terne après toutes les aventures qu'il a vécues pendant sa mission.

Si solitaire qu'il puisse être, l'ancien officier de marine qu'il est adore aussi faire partie d'une équipe. Il n'aime rien tant que d'être bien dirigé, capable de respecter le sens des ordres reçus et la valeur de ses camarades. Quand il joue avec eux, il connaît leurs répliques aussi bien que les siennes. Au-delà de toute considération pour sa personne, c'est l'illusion collective qu'il chérit le plus, ce qu'on appelle par ailleurs « le spectacle » : cet autre monde si précieux où la vie a un sens, une forme, un but, et où les événements se déroulent selon des règles écrites.

Travailler avec lui sur un scénario s'apparente à ce que les Américains appelleraient une *masterclass*. Une scène peut passer par douze versions différentes avant qu'il en soit satisfait. Une autre, sans raison particulière, est adoubée sans le moindre débat. Ce n'est que plus tard, quand on découvre ce qu'il a décidé d'en faire, qu'on comprend pourquoi.

La discipline qu'il s'impose est draconienne, et il n'en attend pas moins des autres. J'étais présent un jour quand un acteur (devenu totalement sobre depuis) s'est présenté sur le plateau en état d'ébriété – entre autres parce qu'il était terrorisé à l'idée de donner la réplique à Guinness. Aux yeux d'Alec, c'était l'indignité suprême : ce pauvre homme aurait aussi bien pu s'endormir pendant son tour de garde. Mais dix minutes après, sa rage avait laissé place à une bonté presque désespérée. Le tournage du lendemain se déroula sans anicroche.

Si vous invitez Alec à dîner, il se présentera à votre porte tiré à quatre épingles alors que la pendule n'a pas fini d'égrener les coups de l'heure indiquée, même si Londres est paralysée par une tempête de neige. Si c'est vous qui êtes invité chez lui (éventualité plus probable, car c'est un hôte d'une générosité pathologique), alors une carte postale recouverte d'une belle écriture soignée inclinant élégamment vers le sud-est confirmera les arrangements pris par téléphone la veille.

Et vous aurez tout intérêt à lui rendre la courtoisie de sa ponctualité. Les gestes de ce genre comptent beaucoup pour lui. Ils sont un passage obligé dans le scénario de la vie, ils sont ce qui nous distingue de la bassesse et du tumulte de ses terribles jeunes années.

Mais je ne voudrais surtout pas que mon portrait en fasse un homme sévère.

Le rire en cascade d'Alec et sa franche camaraderie, quand ils éclatent, sont rendus encore plus miraculeux par le temps variable qui les a précédés. Le rayonnement soudain de plaisir, les anecdotes merveilleusement rythmées, les petites imitations physiques et vocales, le sourire coquin de dauphin qui s'élargit pour ensuite disparaître, je les revois encore alors même que j'écris. Si vous l'observez en compagnie d'autres acteurs de tous âges et de toutes origines, vous le verrez prendre ses aises avec eux comme un homme qui retrouve sa place préférée devant la cheminée. La nouveauté ne le dérange en rien. Il adore découvrir de jeunes talents et leur tendre la main sur le dur chemin que lui-même a parcouru.

Et il lit.

Certains acteurs auxquels on propose un rôle commencent par compter le nombre de leurs répliques pour en calculer l'importance. Alec se situe à l'extrême inverse. Aucun réalisateur, aucun producteur, aucun scénariste de ma connaissance n'a un meilleur œil que lui pour analyser la structure, le dialogue, ou ce petit plus qu'il traque éternellement : le McGuffin, le truc magique qui distinguera ce film du tout-venant.

La carrière d'Alec est jalonnée de rôles magnifiques et improbables. Le génie qui les a choisis était aussi inspiré que celui qui les a interprétés. Mon petit doigt m'a dit (serait-ce l'un des secrets bien gardés d'Alec ?) que son épouse Merula a beaucoup d'influence sur ses choix. Je n'en serais pas surpris. C'est une femme discrète et avisée, une artiste des plus douces, et elle a une très bonne vision des choses.

Qu'est-ce qui nous réunit, alors, nous qui avons eu la chance de partager quelques moments de la longue vie d'Alec ? Je dirais une incertitude constante sur la façon de nous comporter avec lui. Chacun veut lui montrer son amour, mais veut aussi lui donner l'espace dont il a visiblement besoin. Son talent est tellement à fleur de peau qu'on a l'instinct immédiat de le protéger des coups durs de la vie quotidienne. Mais ça, il le fait très bien tout seul, merci beaucoup.

Alors nous devenons comme les autres membres de son grand public : des donneurs qui ne peuvent pas donner, jamais capables d'exprimer notre gratitude, résignés à n'être que les récipiendaires du génie qu'il se refuse si résolument à reconnaître.

* * *

C'est l'heure du déjeuner au dernier étage de la BBC, par un jour d'été en 1979. Tous sur leur trente et un, les acteurs, les techniciens, les producteurs, le réalisateur et l'auteur de *La Taupe* sont réunis pour siroter du vin blanc tiède, un verre chacun, avant de se diriger vers la salle à manger où les attend un festin de poulet froid.

Mais il y a un petit retard. Le gong a résonné, les barons de la BBC se pavanent. L'auteur, les producteurs et le réalisateur sont tous là depuis longtemps, car les barons sont très à cheval sur la ponctualité. Les acteurs eux aussi sont arrivés en avance, et Alec, comme toujours, encore plus. Mais où diable peut bien être Bernard Hepton, notre principal second rôle, notre Toby Esterhase ?

Alors que nos verres de vin continuent à se réchauffer, tous les yeux se tournent vers les doubles portes. Bernard est-il souffrant ? A-t-il oublié ? Boude-t-il ? La rumeur rapporte quelques frictions entre Alec et Bernard pendant le tournage.

Les portes s'ouvrent. Avec une nonchalance étudiée, Bernard fait son entrée, habillé non pas des tristes gris et bleu marine de nous autres, mais d'un costume trois pièces à carreaux d'un vert criard rehaussé par des chaussures vernies orange.

Tandis qu'il avance en souriant dans la pièce, la voix suave de George Smiley l'accueille par ces mots :

« Tiens, Bernard. Tu es venu déguisé en grenouille. »

30

Chefs-d'œuvre mort-nés

Un jour, je pense, on reconnaîtra que les meilleurs films tirés de mes œuvres sont ceux qui n'ont jamais vu le jour.

En 1965, année de la sortie du film adapté de *L'Espion qui venait du froid*, je me laissai persuader par mon éditeur britannique d'aller à la Foire du livre de Francfort, épreuve que je redoutais, pour faire la promotion d'un roman sur lequel je ne misais pas beaucoup et me rendre agréable et intéressant aux yeux des journalistes. Assommé par le son de ma propre voix, las d'être refilé d'un journaliste étranger à un autre comme un sac de patates, je décidai d'aller bouder dans ma suite du Frankfurter Hof.

Et c'est donc ce que j'étais en train de faire un après-midi quand mon téléphone sonna et qu'une femme à la voix rauque parlant anglais avec un accent m'annonça que Fritz Lang était dans le hall et souhaitait me voir, donc pouvais-je descendre je vous prie ?

Je ne me laissai pas impressionner par cette invitation. En Allemagne, les Lang courent les rues et les Fritz encore plus. S'agissait-il de ce même odieux colporteur de potins littéraires que j'avais repoussé plus tôt dans la journée ? Je le craignais, et il utilisait cette femme pour m'attirer. Je lui demandai ce que souhaitait ce M. Lang.

« Fritz Lang, le *réalisateur*, me corrigea-t-elle sèchement. Il souhaite discuter avec vous d'une proposition. »

Si elle m'avait dit que Goethe m'attendait dans le hall, ma réaction n'eût guère été différente. Quand j'étudiais l'allemand à Berne

271

à la fin des années 1940, mes camarades et moi avions passé des soirées entières à discuter du génie de Fritz Lang, le grand réalisateur des années Weimar. Et nous connaissions un peu aussi sa biographie : juif autrichien élevé dans le catholicisme, blessé trois fois en combattant pour l'Autriche pendant la Première Guerre mondiale, puis coup sur coup acteur, scénariste et réalisateur expressionniste pendant l'âge d'or de l'UFA, légendaire studio berlinois des années 1920. Nous avions passionnément débattu de classiques expressionnistes comme *Metropolis* et visionné les cinq heures des *Nibelungen* et les quatre heures de *Docteur Mabuse, le joueur*. Sans doute parce qu'il m'arrangeait de considérer les escrocs comme des héros, j'avais une affection particulière pour *M le Maudit*, dans lequel Peter Lorre joue un assassin d'enfants traqué par le milieu.

Mais Lang après 1933 ? Trente ans après ? J'avais lu qu'il avait tourné des films à Hollywood, mais je ne me rappelais pas en avoir vu. Pour moi, il était et resterait l'homme de Weimar. En toute honnêteté, j'ignorais même qu'il était encore en vie. Et je soupçonnais toujours cet appel téléphonique d'être un canular.

« Vous êtes en train de me dire que le Dr Mabuse est en bas ? demandai-je à la séduisante voix de femme d'un ton que j'espérai hautement sceptique.

– C'est M. Fritz Lang le réalisateur, et il souhaite avoir une conversation constructive avec vous », répéta-t-elle sans céder un pouce de terrain.

Si c'est le vrai Fritz Lang, il portera son bandeau sur l'œil, me dis-je en enfilant une chemise propre avant de choisir une cravate.

Il portait bien son bandeau sur l'œil. Et des lunettes, aussi, ce qui me troubla : pourquoi deux verres pour un seul œil ? C'était un homme impressionnant, massif, avec un visage fait de courbes musclées, une mâchoire proéminente de boxeur, un sourire peu amène. Il portait un haut chapeau gris dont le rebord protégeait son œil valide de la lumière du plafonnier. Assis comme un vieux pirate, tout raide sur son fauteuil, il penchait la tête en arrière comme pour écouter quelque chose qu'il n'était pas sûr d'apprécier et serrait ses mains puissantes sur la poignée d'une canne coincée entre ses genoux. Tel m'apparut l'homme qui, à en croire la légende, avait jeté Peter Lorre dans un escalier sur le tournage de *M le Maudit* sous l'effet d'une crise de passion créatrice.

La femme à la voix rauque qui m'avait téléphoné était assise à côté de lui. Je ne saurai jamais s'il s'agissait de sa maîtresse, de sa nouvelle jeune épouse ou de son imprésario. Plus proche de mon âge que du sien, elle semblait résolue à ce que notre conversation soit un succès. Elle commanda du thé anglais et me demanda si je passais un bon moment à la Foire du livre (excellent, mentis-je), tandis que Lang souriait toujours dans le lointain d'un air sinistre. Une fois terminés les échanges de banalités, il nous laissa un instant à notre silence, puis :

« Je veux faire un film à partir de votre petit roman *Chandelles noires*, annonça-t-il dans un anglais pompeux à l'accent américano-allemand, posant une lourde main sur mon avant-bras. Vous venez en Californie. Nous faisons un scénario ensemble, nous faisons un film. Vous voulez ça ? »

« Petit roman » était la formule appropriée, me dis-je quand j'eus recouvré mes esprits. Je l'avais écrit en quelques semaines, peu après mon arrivée à l'ambassade britannique à Bonn. C'est l'histoire d'un professeur d'école privée, proche de la retraite, qui assassine un de ses élèves de façon à couvrir un précédent meurtre. On appelle George Smiley à la rescousse, et il le démasque. Maintenant que j'y pensais, il n'était pas aberrant que, malgré tous ses défauts, ce roman puisse attirer le réalisateur de *M le Maudit*. Le seul souci, c'était George Smiley. Aux termes d'un contrat que je n'aurais jamais dû signer, Smiley était la propriété exclusive d'un grand studio. Lang ne se laissa pas décourager.

« Écoutez-moi, je connais ces gens. Ce sont mes amis. Peut-être on les laisse financer le film. C'est une bonne affaire pour un studio. Ils sont propriétaires de votre personnage, et ils récupèrent un film sur lui. C'est du bon business, pour eux. Vous aimez la Californie ? »

J'aime beaucoup la Californie.

« Vous venez en Californie. Nous travaillons ensemble, nous écrivons un scénario et nous faisons un film. Noir et blanc, comme votre *Espion qui venait du froid*. Vous avez un problème avec le noir et blanc ? »

Aucun problème.

« Vous avez un agent pour le cinéma ? »

Je lui fournis son nom.

« Écoutez, ce type, il me doit sa carrière. Je parle à votre agent, on signe un contrat, et après Noël on s'installe en Californie et on écrit un scénario. Après Noël, c'est bon pour vous ? » demanda-t-il en souriant toujours aux anges, la main toujours posée sur mon avant-bras.

Après Noël me convient très bien.

J'avais remarqué que sa compagne guidait légèrement sa main libre quand il la tendait pour attraper sa tasse. Il but une gorgée et, avec son aide, reposa la tasse, puis il replaça la main sur la poignée de sa canne. Il tendit de nouveau la main vers la tasse, et la femme l'aida de nouveau.

Je n'ai plus jamais entendu parler de Fritz Lang. Mon agent cinéma me l'avait prédit. Il ne mentionna pas sa cécité imminente, mais la sentence de mort qu'il prononça était tout aussi absolue : Fritz Lang n'était plus *bankable*.

* * *

En 1968, mon roman *Une petite ville en Allemagne* avait brièvement inspiré Sydney Pollack. Notre collaboration, que la découverte par Sydney des pentes suisses était venue compliquer, n'avait pas tenu toutes ses promesses et la société qui avait acheté les droits d'adaptation avait fait faillite, ce qui créait un embrouillamini juridique. Si j'avais appris une chose sur l'industrie cinématographique, c'était bien de ne plus jamais me laisser emporter par les enthousiasmes magnifiques mais éphémères de Sydney.

Rien de plus naturel, donc, que quand vingt ans plus tard il m'appela au beau milieu de la nuit pour me dire de sa voix mélodieuse poussée à fond que mon nouveau roman, *Le Directeur de nuit*, serait le film majeur de sa carrière, je laisse tout en plan pour attraper le premier avion à destination de New York. Sydney et moi étions bien d'accord que cette fois-ci, nous allions nous montrer plus mûrs et plus sages. Pas de villages suisses pour nous, pas de chutes de neige tentatrices, pas de Martin Epp, pas de face nord de l'Eiger. Cette fois-ci, Robert Towne en personne, à l'époque la star la plus étincelante au firmament des scénaristes (et très certainement la plus chère), écrirait le script pour nous. La Paramount accepta d'acheter les droits.

Dans une planque de Santa Monica où nous étions sûrs de ne pas être dérangés, Sydney, Bob Towne et moi prenions des tours pour arpenter la pièce et faire assaut d'idées géniales, jusqu'à ce qu'une énorme explosion mette un terme abrupt à nos délibérations. Towne, convaincu qu'il s'agissait d'une attaque terroriste, se jeta au sol. Sydney, homme d'action intrépide, appela la police de Los Angeles sur un numéro d'urgence dont j'aime à croire qu'il était réservé aux grands réalisateurs. Moi, avec ma présence d'esprit habituelle, je restai là bouche bée.

La réponse du commissariat fut rassurante : ce n'est qu'une petite secousse sismique, Sydney, pas de quoi s'inquiéter, et au fait, vous êtes en train de préparer quel genre de film, là-bas ? Notre trio se remit à faire assaut d'idées géniales (quoique un peu moins géniales qu'avant) et se sépara tôt en décidant que Towne écrirait la première version et que Sydney retravaillerait ensuite dessus avec lui. Je serais une ressource passive.

« Si jamais vous voulez tester vos idées sur moi, Bob, n'hésitez pas à me contacter », dis-je, magnanime, en lui donnant mon numéro de téléphone en Cornouailles.

Towne et moi ne nous sommes jamais reparlé. Alors que mon avion décollait de l'aéroport de Los Angeles, une alerte maximale au tremblement de terre était annoncée par les haut-parleurs. Sydney avait dit qu'il me rejoindrait en Cornouailles dès qu'on aurait le premier jet de Towne. À l'époque, j'avais un petit pavillon pour les amis au bout du chemin qui partait de la maison, que je fis préparer pour l'accueillir. Il travaillait au montage d'un thriller de John Grisham qu'il venait de tourner avec Tom Cruise, m'expliqua-t-il, et notre projet serait le suivant. Bob est au taquet. Il adore votre travail, David. Pour lui, c'est un défi formidable. Il est à fond, dans les starting-blocks. Il a juste un ou deux scénars à boucler d'abord. Ensuite, je reçus au compte-gouttes des petits bulletins d'informations dont l'espacement s'accrut avec le temps. Towne a du mal avec la scène finale, et nom de Dieu, Cornwell, pourquoi vous acharnez-vous à écrire des bouquins si compliqués ?

Enfin, au beau milieu de la nuit cornique, comme toujours, l'appel que j'attendais patiemment : Retrouvez-moi à Venise vendredi. Il ajoute que le film avec Tom Cruise a l'air de battre tous les records. Les projections test ont marché du feu de Dieu. Le studio est aux anges. Super, commenté-je, formidable, et au fait où en est Bob ? On se voit vendredi. Je m'arrangerai pour que mon équipe vous réserve une suite à l'hôtel.

Je lâche tout et je prends l'avion pour Venise. Sydney apprécie la bonne chère, mais il mange vite, surtout quand il est distrait. Bob s'en sort très bien, me dit-il vaguement, comme s'il me donnait des nouvelles de la santé d'un ami éloigné. Il a fait un petit blocage sur le milieu de l'histoire, mais il va s'y remettre bientôt. Le milieu, Sydney ? Je croyais que c'était la scène finale qui lui posait problème. Elles sont liées, me dit Sydney, qui, pendant tout ce temps, voit défiler une ribambelle de messagers essoufflés : super critiques, Sydney, t'as vu ça, cinq étoiles et deux pouces levés, on est en train de marquer l'histoire du showbiz, nom de Dieu ! Sydney a une idée : et si je prenais l'avion avec lui pour Deauville demain ? Ils projettent le film à ce festival-là aussi. On pourra parler dans l'avion. On ne sera pas interrompus.

Le lendemain, donc, nous partons pour Deauville à bord du Lear de Sydney. Nous sommes quatre : Sydney et son copilote, tous les deux coiffés de casques et assis aux commandes, un second pilote et moi à l'arrière. John Calley, un ami de Sydney alors à la tête de Sony Columbia, et Stanley Kubrick, autre maniaque de la sécurité aérienne, m'ont tous les deux enjoint de ne jamais voler avec Sydney aux commandes : pensez juste au risque statistique d'un bleu du pilotage qui cumule zéro kilomètre au compteur, David, et ne tentez pas le diable. Après un voyage étonnamment court, nous atterrissons à Deauville, et Sydney est aussitôt assailli par un essaim de cadres des studios, d'agents d'acteurs et de gens du marketing. Il disparaît dans une limousine, je suis escorté vers une autre. Dans notre palace, une immense suite m'attend : fleurs, champagne envoyé par la direction et note de bienvenue adressée à Monsieur David Carr. J'appelle le concierge et je lui demande les horaires des ferries. Après quelques tentatives infructueuses, j'arrive à me faire connecter à la suite de Sydney. Tout cela est bien joli, Sydney, mais vous êtes très occupé en ce moment et je ne crois pas que notre projet soit votre priorité actuelle. Je vais retourner à la maison, et on en parlera tranquillement quand Bob vous aura remis le scénario, qu'en pensez-vous ?

Très concerné, d'un coup, Sydney veut savoir comment je me propose de rejoindre l'Angleterre depuis Deauville. Un ferry, Cornwell, mais c'est du délire ! Je suis complètement fou ! Prenez le Lear, bordel ! Sydney, franchement, le ferry, ça me va très bien, merci. Il y en a plein. Et j'adore voyager par bateau.

Je prends le Lear, bordel. Cette fois-ci, nous sommes trois : les deux pilotes de Sydney à l'avant et moi à l'arrière. L'aéroport de Newquay, qui est immense mais en partie affecté à la Royal Air Force, ne veut pas nous accueillir. Nous nous rabattons sur Exeter. Je me retrouve soudain seul sur une piste déserte à l'aéroport d'Exeter avec ma valise, et le Lear est déjà à mi-chemin de son trajet de retour à Deauville. Je cherche en vain autour de moi un bâtiment des douanes ou de l'immigration. Un terrassier portant un gilet orange haute visibilité travaille à la pioche sur le côté de la piste. Excusez-moi, je viens d'arriver par jet privé, pourriez-vous m'indiquer la douane ? Vous arrivez d'où ? me demande-t-il d'un ton officiel en s'appuyant sur le manche de sa pioche. De France ? Mais c'est le Marché commun, ça ! Il secoue la tête face à mon imbécillité et reprend son labeur. J'escalade une petite palissade qui me sépare du parking, où ma femme m'attend pour me reconduire à la maison.

C'est seulement lorsque Towne fit une apparition au festival du film d'Édimbourg un an plus tard et, selon mes espions sur place, parla doctement des problèmes insolubles soulevés par l'adaptation de mes livres pour le grand écran que je compris qu'il n'y avait plus d'espoir. Nom de Dieu, Cornwell, Bob a été infoutu de trouver une solution pour la scène finale.

* * *

Quand Francis Ford Coppola m'appela pour m'inviter à séjourner dans sa propriété viticole de Napa Valley afin de collaborer avec lui sur une adaptation cinématographique de mon roman *Notre jeu*, je savais que cette fois-ci, ça allait marcher. Je pris l'avion pour San Francisco. Coppola m'avait envoyé une voiture. Sans surprise, ce fut un bonheur de travailler avec lui : il était vif, incisif, créatif, motivant. En cinq jours, si on continue d'avancer comme ça, on aura un premier jet bouclé, m'assura-t-il. Et ce fut le cas. Nous fonctionnions à merveille, tous les deux. J'avais un bungalow tout à moi sur la propriété, je me levais à l'aube et j'écrivais des pages géniales jusqu'à midi. Déjeuner familial à l'ancienne autour de la grande table, cuisiné par Coppola lui-même. Promenade au bord du lac, petite baignade éventuellement, et on se remet à être géniaux tous les deux pour le restant de l'après-midi.

Au bout de cinq jours, c'était dans la boîte. Harrison va adorer, dit Coppola par référence à Harrison Ford. (À Hollywood, les noms de famille ne sont utilisés que par les non-initiés.) Il y eut un moment délicat lorsque Coppola fit passer notre scénario à son relecteur maison, pour le récupérer surchargé de lignes ondulées et d'annotations crayonnées en marge du genre : « C'est de la merde ! Ne le dis pas, montre-le ! », mais Coppola se rit de ces commentaires si bon enfant. Son relecteur était toujours comme ça, me dit-il. Ce n'est pas pour rien qu'on le surnommait le tueur aux ciseaux. Le scénario serait transmis à Harrison lundi. Et j'étais libre de retourner en Angleterre pour attendre la suite des événements.

Je retournai en Angleterre pour attendre. Des semaines passèrent. J'appelai Coppola, mais je tombai sur son assistant. Francis est débordé en ce moment, David, je peux vous aider, peut-être ? Non, David, Harrison n'a pas encore répondu. Et au jour d'aujourd'hui, pour autant que je le sache, Harrison n'a toujours pas répondu. Personne n'est plus fort en silence que Hollywood.

* * *

Je découvris l'intérêt que Stanley Kubrick portait à une adaptation pour le grand écran de mon roman *Un pur espion* quand il me téléphona pour me demander pourquoi j'avais refusé son offre sur les droits cinéma. Moi, j'avais dit non à Stanley Kubrick ? J'en étais aussi stupéfait qu'horrifié. Nous nous connaissons, nom de Dieu ! Enfin, pas très bien, mais quand même. Pourquoi ne m'avait-il pas appelé directement pour me faire part de son intérêt ? Et surtout, qu'est-ce qui avait bien pu passer par la tête de mon agent cinéma pour ne pas m'annoncer qu'il avait reçu une offre de Kubrick, puis pour avoir cédé les droits du livre à la BBC ? Stanley, dis-je, je vais vérifier tout ça de ce pas et je reviens vers vous. Par hasard, sauriez-vous me dire quand vous avez fait cette proposition ? Ben, à la seconde où j'ai fini de lire le livre, David, pourquoi aurais-je fait traîner ?

Mon agent était aussi mystifié que moi. Il n'y avait eu qu'une seule offre cinéma pour *Un pur espion* en dehors de la BBC, mais elle était tellement ridicule qu'il n'avait même pas voulu me déranger à ce sujet. Un certain « Dr Feldman » de Genève (crois-je me rappeler) avait souhaité poser une option sur mon roman comme outil pédagogique pour un cours sur l'adaptation cinématographique des livres. Cela se ferait sous la forme d'un concours : l'étudiant qui présenterait le meilleur scénario aurait le plaisir de voir une ou deux minutes de son travail portées sur grand écran. Pour une option de deux ans sur *Un pur espion*, le Dr Feldman et ses collègues se disaient prêts à verser un forfait de cinq mille dollars.

J'étais sur le point de rappeler Kubrick pour l'assurer que son offre à lui n'était jamais arrivée jusqu'à moi, mais quelque chose me retint. Je sondai mon ami John Calley, une grosse légume du studio pour lequel travaillait parfois Kubrick. Ma question le fit bien rire. Oh ça, c'est du Stanley tout craché. Il a toujours peur que son nom fasse monter les enchères.

Je rappelai Kubrick pour lui dire avec tout le sérieux voulu que, si j'avais su que le Dr Feldman était son intermédiaire, j'y aurais pensé à deux fois avant d'accorder les droits à la BBC. Nullement affecté, Kubrick me répondit qu'il serait heureux de réaliser la mini-série. Je contactai donc Jonathan Powell, le producteur de la BBC qui œuvrait à *Un pur espion* après avoir piloté les adaptations télévisuelles de *La Taupe* et des *Gens de Smiley*. Et si on confiait la réalisation de la série à Stanley Kubrick ? lui suggérai-je.

Silence. Powell, qui n'était pas homme à céder à ses émotions, prenait un moment pour se ressaisir.

« Pour faire exploser le budget de plusieurs millions de livres, c'est ça ? Et boucler la série avec deux ans de retard ? Je crois qu'on va rester comme on est, merci. »

* * *

Peu après cette tentative, Kubrick suggéra que je lui écrive un film d'espionnage se déroulant en France pendant la Seconde Guerre mondiale et décrivant la rivalité entre le MI6 et le SOE. Je lui dis que j'y réfléchirais, j'y réfléchis, je ne fus pas séduit et je refusai. OK, alors une adaptation d'une nouvelle érotique de l'auteur autrichien Arthur Schnitzler[1] ? Il m'apprit qu'il en détenait les droits, et je ne lui demandai pas si le Dr Feldman de

---

1. Elle fut ensuite portée à l'écran par Kubrick sous le titre *Eyes Wide Shut*, avec Tom Cruise et Nicole Kidman.

Genève les avait achetés pour lui sous des prétextes pédagogiques. Je lui dis que je connaissais l'œuvre de Schnitzler et que l'idée de l'adapter m'intéressait. J'avais à peine raccroché qu'une Mercedes rouge se garait devant chez moi, d'où descendit le chauffeur italien de Kubrick, armé d'une traduction anglaise ronéotypée de *La Nouvelle rêvée* de Schnitzler, dont je n'avais pas besoin, et d'une brassée de critiques littéraires.

Deux jours plus tard, cette même Mercedes me conduisit dans la vaste propriété que possédait Kubrick près de St Albans. J'y étais déjà allé une ou deux fois, mais rien ne m'avait préparé à la vue de deux immenses cages métalliques dans l'entrée, l'une occupée par des chats, l'autre par des chiens. Des trappes et des passerelles métalliques menaient d'une cage à l'autre. Tout chat ou chien pris de l'envie de socialiser avec l'espèce opposée pouvait le faire. Certains le faisaient, d'autres non, m'expliqua Kubrick. Cela prendrait du temps. Les chats et les chiens avaient un lourd passif entre eux.

Suivis par des chiens (et aucun chat), Kubrick et moi partons nous promener dans le parc. À sa demande, je pontifie sur la façon dont la nouvelle de Schnitzler pourrait être transposée à l'écran. Son érotisme me semble exacerbé par les inhibitions et le snobisme de classe. La Vienne des années 1920 était un lieu vibrant de licence sexuelle, certes, mais aussi d'intolérance sociale et religieuse, d'antisémitisme chronique et de préjugés. Quiconque évoluait dans la société viennoise (ainsi notre jeune protagoniste, le médecin obsédé sexuel) en bravait les conventions à ses risques et périls. Le parcours érotique de notre héros, qui commence par son incapacité à faire l'amour à sa belle jeune femme pour culminer avec sa tentative ratée de prendre part à une orgie dans la demeure d'un noble autrichien, était semé de dangers sociaux aussi bien que physiques.

Emporté par mon sujet tout en sillonnant le parc avec Kubrick et la meute de chiens sur nos talons, je lui dis que notre film devrait arriver à recréer cette atmosphère oppressante et la contraster avec la quête d'identité sexuelle de notre héros.

« Et on s'y prend comment, pour faire ça ? » me demanda Kubrick juste au moment où je commençais à me dire que les chiens avaient capté toute son attention.

Eh bien, Stanley, j'y ai pensé, et je crois que la meilleure solution c'est de choisir une cité médiévale fortifiée ou une ville de province qui symbolise visuellement le confinement.

Aucune réaction.

Comme Avignon, par exemple, ou bien Wells, dans le Somerset. De hautes murailles, des remparts, des ruelles étroites, des portes sombres.

Aucune réaction.

Une cité ecclésiastique, voyez-vous, Stanley, peut-être catholique comme la Vienne de Schnitzler, pourquoi pas ? Avec un évêché, un monastère, un séminaire... De beaux jeunes hommes en soutane qui croisent de jeunes nonnes sans tout à fait détourner le regard. Des cloches qui résonnent. Ça sentirait presque l'encens, Stanley.

M'écoute-t-il ? Est-il fasciné ou juste puissamment ennuyé ?

Et les grandes dames de cette ville, Stanley, de vraies grenouilles de bénitier en apparence, mais si douées pour la duplicité que lorsqu'on est invité à l'évêché on ne sait pas si la dame à côté de laquelle on est assis est celle qu'on sautait à l'orgie de la veille ou si elle était chez elle à réciter ses prières avec ses enfants.

Je conclus ainsi mon aria, assez content de moi, je dois l'avouer. Nous poursuivons notre promenade quelque temps en silence. Même les chiens semblent secrètement se délecter de mon éloquence. Au bout d'un long moment, Stanley s'exprime enfin :

« Je pense qu'on va situer le film à New York », décrète-t-il, et nous reprenons le chemin de la maison.

31

La cravate de Bernard Pivot

Les interviews sont rarement agréables. Toutes sont stressantes, la plupart sont ennuyeuses et certaines sont carrément atroces, surtout quand le journaliste est un de mes concitoyens : le vieux journaleux grognon qui n'a pas bien fait ses devoirs, c'est-à-dire pas lu le livre, qui croit vous accorder une faveur en faisant le déplacement et qui a besoin d'un verre ; le jeune romancier qui vous juge de seconde zone mais qui veut quand même vous faire lire son tapuscrit inachevé ; la féministe qui attribue toute votre réussite à votre statut d'enfoiré de mâle blanc petit-bourgeois et qui n'a peut-être pas tort.

À l'inverse, pour ce que j'ai pu en voir, les journalistes étrangers sont sobres, efficaces, ils ont lu votre livre de bout en bout et ils connaissent votre œuvre mieux que vous – avec quelques rares exceptions qui confirment la règle, comme ce jeune Français de *L'Événement du jeudi* qui, loin de se laisser décourager par mon refus de lui accorder une interview, se planta ostensiblement devant ma maison en Cornouailles, la survola en rase-mottes dans un petit coucou et en fit une autre reconnaissance depuis un bateau de pêche côtière avant d'écrire un article sur son escapade qui rendait justice à la puissance de son inventivité.

Ou encore ce photographe, également jeune et français, envoyé par un autre magazine, qui insista pour me présenter un échantillon de son travail avant de me tirer le portrait. Il ouvrit un book graisseux et me montra des clichés de sommités telles que Saul Bellow,

Margaret Atwood et Philip Roth. Quand je les eus dûment admirés l'un après l'autre avec mon enthousiasme coutumier, il passa à la photo suivante, une vue de dos d'un chat en fuite la queue levée.

« Vous aimez le cul du chat ? demanda-t-il en scrutant de près ma réaction.

– C'est un beau cliché, bien éclairé, superbe », répliquai-je avec tout le sang-froid que j'étais capable de réunir.

Ses yeux s'étrécirent et un sourire madré s'étala sur son visage ridiculement jeune.

« Le cul du chat, c'est mon test, expliqua-t-il fièrement. Si mon sujet est choqué, je sais qu'il manque de sophistication.

– Donc moi, ça va ? »

Pour son portrait, il voulait une porte. Une porte sur l'extérieur. Peu importait son style ou sa couleur, mais il fallait qu'elle soit un peu encastrée, avec de l'ombre. Je dois ajouter que c'était un homme de très petite stature, presque un elfe, à tel point que je faillis lui proposer de porter son lourd sac de matériel pour le décharger.

« Je refuse de poser en maître espion », affirmai-je avec une fermeté inhabituelle.

Il balaya mon inquiétude : la porte n'avait rien à voir avec les espions, il s'agissait de symboliser la profondeur. Au bout d'un moment, je finis par en dénicher une qui répondait à ses critères exigeants. Suivant les consignes, je me postai devant et regardai droit dans l'objectif, une demi-sphère de trente centimètres de diamètre comme je n'en avais jamais vu auparavant. Le photographe avait mis un genou à terre et collé un œil au viseur, quand soudain deux très grands gaillards d'allure arabe s'arrêtèrent derrière lui et me parlèrent dans son dos.

« Excusez-moi, monsieur, pourriez-vous nous indiquer le chemin jusqu'à la station de métro de Hampstead, je vous prie ? »

Je m'apprêtais à leur indiquer Flask Walk quand mon photographe, furieux de voir ainsi perturbée sa concentration, se retourna d'un bloc, toujours sur un genou, et leur hurla dessus un « Cassez-vous ! » suraigu. Étonnamment, ils obéirent.

* * *

En dehors de ces deux incidents, mes intervieweurs français au fil des ans ont fait preuve, je le répète, d'une sensibilité que leurs homologues britanniques auraient bien fait de prendre en exemple. Ce qui explique pourquoi et comment, sur l'île de Capri en 1987, je remis ma vie entre les mains de Bernard Pivot, star absolue de la culture à la télévision française, créateur et présentateur d'*Apostrophes*, émission littéraire hebdomadaire qui, depuis treize ans, passionnait *la France entière** en prime time tous les vendredis soir.

J'étais venu à Capri recevoir un prix en tant que romancier, et Pivot aussi, en tant que journaliste. Imaginez Capri par une parfaite soirée d'automne. Deux cents invités au dîner, tous beaux, sont réunis sous un ciel étoilé. La nourriture est divine, le vin un pur nectar. À la table d'honneur, qui regroupe les récipiendaires des prix, Pivot et moi échangeons quelques mots sympathiques. C'est un homme dans la force de l'âge – une petite cinquantaine, vif, énergique, simple. Remarquant que lui seul de tous les hommes porte une cravate, il fait un commentaire plein d'autodérision, l'enlève, la roule et la fourre dans sa poche. Cette cravate a son importance.

La soirée avançant, il me gronde pour avoir décliné toutes ses invitations à participer à son émission. Je feins l'embarras, je lui dis que je devais être dans une de mes périodes de rejet (c'était le cas) et j'arrive je ne sais trop comment à laisser cette question en suspens.

À midi le lendemain, nous nous présentons à la mairie de Capri pour la cérémonie officielle de remise des récompenses. Le diplomate défroqué en moi a prudemment opté pour le costume-cravate. En tenue décontractée, Pivot découvre que, si la veille au soir il portait une cravate alors que ce n'était pas de rigueur, aujourd'hui il n'en porte pas alors que tous les autres hommes en arborent. Dans son discours de remerciement, il se désole de son manque de savoir-vivre et me désigne comme étant l'homme qui a toujours tout bon mais se refuse à faire une apparition dans son émission littéraire.

Emporté par cette offensive de charme parfaitement maîtrisée, je me lève d'un bond, j'arrache ma cravate, je la lui tends et, devant une foule compacte de témoins enthousiastes, ne serait-ce que pour l'amour du geste théâtral, je lui dis qu'elle est à lui et que, dorénavant, il lui suffira de me la montrer pour que je vienne dans son émission. Lors du vol de retour vers Londres le lendemain matin, je me demande si les promesses faites à Capri ont force de loi. Quelques jours plus tard, je découvre que oui.

Ce à quoi je me suis ainsi engagé, c'est une interview en direct, en français, d'une durée de soixante-quinze minutes, face à Bernard Pivot et trois journalistes français renommés. Il n'y aura pas de préparation, pas de questions envoyées à l'avance mais, comme me le précise mon éditeur français, un débat tous azimuts couvrant tous les sujets, de la politique à la culture en passant par la littérature et la sexualité ou tout autre domaine qui traverserait l'esprit bouillonnant de Bernard Pivot.

Et moi qui ai à peine parlé un mot de français depuis le temps où j'enseignais cette langue au lycée trente ans plus tôt...

* * *

L'Alliance française occupe une jolie maison qui fait un coin de Dorset Square. Je pris une profonde inspiration et j'entrai. À la réception était assise une jeune femme aux cheveux courts et aux grands yeux noisette.

« Bonjour, lui dis-je en anglais. J'aurais voulu des cours de remise à niveau en français. »

Elle me dévisagea d'un regard à la fois sévère et stupéfait.

« *Quoi ?** » dit-elle, et à partir de là tout s'enchaîna.

D'abord, dans mon français rouillé, je conversai avec Rita, puis avec Roland et enfin avec Jacqueline, dans cet ordre me semble-t-il. À la simple mention d'*Apostrophes*, ils passèrent en mode commando. Rita et Jacqueline me dispenseraient en alternance des cours en immersion. Rita (ou bien était-ce Jacqueline ?) se concentrerait sur mon français parlé et m'aiderait à formuler des réponses aux questions prévisibles. Jacqueline, en collaboration avec Roland, mettrait au point la stratégie de notre campagne militaire. Fort de la devise « connais ton ennemi », ils dresseraient un profil psychologique de Pivot, étudieraient son mode opératoire et ses sujets de prédilection et surveilleraient de près les nouvelles, car les producteurs d'*Apostrophes* tenaient beaucoup à ce que l'émission colle à l'actualité.

À cette fin, Roland réunit un corpus de précédentes émissions d'*Apostrophes*. La rapidité et l'intelligence des échanges entre les participants me terrorisèrent. Sans en parler à mes tuteurs, je me renseignai discrètement sur la possibilité d'obtenir un interprète. La réponse de Pivot fut instantanée : sur la foi de nos conversations à Capri, il était certain que tout se passerait très bien. Mes trois autres interrogateurs seraient Edward Behr, journaliste polyglotte et correspondant à l'étranger renommé, Philippe Labro, célèbre écrivain, journaliste et réalisateur, et Catherine David, journaliste littéraire respectée.

Mon dégoût pour toute espèce d'interview n'est pas une affectation, même s'il m'arrive à l'occasion de céder à la tentation ou aux pressions de mes éditeurs. Le jeu de la célébrité n'a strictement rien à voir avec l'écriture et se joue dans une arène totalement différente. J'en ai toujours été conscient. C'est une performance théâtrale, oui ; un exercice de mise en avant de soi, certainement ; et, du point de vue des éditeurs, le meilleur outil promotionnel gratuit qui soit. Mais cela peut détruire un talent aussi vite que le lancer. J'ai rencontré au moins un écrivain qui, après avoir passé toute une année à promouvoir son travail dans le monde entier, sentait que cet exercice avait asséché sa créativité, et je crains fort qu'il ne soit dans le vrai.

Dans mon cas particulier, ma carrière d'écrivain avait d'emblée été lestée par deux lourds secrets de polichinelle : la scandaleuse carrière de mon père qui, si quiconque avait pris le soin de faire le rapprochement, était de notoriété publique ; et mes liens avec le monde du renseignement, que je m'interdisais formellement d'évoquer, à la fois en vertu de la loi et par choix personnel. Le sentiment que les interviews tenaient autant à ce que je devais cacher qu'à ce que je devais dire était donc ancré en moi bien avant que je me lance dans une carrière d'écrivain.

* * *

Tout ceci par parenthèse, alors que je prends place sur l'estrade d'un studio de télévision parisien bondé pour pénétrer le monde de sérénité surréaliste qui jouxte le monde du trac. Pivot sort ma cravate de sa poche et raconte son histoire avec brio. Le public adore. Nous discutons du mur de Berlin et de la Guerre froide. Un extrait du film *L'Espion qui venait du froid* m'accorde un moment de répit, ainsi que les longues interventions de mes trois interrogateurs, qui ont tendance à être des professions de foi plutôt que de véritables questions. Nous parlons de Kim Philby, d'Oleg Penkovsky, de la perestroïka et de la glasnost. Mon équipe de conseillers à l'Alliance française avait-elle couvert ces sujets pendant nos briefings pré-opérationnels ? À l'évidence oui, parce que j'ai l'air de réciter du par-cœur. Nous louangeons Joseph Conrad, Somerset Maugham, Graham Greene et Balzac. Nous évoquons Margaret Thatcher. Était-ce Jacqueline qui m'avait initié à la cadence du paragraphe rhétorique à la française (thèse, antithèse, synthèse personnelle et ouverture) ? Je ne sais si c'était Jacqueline, Rita ou Roland, mais je leur adresse mes remerciements à tous les trois et la foule manifeste de nouveau sa joie.

À voir Pivot faire son numéro en direct devant un public qui tombe en pâmoison, on comprend aisément comment il a réussi quelque chose qu'aucun autre homme de télévision sur cette planète n'est même vaguement parvenu à imiter. Ce n'est pas qu'une question de charisme. Ce n'est pas juste de l'énergie, du charme, de la dextérité, de l'érudition. Pivot a cette qualité des plus insaisissables, celle pour laquelle les producteurs de cinéma et les directeurs de casting du monde entier donneraient n'importe quoi : une générosité d'esprit naturelle, ce qu'on appelle « l'intelligence du cœur ». Dans un pays célèbre pour avoir porté le ridicule au rang d'art, Pivot fait comprendre à son invité dès l'instant qu'il ou elle s'installe que tout va bien se passer. Et son public le comprend aussi. C'est sa famille. Aucun autre intervieweur, aucun autre journaliste parmi les rares dont je me souviens ne m'a autant marqué.

L'émission est finie. Je peux quitter le studio. Pivot doit rester à l'antenne le temps de présenter le programme de la semaine suivante. Robert Laffont, mon éditeur, me guide prestement dans la rue, qui est déserte. Pas une voiture, pas un passant, pas un policier. Par une magnifique soirée d'été, Paris est comme assoupie.

« Mais où est tout le monde ?

– Devant l'émission de Pivot, quelle question ! » me répond Robert d'un ton satisfait.

Pourquoi est-ce que je raconte cette histoire ? Peut-être parce que j'aime à me rappeler que, par contraste avec toute la cacophonie médiatique, cette soirée est un des grands souvenirs de ma vie. De toutes les interviews que j'ai données et que j'ai souvent regrettées, celle-ci restera à jamais dans mon cœur.

32

Déjeuner avec des prisonniers

Nous étions six à table pour déjeuner en cette journée d'été à Paris au tout début du nouveau millénaire. Notre hôte, un éditeur français, nous avait réunis pour fêter le succès du livre de souvenirs auréolé de prix écrit par mon ami François Bizot[1].

Expert du bouddhisme parlant couramment khmer, Bizot reste le seul Occidental à avoir été fait prisonnier par les Khmers rouges de Pol Pot et à avoir survécu. En octobre 1971, alors qu'il travaillait à la Conservation d'Angkor, il fut capturé par les Khmers rouges, détenu dans des conditions inhumaines et soumis à trois mois d'interrogatoire intense par le tristement célèbre Douch, qui voulait lui faire avouer qu'il était un espion de la CIA.

Étrangement, entre l'interrogateur et le prisonnier se créèrent de mystérieuses affinités, nées en partie de la profonde connaissance qu'avait Bizot de l'antique culture bouddhiste, et en partie, je le soupçonne, de son extraordinaire force de caractère. Geste de courage tout aussi extraordinaire, Douch rédigea un rapport pour le haut commandement khmer rouge exonérant Bizot de l'accusation d'espionnage. Extraordinaire toujours, Bizot fut relâché et Douch se vit confier la gestion de l'un des plus grands centres de torture et d'exécution établis par Pol Pot. Mon roman *Le Voyageur secret* comporte un épisode sur « Jungle Hansen », où, de façon très indirecte et sans grand succès, je le crains, j'essaie de rendre justice à l'expérience vécue par Bizot.

1. *Le Portail*, Paris, La Table Ronde, 2000.

Le jour de notre déjeuner, trente ans s'étaient écoulés depuis l'épreuve subie par Bizot, et pourtant le sort de Douch était toujours dans la balance, car son procès avait été plusieurs fois repoussé par l'apathie et les manœuvres des politiques. Entre-temps, comme il nous l'apprit, Bizot s'était rallié à sa cause. Son argument, vigoureusement exprimé comme toujours, était que nombre des accusateurs de Douch aujourd'hui au pouvoir étaient eux-mêmes couverts de sang et cherchaient juste à faire porter le poids de tous leurs péchés à son tortionnaire.

Bizot était donc en train de mener campagne à lui tout seul, non pas pour défendre Douch, mais pour montrer qu'il n'était ni plus ni moins coupable que ceux qui prétendaient le juger.

Nous étions tous suspendus aux lèvres de Bizot pendant l'exposé de son raisonnement, sauf un convive qui restait étrangement impassible. Il était assis juste en face de moi. C'était un petit homme nerveux au front large dont le regard sombre et vif ne cessait de croiser le mien. On me l'avait présenté comme étant l'écrivain Jean-Paul Kauffmann. J'avais lu son dernier livre, *La Chambre noire de Longwood*, avec grand plaisir. Longwood était le nom de la maison de Sainte-Hélène où Napoléon avait passé les dernières années humiliantes de son exil. Kauffmann avait fait le long voyage en mer jusqu'à Sainte-Hélène et décrit avec une empathie impressionnante la solitude, la claustrophobie et l'humiliation systématique du prisonnier le plus célèbre au monde, à la fois le plus admiré et le plus détesté.

N'ayant pas été prévenu que j'allais rencontrer l'auteur, je pus exprimer ma joie de façon très spontanée. Pourquoi diable me regardait-il donc avec une telle sévérité, alors ? Avais-je commis un impair ? Savait-il quelque chose de honteux sur moi (ce qui est toujours une éventualité) ? Ou bien nous étions-nous déjà rencontrés et l'avais-je oublié, ce qui, même à l'époque, était tout à fait possible ?

Je dus lui poser la question, ou bien mon attitude la lui posa indirectement pour moi. En un soudain renversement des rôles, ce fut à mon tour de le dévisager.

291

* * *

En mai 1985, Jean-Paul Kauffmann, correspondant de presse français à l'étranger, avait été pris en otage par le Hezbollah à Beyrouth, où il resta leur prisonnier au secret pendant trois ans. Quand ses ravisseurs avaient besoin de le déplacer d'une planque à une autre, ils le bâillonnaient, le saucissonnaient et le roulaient dans un tapis d'Orient où il faillit mourir d'asphyxie. S'il m'avait dévisagé pendant tout le déjeuner, c'est que, dans l'une des caches où il était confiné, il était tombé sur un de mes livres en édition de poche tout abîmé et l'avait dévoré à de nombreuses reprises, l'investissant sans doute d'une plus grande profondeur qu'il n'en avait jamais contenu. Il m'expliqua tout cela de ce ton neutre que j'avais déjà entendu chez d'autres victimes de torture, dont le quotidien inclut à jamais cette expérience indélébile.

J'en restai bouche bée. De fait, qu'aurais-je bien pu dire ? « Merci d'avoir lu mon livre » ? « Désolé si mes réflexions profondes n'étaient pas si profondes que ça » ?

Je dus me contenter de quelques paroles empreintes de toute l'humilité que je ressentais, et, après ce déjeuner, je dus me replonger dans *La Chambre noire de Longwood* et faire le lien qui m'avait échappé à la première lecture : il s'agissait là d'un prisonnier traumatisé qui écrivait sur un autre, peut-être le plus grand de tous les temps.

Ce déjeuner eut lieu au début du siècle, mais j'en garde un souvenir marquant alors même que je n'ai pas revu Kauffmann depuis ni correspondu avec lui. Alors, en me lançant dans l'écriture du présent ouvrage, j'ai cherché sur internet comment le contacter, je me suis assuré qu'il était toujours en vie et, en me renseignant à droite à gauche, j'ai obtenu son adresse mail, assortie d'un avertissement sur le fait qu'il était possible qu'il ne me réponde pas.

J'avais entre-temps lu (non sans surprise, je l'avoue) que le livre qui par un hasard miraculeux l'avait sauvé du désespoir et de la folie avait été *Guerre et Paix*, de Tolstoï, qu'il avait dévoré, apparemment comme le mien. Et il devait en avoir tiré beaucoup plus de nourritures spirituelles et intellectuelles que le mien n'aurait jamais pu en contenir. S'agissait-il alors de deux heureuses trouvailles ? Ou bien notre mémoire, à l'un ou à l'autre, nous jouait-elle des tours ?

Avec moult précautions, je lui écrivis, et au bout de quelques semaines me parvint la généreuse réponse ci-dessous :

Pendant ma captivité, j'ai manqué cruellement de livres. Nos geôliers nous en apportaient parfois. L'arrivée d'un livre constituait un bonheur sans nom. J'allais non seulement le lire une fois, deux fois, quarante fois, mais aussi le relire en commençant par la fin ou au milieu. Je prévoyais que ce jeu allait m'occuper au moins deux mois. Pendant mes trois ans de malheur, j'ai connu d'intenses instants de joie. *L'Espion qui venait du froid* en fait partie. J'y ai vu un clin d'œil du destin ; nos geôliers apportaient n'importe quoi : des romans bon marché, le deuxième tome de *Guerre et Paix* de Tolstoï, des traités illisibles. Cette fois, un écrivain que j'admirais… J'avais lu tous vos livres dont *L'Espion* mais dans ma condition ce n'était pas le même livre. Il n'avait même plus rien à voir avec le souvenir que j'en avais. Tout était changé. Chaque ligne était lourde de sens. Dans une situation comme la mienne, la lecture devenait une affaire grave et même dangereuse car le moindre fait se trouve relié à ce quitte ou double, qui est l'existence même de l'otage. La porte de la cellule qui s'ouvre annonçant un responsable du Hezbollah signifie la délivrance ou la mort. Tout signe, toute allusion deviennent présages, symboles ou paraboles. Il y en a beaucoup dans *L'Espion*. Avec ce livre, j'ai ressenti dans mon être le plus profond ce climat de dissimulation et de manipulation (la *taqqiya* chiite). Nos ravisseurs étaient loin d'avoir le professionnalisme des hommes du KGB ou de la CIA mais ils étaient comme eux des imbéciles vaniteux, des cyniques féroces qui se servaient de la religion et de la crédulité des jeunes militants pour assouvir leur goût du pouvoir.

Comme vos héros, mes ravisseurs étaient des experts en paranoïa : méfiance maladive, manie coléreuse, fausseté du jugement,
interprétation délirante, agressivité systématique, goût névrotique
du mensonge. L'univers aride et absurde de Leamas, où les vies
humaines ne sont que des pions, était le nôtre. Que de fois me
suis-je senti comme lui un homme abandonné, désavoué. Et
surtout usé. Cet univers de duplicité m'a appris aussi à réfléchir
sur mon métier de journaliste. Finalement, nous sommes des
agents doubles. Ou triples. Il nous faut entrer en empathie pour
comprendre et se faire accepter, puis nous trahissons.
Votre vision de l'homme est pessimiste. Nous sommes des êtres
dérisoires ; individuellement nous ne pesons pas lourd. Heureusement, tout ne se vaut pas (voir le personnage de Liz).
J'ai puisé dans ce livre des raisons d'espérer. Le plus important
c'est la voix, une présence. La vôtre. La jubilation d'un écrivain
qui décrit un monde terne et cruel et se délecte de parvenir à le
rendre si gris et désespérant. On le ressent presque physiquement.
Quelqu'un vous parle, vous n'êtes plus seul. Dans ma geôle, je
n'étais plus abandonné. Un homme entrait dans ma cellule avec
ses mots et sa vision du monde. Quelqu'un me communiquait
son énergie. J'allais m'en sortir…[1]

* * *

Voilà ce que c'est. Voilà comment fonctionne la mémoire, celle
de Kauffmann, la mienne, les deux. J'aurais juré que le livre dont
il m'avait parlé au déjeuner était *Les Gens de Smiley*, et non
L'Espion qui venait du froid, et mon épouse en garde le même
souvenir.

1. © Jean-Paul Kauffmann, 2015.

33

Le fils du père de l'auteur

Il m'a fallu de longues années avant d'arriver à écrire sur Ronnie l'escroc, le mythomane, le repris de justice, et par ailleurs mon père.

Du jour où je fis mes tout premiers pas hésitants de romancier, c'est de lui que je voulais traiter, mais j'étais à des années-lumière d'en avoir la capacité. Mes brouillons initiaux de ce qui finirait par devenir *Un pur espion* dégoulinaient d'autocommisération : gentil lecteur, pose ton regard sur ce garçon en plein traumatisme émotionnel, écrasé sous la botte de son père tyrannique. C'est seulement lorsque son décès me donna toute liberté de reprendre le roman que je fis ce que j'aurais dû faire dès le début, à savoir rendre les péchés du fils beaucoup plus répréhensibles que ceux du père.

L'affaire ainsi réglée, je pus faire honneur à l'héritage que me léguait sa vie tumultueuse : un *dramatis personae* à faire saliver le plus blasé des auteurs, allant des grands ténors du barreau de l'époque aux stars du sport et du cinéma en passant par les parrains du milieu londonien et les affriolantes créatures qui traînaient dans leur sillage. Où qu'il allât, Ronnie entraînait avec lui l'imprévisible. Est-ce une période de vaches maigres ou de prospérité ? Pouvons-nous faire le plein à crédit au garage du coin ? S'est-il exilé ou va-t-il fièrement garer la Bentley dans notre allée ce soir ? Ou la cacher dans le jardin de derrière, éteindre toutes les lumières dans la maison, vérifier portes et fenêtres et murmurer au téléphone (si celui-ci n'a pas été coupé) ? Ou bien se prélasse-t-il dans la sécurité et le confort auprès d'une de ses épouses illégitimes ?

Sur les relations de Ronnie avec le crime organisé (à supposer qu'il en ait bien eu), j'avoue lamentablement ne pas savoir grand-chose. Oui, il frayait avec les tristement célèbres jumeaux Kray, mais c'était peut-être juste pour côtoyer des célébrités. Et oui, il fut en affaires avec le pire propriétaire bailleur de toute l'histoire de Londres, Peter Rachman, et je parierais fort que, lorsque les gros bras de Rachman eurent délogé les locataires de Ronnie pour lui, ce dernier vendit les maisons et donna à Rachman une part du gâteau.

Mais une véritable association criminelle ? Pas le Ronnie que j'ai connu. Les escrocs sont des esthètes. Ils portent de beaux costumes, ont des ongles soignés et s'expriment correctement en toutes circonstances. Aux yeux de Ronnie, les policiers étaient des types sensass ouverts à la négociation. On ne pouvait pas en dire autant des « gars », comme il les appelait, et on cherchait des noises aux gars à ses risques et périls.

Le stress ? Ronnie passa sa vie entière à jouer les funambules sur le fil le plus fin et le plus glissant que vous puissiez imaginer. Il ne trouvait nullement incompatible d'être sur la liste des personnes recherchées pour fraude et d'arborer son haut-de-forme gris dans l'enceinte des propriétaires à Ascot. La réception donnée au Claridge pour célébrer ses secondes noces fut interrompue le temps qu'il persuade deux inspecteurs de Scotland Yard de remettre son arrestation jusqu'à la fin de la fête – et en attendant, venez donc vous joindre à nous (ce qu'ils firent).

Je ne pense pas que Ronnie aurait pu vivre autrement, ni même qu'il l'aurait voulu. Pour ce rhéteur incorrigible et cabotin, affronter les crises et jouer la grande scène du deux constituaient des addictions. Enchanteur dupé par ses propres illusions, ce manipulateur se considérait comme le golden boy de Dieu et, à ce titre, brisa la vie de nombreuses personnes.

L'enfance est le fonds de commerce du romancier, nous dit Graham Greene. De ce point de vue-là au moins, je suis né millionnaire.

* * *

Pendant tout le dernier tiers de la vie de Ronnie (qui mourut soudainement à l'âge de soixante-neuf ans), nous avons alterné bouderies et conflits ouverts. Presque d'un commun accord, nous nous faisions de terribles scènes attendues, puis nous enterrions la hache de guerre en mémorisant bien son emplacement dans la perspective de la prochaine. Ai-je des sentiments plus positifs envers lui aujourd'hui que de son vivant ? Parfois je le contourne, parfois il se dresse comme une montagne que je dois toujours escalader. Quoi qu'il en soit, il est toujours là, et je ne peux pas en dire autant de ma mère, car à ce jour je n'ai aucune idée du genre de femme qu'elle était. Les différentes versions d'elle que m'ont présentées ses proches qui l'aimaient n'ont guère éclairé ma lanterne. Et peut-être était-ce mieux ainsi. J'ai fini par retrouver sa trace quand j'avais vingt et un ans, et par la suite j'ai souvent subvenu à ses besoins, et pas toujours de bonne grâce. Mais du jour de nos retrouvailles jusqu'à celui de sa mort, l'enfant pétrifié en moi ne montra pas le moindre signe de se ranimer. Aimait-elle les animaux ? La nature ? La mer, près de laquelle elle habitait ? La musique ? La peinture ? Moi ? Lisait-elle des livres ? Elle ne tenait visiblement pas les miens en haute estime, mais les autres ?

Dans la maison de retraite où elle séjourna pendant ses dernières années, nous passions beaucoup de notre temps à nous désoler ou à nous amuser des méfaits de mon père. Au fil de mes visites, j'en vins à comprendre qu'elle avait inventé pour elle-même et pour moi une relation mère-fils idyllique qui s'était déroulée de façon ininterrompue de ma naissance à l'époque présente.

Je n'ai pas souvenir aujourd'hui d'avoir éprouvé de l'affection pour quiconque durant mon enfance, sinon pour mon frère aîné, qui pendant un temps fut mon unique parent. Je me rappelle une tension constante en moi-même, qui ne s'est même pas relâchée le grand âge venant. Je me rappelle peu de choses de ma toute petite enfance. Ensuite, je me rappelle la dissimulation, puis le besoin de me façonner une identité à partir d'éléments volés aux manières et au mode de vie de mes pairs et maîtres, au point de prétendre que j'avais une vie familiale normale avec des vrais parents et des poneys. Quand je m'écoute aujourd'hui, quand je suis obligé de me regarder, je détecte encore des vestiges de mes modèles perdus, et en tout premier lieu de mon père, cela va de soi.

Tout ceci fit assurément de moi une recrue idéale pour l'étendard secret. Mais rien ne dura jamais, ni le professeur à Eton, ni l'homme du MI5, ni l'homme du MI6. Seul l'écrivain en moi tint bon la route. Si je considère ma vie jusqu'à aujourd'hui, je la vois comme une série d'engagements et de fuites, et je suis reconnaissant à l'écriture de m'avoir permis de rester plutôt sain d'esprit et relativement honnête. Le refus de mon père d'accepter la moindre vérité sur lui-même me propulsa sur la voie sans retour du doute perpétuel. Et l'absence d'une mère ou de sœurs fit que j'appris à connaître les femmes seulement sur le tard (pour autant qu'on puisse jamais les connaître), et nous en avons tous subi les conséquences.

Dans mon enfance, tout mon entourage essaya de me vendre le Dieu chrétien sous une forme ou une autre. J'ai connu la Basse Église par mes tantes, oncles et grands-parents, et la Haute Église dans les écoles où je suis allé. Quand on m'amena à l'évêque pour ma confirmation, je m'évertuai en vain à me sentir pieux. Pendant encore dix ans, j'essayai d'acquérir une sorte de conviction religieuse, mais je finis par abandonner faute de résultat. Aujourd'hui, je n'ai d'autre dieu que la nature et d'autre attente après la mort que l'extinction. Je trouve mon bonheur quotidien dans ma famille et les gens qui m'aiment et que j'aime. En me promenant sur les falaises de Cornouailles, je suis submergé par un sentiment de gratitude pour la vie qui est la mienne.

* * *

Oui, je connais la maison où je suis né. Des tantes joviales me la désignèrent cent fois du doigt quand nous passions devant. Mais je lui préfère une autre maison natale, bâtie dans ma propre imagination. Toute de briques rouges, ouverte aux quatre vents, vouée à la démolition, avec des fenêtres cassées, un panonceau « À VENDRE » et un vieux bassin dans le jardin, elle se trouve sur un terrain envahi par les mauvaises herbes et les gravats, et dans sa porte d'entrée défoncée subsiste un morceau de vitrail – un lieu où se cacher pour les enfants, plutôt qu'un lieu où naître. C'est pourtant là, insiste mon imagination, que je naquis, et dans le grenier, qui plus est, entre les piles de cartons que mon père trimballait toujours avec lui au long de ses cavales.

Quand, à l'aube de la Seconde Guerre mondiale, j'effectuai ma première inspection clandestine de ces cartons (car à l'âge de huit ans j'étais déjà un espion chevronné), je n'y découvris que des effets personnels : son attirail maçonnique, la perruque et la robe d'avocat dans lesquelles il se proposait d'éblouir son monde dès qu'il se serait attelé à étudier le droit, ses plans top secret pour vendre des flottes entières d'avions à l'Aga Khan. Mais quand éclata la guerre, le contenu des cartons se fit plus substantiel : barres de Mars obtenues au marché noir, inhalateurs de Benzédrine pour se pulvériser des stimulants dans le nez, puis, après la victoire, bas Nylon et stylos à bille.

Ronnie avait un faible pour les produits atypiques, du moment qu'ils étaient rationnés ou introuvables. Vingt ans plus tard, alors que je vivais à Bonn sur les rives du Rhin, en tant que diplomate britannique dans une Allemagne encore divisée, il débarqua chez moi à l'improviste, son corps massif engoncé dans un coracle en acier auquel étaient fixées des roues. Il m'expliqua qu'il s'agissait d'un prototype d'automobile amphibie dont il avait acheté le brevet pour la Grande-Bretagne à ses fabricants berlinois et qui allait faire notre fortune. L'ayant conduite le long du couloir interzone sous l'œil des gardes-frontière est-allemands, il se proposait à présent de la lancer, avec mon aide, dans le Rhin, alors en crue et au débit très rapide.

Je l'en dissuadai, au grand dam de mes enfants surexcités, et l'invitai plutôt à déjeuner. Une fois repu, il prit la route avec enthousiasme pour Ostende et l'Angleterre. J'ignore jusqu'où il alla, car on n'entendit plus jamais parler de sa voiture. J'imagine que ses créanciers le rattrapèrent quelque part en chemin et la lui saisirent.

Cela ne l'empêcha pas de resurgir à Berlin deux ans plus tard en se présentant comme mon « conseiller professionnel », capacité qui lui valut une visite VIP du plus grand studio de cinéma de Berlin-Ouest et, nul doute, toute l'hospitalité dudit studio ainsi qu'une starlette ou deux, et de beaux discours commerciaux sur les avantages fiscaux et subventions accessibles aux cinéastes étrangers, notamment ceux préparant l'adaptation de mon récent roman, *L'Espion qui venait du froid*.

Il va sans dire que ni moi ni Paramount Pictures, qui avait déjà signé un accord avec les studios Ardmore en Irlande, n'avions la moindre idée de ce qu'il mijotait.

* * *

Dans ma maison natale, il n'y a ni électricité ni chauffage, ni éclairage hormis celui des becs de gaz de Constitution Hill, qui baignent le grenier d'une lueur crémeuse. Allongée sur un lit de camp, ma mère s'échine à faire ce qu'elle peut (ne comptez pas sur moi pour vous dire quoi, car j'ignorais tout des joies de l'accouchement la première fois que je visualisai cette scène). Vêtu d'un élégant veston croisé et de ses souliers de golf marron et blanc, Ronnie piaffe dans l'encadrement de la porte, surveillant la rue d'un œil tout en houspillant ma mère de phrases bien senties : « Dieu du ciel, Wiggly, tu ne pourrais pas te dépêcher un peu, pour une fois ? Ah là là, quel gâchis, c'est rien de le dire. Le pauvre vieux Humphries va attraper la mort, là-dehors dans la voiture, et toi tu lambines. »

Ma mère se prénommait Olive, mais mon père l'appelait Wiggly en toutes circonstances. Par la suite, quand j'atteignis l'âge dit

« adulte », je donnai moi aussi des sobriquets aux femmes pour les rendre moins impressionnantes.

Durant mon enfance, la voix de mon père trahissait encore ses origines du Dorset, avec ses *r* roulés et ses *a* traînants, mais le ravalement de façade était en cours et, le temps que j'atteigne l'adolescence, il avait presque (mais pas tout à fait) acquis un accent distingué. Comme chacun le sait, en Angleterre c'est l'accent qui fait l'homme, et en ce temps-là une belle élocution pouvait vous obtenir un grade d'officier dans l'armée, un crédit à la banque, un traitement respectueux de la part des policiers ou un emploi à la City de Londres. Par une des ironies de la vie trépidante de Ronnie, en réalisant son ambition de nous envoyer, mon frère et moi, dans des écoles huppées, il devint socialement notre inférieur selon les normes impitoyables de l'époque. Tandis que Tony et moi franchissions en douceur le mur du son social, Ronnie restait coincé de l'autre côté.

Non qu'il ait jamais vraiment payé nos études (du moins pas toujours, à ma connaissance), mais il fit en sorte que nous en poursuivions. Échaudée par ses manières, une école eut l'audace d'exiger un paiement d'avance, qu'elle finit par obtenir au gré de Ronnie sous forme de fruits secs dénichés au marché noir (figues, bananes, pruneaux) et, denrée alors introuvable, d'une caisse de gin pour le personnel.

Pourtant, et c'était là son génie, il gardait toutes les apparences de l'homme éminemment respectable. C'est ce respect, et non l'argent, qu'il chérissait par-dessus tout. Il tenait à voir chaque jour reconnus ses dons de magicien, et jugeait autrui à l'aune du respect qu'on lui accordait. Au bas de l'échelle sociale, il existe un avatar de Ronnie dans chaque rue de Londres ou presque, dans chaque bourgade de province : le vilain garçon casse-cou, bagarreur, bon camarade et un peu baratineur, qui organise des cocktails au champagne pour des gens qui n'ont pas l'habitude de s'en voir offrir, laisse son jardin à la disposition des baptistes du coin pour leur kermesse alors qu'il ne met jamais les pieds dans leur église, se fait nommer président d'honneur de l'équipe de football junior et de l'équipe de cricket senior, auxquelles il remet la coupe en argent à la fin du championnat.

Jusqu'au jour où l'on découvre qu'il n'a pas payé depuis un an le laitier, le garagiste, le marchand de journaux, le caviste ou la boutique qui lui vend les coupes en argent, et peut-être fait-il faillite ou va-t-il en prison, et sa femme prend les enfants et retourne chez sa mère, et bientôt elle divorce parce qu'elle découvre ce que sa mère savait dès le début : il a baisé toutes les filles du quartier et engendré des gamins auxquels il n'a jamais fait allusion. Et quand notre vilain garçon sort de prison ou se range un temps des voitures, il vit chichement, participe à des bonnes œuvres et prend plaisir aux choses simples, jusqu'à ce que la sève remonte et qu'il retombe dans ses anciens travers.

* * *

Mon père a bien suivi ce parcours-là, sur toute la ligne. Mais il est allé plus loin, en termes d'envergure, se distinguant par son maintien épiscopal, sa voix œcuménique, son air de sainteté offensée quand quiconque osait mettre sa parole en doute et son infinie capacité à s'illusionner. Quand notre vilain garçon de base claque jusqu'au dernier sou du ménage aux courses de Newmarket, Ronnie se prélasse à la grande table du casino de Monte-Carlo devant un cocktail offert par la maison, assis entre moi, qui m'efforce de paraître plus que mes dix-sept ans, et l'intendant du roi Farouk, brave quinquagénaire raffiné, grisonnant et très fatigué, plus que bienvenu à cette table que l'établissement a déjà largement rentabilisée grâce à lui. Un téléphone blanc le relie directement à son roi égyptien, qui est entouré d'astrologues. Le téléphone blanc sonne, l'intendant, ôtant la main de sous son menton, décroche, écoute en baissant ses yeux aux paupières lourdes, et dépose dûment une nouvelle portion du trésor d'Égypte sur le rouge, ou le noir, ou n'importe quel numéro jugé faste par les mages zodiacaux d'Alexandrie ou du Caire.

Après avoir observé un moment ce manège avec un petit sourire combatif qui semble dire : « Si c'est comme ça que tu veux jouer, mon vieux, on va jouer », Ronnie augmente peu à peu ses mises. Résolument. Les jetons de 10 deviennent des jetons de 20, ceux de 20 des 50. Quand il dilapide les tout derniers et en réclame d'autres d'un geste impérieux, je comprends soudain qu'il ne joue pas contre le hasard, la banque ou les probabilités, mais contre le roi Farouk. Si Farouk choisit le noir, Ronnie opte pour le rouge. Si Farouk parie sur l'impair, Ronnie surenchérit sur le pair. Et nous parlons en centaines de livres (ce qui ferait des milliers aujourd'hui). Le message de Ronnie au souverain d'Égypte (alors que le croupier ratisse l'équivalent d'un trimestre de mes frais de scolarité, puis d'une année entière), c'est que sa ligne directe avec le Tout-Puissant est autrement plus efficace que celle d'un potentat arabe fantoche.

Dans le bleu éteint d'avant l'aube, nous marchons côte à côte sur l'esplanade de Monte-Carlo jusqu'à une joaillerie ouverte vingt-quatre heures sur vingt-quatre pour engager son porte-cigarettes en platine, son stylo-plume en or et sa montre. Bucherer ? Boucheron ? Quelque chose comme ça. « On se refera demain, et même mieux, pas vrai, fiston ? » m'assure Ronnie quand nous nous retirons dans nos chambres de l'Hôtel de Paris, qu'il a heureusement réglées d'avance. « Rendez-vous à 10 heures pétantes », ajoute-t-il d'un ton sévère au cas où j'envisagerais de traînailler.

* * *

Enfin bref, je naquis. De ma mère, Olive. En fils obéissant, avec la célérité exigée par Ronnie. Dans une ultime poussée destinée à distancer ses créanciers et empêcher M. Humphries d'attraper la mort là-dehors au volant de sa Lanchester. M. Humphries n'est pas un simple chauffeur mais un précieux associé, salarié à plein temps de l'exotique Cour dont Ronnie s'entoure et distingué prestidigitateur amateur qui fait des tours avec des cordes, comme des nœuds coulants. Dans les périodes fastes, il est remplacé par M. Nutbeam et une Bentley, mais sinon M. Humphries et sa Lanchester sont toujours prêts à rendre service.

Je nais, donc, et je suis embarqué avec les rares biens de ma mère (venant de subir une nouvelle saisie d'huissier, nous voyageons léger) et chargé dans le coffre du taxi de M. Humphries comme le seront dans quelques années les jambons de contrebande de Ronnie. Les cartons suivent le même chemin, et le coffre est refermé de l'extérieur. Je scrute l'obscurité en quête de mon frère aîné Tony, que je ne vois nulle part, pas plus qu'Olive alias Wiggly. Peu importe. Je suis né et, tel un poulain du jour, je cours déjà. Je n'ai jamais cessé de courir, depuis.

* * *

J'ai un autre souvenir d'enfance inventé qui, selon mon père bien placé pour le savoir, est également faux. Nous voilà quatre ans plus tard. Je traverse un terrain vague dans la ville d'Exeter, accroché à la main de ma mère Olive, alias Wiggly. Comme nous portons tous deux des gants, il n'y a aucun contact charnel entre nous. De fait, pour autant que je m'en souvienne, il n'y en eut jamais. C'est Ronnie qui faisait les câlins, jamais Olive. Elle, c'était la mère inodore, alors que Ronnie sentait les bons cigares, l'huile capillaire acidulée de chez Taylor dans Old Bond Street, coiffeurs à la Cour, et – quand on fourrait le nez dans le tissu laineux d'un des costumes taillés par M. Berman – les femmes. Lorsque, à l'âge de vingt et un ans, j'avançai vers Olive sur le quai numéro 1 de la gare d'Ipswich pour nos grandes retrouvailles après seize ans sans câlins, je fus bien incapable, malgré mes efforts, de savoir par où l'attraper. Elle était aussi grande que dans mon souvenir, mais toute en os, sans formes à étreindre. Avec sa démarche vacillante et son long visage vulnérable, ç'aurait pu être mon frère Tony coiffé de la perruque d'avocat de Ronnie.

Bref, je suis à Exeter et je tiens la main gantée d'Olive. Au bout du terrain vague passe une route, depuis laquelle je vois un haut mur de briques rouges au faîte hérissé de piques et de tessons, et, au-delà, la façade nue d'un bâtiment lugubre aux fenêtres enténébrées munies de barreaux. Derrière l'une d'elles, tel le forçat du Monopoly quand on va directement en prison sans passer par la case départ ni toucher les deux cents livres, mon père en plan rapproché, collant son large front blanc sur les barreaux et crispant dessus ses deux grandes mains, dont les femmes lui font souvent compliment et qu'il entretient constamment avec une pince à ongles rangée dans sa poche de veston. Il a toujours eu le cheveu rare, s'écoulant de l'amont à l'aval de son crâne en une étroite rivière noire et parfumée s'arrêtant juste avant le haut de ce front bombé qui contribuait tant à l'image sacrée qu'il avait de lui-même. L'âge venant, la rivière vira au gris puis se tarit, mais les rides de vieillesse et de débauche qu'il méritait pourtant amplement n'apparurent jamais. Il resta jusqu'à la fin dominé par l'Éternel féminin de Goethe.

Selon Olive, il était aussi fier de sa tête que de ses mains : peu après leur mariage, il l'avait hypothéquée à la recherche médicale pour cinquante livres, payables d'avance en liquide avec livraison le jour de sa mort. J'oublie quand Olive me narra cette anecdote, mais je sais que, de cet instant, je considérai Ronnie avec le détachement du bourreau. Il avait le cou très puissant, presque aussi large que les épaules. Je me demandais où je poserais la hache si je devais exécuter les basses œuvres. Le tuer fut très tôt chez moi une obsession, qui perdura par épisodes jusqu'à après sa mort. Peut-être n'était-ce là que ma frustration de n'avoir jamais pu le cerner.

Serrant toujours la main gantée d'Olive, je fais signe à Ronnie, tout là-haut, qui me rend ce salut à sa façon, le buste incliné vers l'arrière dans une immobilité parfaite, un bras messianique tutoyant les cieux au-dessus de sa tête. Je hurle « Papa ! Papa ! » d'une voix coassante. Ramené à la voiture par la main d'Olive, j'éprouve une intense satisfaction. Après tout, rares sont les petits garçons qui ont une mère pour eux tout seuls et un père enfermé en cage.

Sauf que, d'après mon père, rien de tout ceci n'est jamais arrivé. L'idée même que j'aie pu le voir lors de l'une de ses détentions l'offensait au plus haut point. « De l'invention pure de A à Z, mon fils. » Il admettait avoir purgé une peine à Exeter, mais avait surtout connu Winchester et Wormwood Scrubs. Il n'avait rien fait de répréhensible, rien qui n'aurait pu s'arranger entre gens raisonnables. Il s'était retrouvé dans la position du grouillot qui emprunte quelques livres dans la cagnotte à timbres et se fait pincer avant d'avoir eu l'occasion de les y remettre. Mais là n'était pas le problème, insistait-il. Le problème, confia-t-il à ma demi-sœur Charlotte, sa fille issue d'un autre lit, quand il récriminait contre mon attitude globalement irrespectueuse à son égard (je ne lui reversais aucun pourcentage sur mes droits d'auteur, par exemple, tout comme je lui refusais les quelques centaines de milliers de livres requises pour viabiliser un joli bout de terrain soutiré à un conseil municipal malavisé), le problème était que quiconque connaît la prison d'Exeter de l'intérieur sait parfaitement qu'on ne voit pas la route depuis les cellules.

* * *

Et je veux bien le croire. Encore aujourd'hui. J'ai tort et il avait raison. Jamais il ne s'est tenu à cette fenêtre, jamais je ne lui ai fait signe de la main. Mais qu'est-ce que la vérité ? Qu'est-ce que la mémoire ? Il faudrait un autre nom pour désigner la façon dont nous revoyons des événements passés restés présents à notre esprit. Je l'ai vu alors à cette fenêtre, mais je l'y vois encore aujourd'hui, les mains serrant les barreaux, le torse taurin engoncé dans l'uniforme du détenu britannique, imprimé de flèches comme dans les bandes dessinées – une partie de moi le verrait toujours dans cette tenue par la suite. Et je sais que j'avais quatre ans ce jour-là, parce que, un an plus tard, il recouvrait la liberté, et que, quelques semaines ou quelques mois après, ma mère s'éclipsait en pleine nuit, disparaissant pendant seize ans avant que je la retrouve dans le Suffolk, mère de deux autres enfants qui avaient grandi sans savoir qu'ils avaient deux demi-frères. Elle emporta sa belle valise de chez Harrods, en cuir blanc à doublure en soie, que j'ai récupérée dans son pavillon à sa mort. C'était la seule chose dans toute la maison qui témoignait de ses premières noces. Je l'ai toujours.

J'ai aussi vu Ronnie dans sa cellule, recroquevillé au bord de son grabat, tenant à deux mains sa tête hypothéquée. Le jeune coq n'ayant jamais connu la faim, lavé ses chaussettes ni fait son propre lit pense à ses trois sœurs affectueuses et pieuses, à ses parents aimants, sa mère inconsolable qui se tord les mains en demandant à Dieu « Pourquoi ? Pourquoi ? » avec son accent irlandais, et son père, ancien maire de Poole, conseiller municipal et franc-maçon, purgeant tous deux la peine de Ronnie par empathie, voyant leurs cheveux blanchir prématurément durant la longue attente.

Comment Ronnie pouvait-il supporter cette idée, planté là devant son mur ? Vu sa fierté, son énergie et son dynamisme prodigieux, comment endura-t-il l'incarcération ? Aussi vibrionnant que lui, je suis incapable de rester assis pendant une heure, incapable de lire un livre pendant une heure, sauf s'il est en allemand, auquel cas j'arrive à ne pas quitter mon fauteuil. Même durant une bonne pièce de théâtre, j'attends impatiemment l'entracte pour aller me dégourdir les jambes. Quand j'écris, je passe mon temps à me lever de mon bureau pour aller arpenter le jardin ou la rue. Il suffit que je me retrouve enfermé trois secondes aux toilettes, si la clé tombe de la serrure et que j'essaie de l'y réinsérer, pour suer à grosses gouttes et hurler qu'on vienne me délivrer. Or Ronnie passa beaucoup de temps derrière les barreaux à la fleur de l'âge, trois ou quatre ans en tout, car il n'avait pas fini de purger une peine qu'il était condamné pour d'autres méfaits et maintenu en détention, mais cette fois avec des travaux forcés, ou bien, comme on dirait aujourd'hui, une détention « renforcée » (quelle expression atroce !). À ma connaissance, ses incarcérations ultérieures à Hong Kong, Singapour, Djakarta ou Zurich, elles, furent plus courtes.

À Hong Kong, où j'effectuais des recherches préparatoires pour *Comme un collégien*, je me retrouvai face à son ancien geôlier, sous la tente Jardine Matheson du champ de courses de Happy

Valley. « Monsieur Cornwell, votre père est l'un des plus grands hommes que j'aie jamais rencontrés. C'était un privilège de veiller sur lui. Ma retraite approche, et quand je serai de retour à Londres, il va me faire démarrer dans les affaires. » Même en prison, Ronnie se préparait déjà à plumer son geôlier.

* * *

À Chicago, où je parraine une terne campagne de promotion des produits anglais à l'étranger, le consul général britannique, chez qui je loge, me tend un télégramme de notre ambassadeur à Djakarta m'apprenant que Ronnie est en prison, et serais-je disposé à payer ses dettes ? Je promets d'acquitter la créance d'à peine quelques centaines de livres, montant qui ne laisse pas de m'inquiéter – Ronnie doit connaître des revers de fortune.

* * *

Depuis la Bezirksgefängnis de Zurich, où il est emprisonné pour grivèlerie, Ronnie m'appelle en PCV :

« Allô, fiston ? C'est ton vieux.

– Que puis-je pour vous, Père ?

– Me faire sortir de cette fichue prison, mon fils. C'est un malentendu. Ces types refusent de considérer les faits.

– Combien ? »

Pas de réponse. Juste une déglutition théâtrale avant qu'une voix agonisante n'assène la réplique choc : « Je ne supporterai plus la prison, mon fils », puis des sanglots qui, comme toujours, me déchirent les entrailles.

* * *

J'ai interrogé mes deux tantes encore vivantes. Comme Ronnie jeune, elles s'expriment sans y réfléchir avec ce léger accent du Dorset que j'aime tant. Comment Ronnie a-t-il vécu sa première incarcération ? Comment en a-t-il été affecté ? Qui était-il avant la prison ? Qui était-il après ? Mais les tantes ne sont pas des historiennes, ce sont des sœurs. Elles adorent Ronnie et préfèrent ne pas voir au-delà de l'amour qu'elles lui vouent. Elles ont surtout gardé en mémoire la vision de Ronnie se rasant le matin du jour où devait tomber le verdict aux assises de Winchester. La veille encore, il avait assuré sa propre défense depuis le box des accusés, et il était convaincu qu'il ressortirait libre ce soir-là. C'était la première fois que les tantes avaient le droit de le voir se raser. Je n'obtins d'autre réponse d'elles qu'un regard expressif et ces simples mots : « C'était affreux, vraiment affreux. » Elles parlent de leur honte comme si les faits dataient d'hier et non de soixante-dix ans.

Une soixantaine d'années plus tôt, j'avais posé la même question à ma mère. Contrairement aux tantes, qui préfèrent garder leurs souvenirs pour elles, Olive était intarissable. Dès nos retrouvailles à la gare d'Ipswich, elle m'abreuva d'anecdotes sur Ronnie. Évoquant la vie sexuelle de mon père bien avant que j'aie démêlé la mienne, elle me donna un exemplaire éculé du *Psychopathia Sexualis* de Krafft-Ebing pour que je m'y reporte comme à une carte qui m'orienterait dans la forêt des pulsions de son mari avant et après la prison.

« Changé, mon chéri ? En prison ? Pas le moins du monde ! Tu étais pareil qu'en y entrant. Si, tu avais maigri, bien sûr. Rien d'étonnant. La nourriture n'est pas censée être bonne, en prison. » Et puis cette image qui me hanterait à jamais, en grande partie parce que Olive ne semblait pas avoir conscience de ses propos : « Et tu avais pris cette manie ridicule de t'immobiliser devant les portes, d'attendre au garde-à-vous, tête baissée, que je les ouvre pour toi. Des portes tout ce qu'il y avait de plus ordinaire, pas fermées à clé ni rien, mais visiblement tu pensais ne pas pouvoir les ouvrir toi-même. »

Pourquoi Olive me parlait-elle de Ronnie à la deuxième personne ? Par ce « tu » qui voulait dire « il », elle me recrutait inconsciemment comme substitut, rôle que j'avais d'ailleurs bel et bien assumé à l'époque où elle mourut. Elle a enregistré pour mon frère Tony une cassette audio retraçant sa vie avec Ronnie. Je ne supporte toujours pas l'idée de l'écouter, et je n'en ai donc entendu que des bribes. Elle y raconte que Ronnie la battait, ce qui avait motivé son départ, disait-elle. La violence de Ronnie ne me surprit guère, parce qu'il avait eu pour habitude de frapper sa seconde épouse également, si souvent, si délibérément, rentrant la nuit à des heures indues dans ce seul but, que, m'étant futilement proclamé son protecteur par un soudain instinct chevaleresque, je dormais sur un matelas devant la porte de sa chambre en serrant dans mes mains un club de golf pour que Ronnie doive d'abord me passer sur le corps s'il voulait l'atteindre.

Aurais-je vraiment asséné un coup sur sa tête hypothéquée ? Aurais-je même pu le tuer et suivre ses traces en prison ? Ou lui aurais-je juste fait un câlin en lui souhaitant bonne nuit ? Je ne le saurai jamais, mais j'ai si souvent imaginé les différents scénarios dans ma mémoire que tous sont réels.

Ronnie m'a aussi battu moi, mais seulement à quelques reprises et sans grande conviction. Ce qui était vraiment effrayant, c'était les prémices : les épaules qui s'abaissent et se raidissent, la mâchoire qui se crispe. Et, autre forme de violence, sans doute, quand j'étais adulte Ronnie m'a intenté un procès. Il avait vu un documentaire sur ma vie à la télévision et estimé diffamatoire mon absence de mention du fait que je lui devais tout.

* * *

Comment Olive et Ronnie se sont-ils rencontrés ? J'ai posé la question à ma mère dans ma période Krafft-Ebing, peu après notre première embrassade à la gare d'Ipswich. « Par ton oncle Alec, chéri », me répondit-elle en référence au frère de vingt-cinq ans son aîné dont elle s'était éloignée depuis. Grand notable de Poole, député, prédicateur renommé localement, oncle Alec lui avait tenu lieu de père après la mort de leurs parents. Comme elle, il était mince, tout en os, très grand, mais aussi vaniteux, fort soucieux de sa mise et imbu de sa prestance sociale. Un jour où il devait remettre une coupe à un club de football local, il emmena Olive avec lui, comme s'il préparait une future princesse à l'exercice de ses fonctions publiques.

Ronnie jouait avant-centre dans l'équipe. (Quel autre poste aurait-il pu occuper ?) Oncle Alec serra la main à chacun des joueurs alignés, suivi par Olive, qui épinglait une cocarde sur leur torse victorieux. Quand arriva le tour de Ronnie, il tomba théâtralement à genoux devant Olive, les deux mains sur le cœur, qu'il lui reprocha de lui avoir transpercé. Malgré sa réputation incontestée d'insupportable fat, oncle Alec daigna goûter la plaisanterie, et Ronnie sollicita avec une humilité stupéfiante l'autorisation de se rendre à sa noble demeure les dimanches après-midi pour présenter ses hommages, non pas à Olive, évidemment, qui lui était socialement très supérieure, mais à une bonne irlandaise avec laquelle il s'était lié. Oncle Alec y consentit de bonne grâce, et Ronnie, sous couvert de faire la cour à la bonne, séduisit Olive.

« J'étais si seule, chéri. Et toi, tu étais une vraie tornade. » La tornade c'était Ronnie, bien sûr, pas moi.

Oncle Alec fut mon premier informateur secret, et je l'ai grillé dans les grandes largeurs. C'est à lui que j'avais secrètement écrit le jour de mon vingt et unième anniversaire (Monsieur le député Alec Glassey, c/o Chambre des communes, *Personnel*), pour lui demander si sa sœur, ma mère, était encore vivante et, si oui, où je pouvais la joindre. Glassey n'était plus député depuis longtemps, mais miraculeusement les autorités de la Chambre lui firent suivre mon courrier. J'avais déjà soumis la question à Ronnie dans ma jeunesse, mais il s'était contenté de secouer la tête avec une moue, alors j'avais abandonné après quelques tentatives. En deux lignes griffonnées, oncle Alec m'informait que je trouverais l'adresse d'Olive sur le morceau de papier joint. Il me livrait cette information à la condition expresse que je ne révèle jamais à « la personne concernée » d'où je la tenais. Aiguillonné par cette injonction, j'avouai toute la vérité à Olive quelques instants après notre rencontre.

« Alors nous devons lui en être reconnaissants, chéri », dit-elle, et ce fut le fin mot de l'histoire.

À ceci près que, lors d'un séjour au Nouveau-Mexique quarante ans plus tard, soit quelques années après la mort de ma mère, mon frère Tony m'apprit que, le jour de ses vingt et un ans, deux ans avant moi, lui aussi avait écrit à Alec, pris le train pour retrouver Olive, eu droit à son accolade sur le quai numéro 1 et nul doute bien mieux réussi la chose que moi, vu sa haute taille. Et il l'avait débriefée.

Pourquoi ne m'en avait-il jamais rien dit ? Pourquoi ne lui avais-je rien dit ? Pourquoi Olive n'avait-elle rien dit à l'un ou à l'autre ? Pourquoi Alec avait-il cherché à nous isoler les uns des autres ? Réponse : par peur de Ronnie, une peur panique ancrée en chacun de nous. Impossible d'échapper à son emprise, psychologique et physique, ni à son charme ravageur. Il avait un réseau d'influence illimité. Quand il découvrit qu'une de ses maîtresses se consolait dans les bras d'un autre amant, Ronnie mit en branle sa machine de guerre. En moins d'une heure, il avait contacté et recruté comme agents vengeurs l'employeur, le banquier, le logeur du pauvre homme et le père de son épouse.

Or ce que Ronnie avait fait à un pauvre mari volage, il pouvait le faire en dix fois pire à chacun de nous. Ronnie détruisait comme il créait. Chaque fois que je suis tenté de l'admirer, je me remémore ses victimes. Sa propre mère affligée, exécutrice testamentaire de son époux récemment décédé ; la mère de sa seconde épouse, elle aussi veuve, elle aussi propulsée à la tête de la fortune de feu son époux… Ronnie les dépouilla toutes deux des économies de leur mari et les légataires légitimes de leur héritage. Des dizaines d'autres au bas mot, tous confiants, tous noblement jugés dignes de sa protection… arnaqués, roulés, détroussés par leur chevalier errant. Comment justifiait-il à ses yeux, si tant est que cela lui ait jamais traversé l'esprit, les chevaux de course, les cocktails mondains, les maîtresses, les Bentley qui peuplaient son autre vie tandis qu'il soutirait de l'argent à de pauvres bougres qui ne pouvaient rien lui refuser tant l'amour qu'ils lui vouaient les rendait impuissants ? Ronnie estima-t-il jamais le coût de son statut d'élu de Dieu ?

* * *

Je conserve peu de lettres, et celles de Ronnie étaient pour la plupart si atroces que je les détruisais quasiment avant de les lire : suppliques venues d'Amérique, d'Inde, de Singapour, d'Indonésie ; admonitions me pardonnant mes péchés et m'exhortant à l'aimer, prier pour lui, mettre à profit les multiples atouts qu'il m'avait prodigués et lui envoyer de l'argent ; réclamations virulentes du remboursement de mes frais de scolarité ; annonces funèbres de sa mort imminente. Je ne regrette pas de les avoir jetées – j'aurais voulu jeter avec elles les souvenirs que j'en garde. Malgré toutes mes précautions, il arrive qu'un lambeau de son passé refasse obstinément surface pour me narguer : par exemple, une page d'une de ses lettres tapuscrites sur papier pelure par avion m'annonçant l'un de ses projets délirants qu'il souhaite me voir « soumettre à l'attention de tes conseillers en vue d'un placement préférentiel » ; ou bien un courrier d'un de ses anciens concurrents, toujours charmants, toujours heureux de l'avoir connu, même s'ils ont payé l'expérience au prix fort.

* * *

Voici quelques années, caressant l'idée d'écrire une autobiographie et frustré par le manque de données corroborées, j'engageai deux détectives privés, l'un gros, l'autre mince, tous deux recommandés par un notaire londonien rigoureux et tous deux bons mangeurs. Parcourez le vaste monde à mes frais, leur dis-je avec désinvolture. Dénichez les témoins vivants et les preuves écrites, remettez-moi un dossier détaillé sur moi, ma famille et mon père, et je vous récompenserai. Je suis un menteur, leur expliquai-je. Né dans le mensonge, éduqué dans le mensonge, formé au mensonge par un Service dont c'est la raison d'être, rompu au mensonge par mon métier d'écrivain. En tant qu'auteur de fiction, j'invente des versions de moi-même, jamais la vérité vraie, si tant est qu'elle existe.

Alors ce que je me propose de faire, poursuivis-je, c'est laisser se déverser mes souvenirs inventés sur la page de gauche et reproduire votre rapport factuel sur celle de droite, sans le modifier ni l'amender. Mes lecteurs pourront ainsi constater par eux-mêmes à quel point la mémoire d'un vieil écrivain est le jouet de son imagination. Nous réinventons tous notre passé, ajoutai-je, mais les romanciers forment une classe à part : la vérité ne leur suffit jamais, même quand ils la connaissent.

Je leur livrai dates, noms et lieux afférents à Ronnie et leur suggérai d'aller exhumer les procès-verbaux. Je les voyais déjà débusquer les quelques précieuses sources tant qu'elles étaient encore de ce monde, anciennes secrétaires, gardiens de prison, policiers. Je leur dis de procéder de même avec mes dossiers scolaire et militaire et, puisque j'avais plusieurs fois fait l'objet d'enquêtes officielles de sécurité, avec les évaluations de fiabilité rédigées par les services jadis considérés comme secrets. Je leur enjoignis de ne pas ménager leurs efforts dans leur traque de moi-même. Je leur confiai jusqu'à mes moindres souvenirs des arnaques de mon père en Grande-Bretagne et à l'étranger, y compris la fois où il avait tenté d'escroquer les Premiers ministres de Singapour et de Malaisie en les impliquant dans un fumeux système de paris sur les résultats du football – il s'en était fallu d'un cheveu qu'il y parvienne, ce satané cheveu qui lui manquait toujours.

Je leur racontai ses « familles bis », ses maîtresses-devenues-mamans, vestales toujours prêtes à lui faire cuire une saucisse s'il débarquait à l'improviste, selon sa propre formule. Je leur fournis le nom de deux d'entre elles dont je connaissais l'existence, une ou deux adresses, le nom de certains enfants (enfants de qui ? Allez donc savoir !). Je leur parlai du service de Ronnie en temps de guerre, qui avait consisté à user de tous les stratagèmes pour ne pas partir sous les drapeaux, y compris se présenter à une élection législative partielle sous l'étiquette enthousiasmante de

« progressiste indépendant », ce qui avait contraint l'armée à le libérer pour lui permettre d'exercer ses droits civiques. Et alors même qu'il faisait ses classes, il avait cantonné dans des chambres d'hôtel voisines deux de ses courtisans et une ou deux secrétaires, de façon à pouvoir continuer son travail régulier de profiteur de guerre et pourvoyeur de denrées rares. Dans l'immédiat après-guerre, Ronnie s'attribua le pseudonyme de « colonel Cornhill », sans doute pour agrémenter son dossier militaire, et se fit une réputation sous ce nom dans les coins louches du West End. Quand ma demi-sœur Charlotte joua dans un film sur les Kray, gangsters notoires de l'Est londonien, elle consulta l'aîné, Charlie, pour glaner des anecdotes sur son personnage. Assis devant une bonne tasse de thé, Charlie Kray sortit l'album photos familial, et qui n'y vit-elle pas ? Ronnie, les bras autour des épaules des deux plus jeunes frères.

Je racontai à mes détectives qu'un soir, dès mon arrivée à l'hôtel Royal de Copenhague, j'avais été invité à rencontrer le directeur. J'en conclus que ma notoriété m'avait précédé. La mienne, non, mais celle de Ronnie, oui : il était recherché par la police danoise. Et ils étaient là, deux policiers assis tout droit contre le mur comme des écoliers au piquet. Ils m'informèrent que Ronnie était arrivé illégalement à Copenhague depuis les États-Unis avec l'aide de deux pilotes scandinaves qu'il avait plumés au poker dans un bouge new-yorkais. Plutôt qu'un paiement en espèces, il avait demandé un passage gratuit pour le Danemark, ce qui lui avait permis d'éviter la douane et l'immigration à l'atterrissage. Les policiers danois me demandèrent si, par hasard, je savais où joindre mon père. Je l'ignorais. Dieu merci, je l'ignorais vraiment. Les dernières nouvelles dataient d'un an, quand il avait quitté discrètement l'Angleterre pour échapper à un créancier, à une arrestation, à la pègre ou aux trois.

C'était là une autre piste à suivre, dis-je à mes détectives : découvrons ce que fuyait Ronnie en Angleterre, et aussi pourquoi il avait dû quitter les États-Unis en douce. Je leur parlai des chevaux de course qu'il continua à entretenir même après sa mise en faillite personnelle, à Newmarket, en Irlande et à Maisons-Laffitte, près de Paris. Je leur fournis le nom des entraîneurs et des jockeys, leur racontai que Lester Piggott avait couru pour lui à ses tout débuts, que Gordon Richards l'avait conseillé sur ses acquisitions, et que j'avais une fois trouvé le jeune Lester à l'arrière d'un van, couché dans la paille, vêtu de la casaque aux couleurs de Ronnie, en train de lire une bande dessinée avant la course. Ronnie avait baptisé ses chevaux d'après ses enfants chéris : « Dato » pour David et Tony (Dieu nous protège) ; « Tummy Tunmers », qui combinait le nom de sa maison avec son estime pour son propre estomac ; « Prince Rupert » (le seul de ses chevaux un tant soit peu vaillant), d'après mon demi-frère Rupert ; et « Rose Sang », par allusion taquine aux cheveux roux de ma demi-sœur Charlotte. Je révélai à mes détectives qu'avant même mes vingt ans j'étais allé à des réunions hippiques à la place de Ronnie, interdit de séjour sur les champs de courses en raison de ses dettes de jeu. Le jour où Prince Rupert, à la surprise générale, avait fini classé dans une course (peut-être la Cesarewitch ?), j'étais rentré à Londres par le même train que les bookmakers que Ronnie n'avait pas payés, chargé d'une valise bourrée des billets gagnés grâce à des paris que j'avais placés pour lui à droite à gauche.

J'informai mes détectives sur ce que je surnommais en secret « la Cour de Ronnie », cet aréopage d'ex-taulards distingués formant le noyau de sa petite entreprise, anciens instituteurs, anciens avocats, anciens tout et n'importe quoi. L'un d'entre eux, un certain Reg, m'avait pris à part après la mort de Ronnie pour m'avouer en sanglotant ce qu'il appelait le fond de l'affaire : Reg avait fait de la prison pour Ronnie. Et il n'était pas le seul à avoir eu cet honneur. George-Percival, un autre courtisan, ainsi qu'Eric et Arthur avaient aussi écopé à sa place en plusieurs occasions plutôt que de voir la Cour privée de son génie tutélaire. Mais là n'était pas le problème, pleurnicha Reg. Le problème, David, c'est qu'ils étaient et restaient de fieffés crétins pour s'être chaque fois laissé berner par Ronnie, au point que s'il ressuscitait aujourd'hui d'entre les morts et demandait à Reg de retourner au trou à sa place, Reg le ferait, de même que George-Percival, Eric et Arthur. Parce que, quand il s'agissait de Ronnie (Reg était le premier à l'admettre), toute la bande devenait gaga.

« On était tous véreux, mon garçon, mais ton père encore bien plus », ajouta Reg, ultime épitaphe respectueuse à son ami.

Je racontai à mes détectives que Ronnie s'était présenté aux législatives de 1950 comme candidat du parti libéral à Yarmouth, entraînant dans l'aventure tous ses courtisans, plus libéraux les uns que les autres. L'agent électoral du candidat conservateur lui fixa rendez-vous dans un endroit discret et, craignant que le maintien de Ronnie dans cette triangulaire ne fasse pencher la balance en faveur des travaillistes, l'avertit que les conservateurs divulgueraient son casier judiciaire et autres détails croustillants s'il ne se retirait pas, ce à quoi se refusa Ronnie, après avoir consulté la Cour, dont j'étais membre *ex-officio*, en session plénière. Oncle Alec était-il l'informateur secret des conservateurs ? Leur avait-il expédié une de ses lettres confidentielles en les exhortant de ne pas en révéler la source ? Je l'ai toujours suspecté. En tout état de cause, les conservateurs mirent leur menace à exécution. Ils firent fuiter le casier judiciaire de Ronnie, qui, comme prévu, leur prit assez de voix pour faire gagner les travaillistes.

Peut-être en guise d'avertissement amical à mes deux détectives, ou bien par vantardise, je leur fis part de l'étendue du réseau de Ronnie, des contacts qu'il avait avec les gens les plus inattendus. À la fin des années 1940 et au début des années 1950, son âge d'or, Ronnie pouvait recevoir lors de soirées dans sa maison de Chalfont St Peter des dirigeants du club de football d'Arsenal, des sous-secrétaires permanents du gouvernement, des grands jockeys, des stars de cinéma, des vedettes de la radio, des as du billard, d'anciens lords-maires de Londres, toute la troupe du Crazy Gang alors à l'affiche du Victoria Palace, sans compter quelques beautés triées sur le volet et dénichées Dieu sait où, ainsi que les équipes nationales de cricket d'Australie ou des Indes occidentales si elles étaient de passage, Don Bradman et la plupart des grands joueurs des années d'après-guerre, plus un chœur d'éminents juges et avocats et une cohorte de gradés de Scotland Yard en blazer de ville avec écusson sur la poche.

Grâce à son initiation précoce aux méthodes policières, Ronnie était capable de repérer à dix mètres les flics corruptibles, devinant d'un coup d'œil ce qu'ils mangeaient, ce qu'ils buvaient, ce qu'ils aimaient, jusqu'où ils iraient et où ils s'arrêteraient. Un de ses plaisirs dans la vie était de pouvoir procurer à ses amis une protection policière : si le fils d'un ami, fin saoul, précipitait la Riley de ses parents dans un fossé, c'était Ronnie qui recevait le premier appel affolé de la mère du susdit, Ronnie qui, d'un coup de baguette magique, s'arrangeait pour que les résultats de la prise de sang soient faussés dans le laboratoire de la police, obligeant du même coup le ministère public à présenter ses plus plates excuses à monsieur le juge pour cette perte de son temps si précieux, et encore Ronnie qui, en prime, créditait d'un futur renvoi d'ascenseur son compte à la grande Banque des Promesses, où il thésaurisait ses seuls biens.

En briefant ainsi mes détectives, je me berçais bien sûr d'illusions. Aucun détective au monde n'aurait pu trouver ce que je cherchais, et deux ne valaient pas mieux qu'un. Dix mille livres et quelques somptueux repas plus tard, ils n'avaient à me présenter que des coupures de presse sur des faillites passées ou sur l'élection de Yarmouth et des registres comptables inutiles. Aucun compte rendu d'audience, aucun geôlier à la retraite, aucun témoin en or, aucune arme du crime. Pas la moindre trace du procès de Ronnie aux assises de Winchester, où, à l'en croire, il avait brillamment assuré sa défense face à un jeune procureur nommé Norman Birkett, ensuite anobli puis fait pair du royaume, appelé à siéger comme juge britannique aux procès de Nuremberg.

Ronnie m'avait lui-même raconté que, dans cet esprit sportif qu'ils prisaient tous deux, il avait écrit à Birkett depuis sa prison pour féliciter le grand juriste de sa prestation. Et Birkett, flatté de recevoir une telle lettre d'un pauvre prisonnier qui payait sa dette à la société, lui répondit. Ainsi naquit une correspondance, dans laquelle Ronnie jura de consacrer sa vie à étudier le droit. Dès sa sortie de prison, il s'inscrivit comme étudiant à Gray's Inn, acte héroïque en vertu duquel il s'acheta la perruque et la robe que je revois encore le suivre dans leur carton tandis qu'il sillonnait le globe à la recherche de son Eldorado.

* * *

Ma mère Olive sortit furtivement de nos vies quand j'avais cinq ans et mon frère Tony sept, alors que nous dormions tous deux à poings fermés. Dans le jargon irritant du monde secret dans lequel j'entrerais par la suite, son départ constituait une opération d'exfiltration bien organisée, exécutée selon les plus scrupuleux principes de compartimentation. Les conspirateurs choisirent un soir où mon père Ronnie devait rentrer tard de Londres, voire pas du tout. Ce n'était pas sorcier. Sitôt libéré des privations carcérales, Ronnie s'était lancé dans les affaires depuis le West End, où il rattrapait diligemment le temps perdu. Quelles affaires ? Nous en étions réduits aux conjectures, mais il avait connu un succès foudroyant.

Ronnie avait à peine inspiré sa première bouffée d'air frais qu'il réunissait les membres épars du noyau de sa Cour. À la même vitesse ébouriffante, nous abandonnions l'humble maison en briques de St Albans, où mon grand-père nous avait conduits dès la libération de Ronnie avec moult froncements de sourcils et doigts accusateurs, pour nous établir dans la banlieue à limousines et cours d'équitation de Rickmansworth, à moins d'une heure de route des lieux de plaisir les plus chers de Londres. Escortés par la Cour, nous avions passé l'hiver dans le luxe de l'hôtel Kulm à Saint-Moritz. À Rickmansworth, les placards de notre chambre débordaient littéralement de nouveaux jouets. Les week-ends des adultes se passaient en fêtes ininterrompues, tandis que Tony et moi persuadions des oncles rigolos de jouer au football avec nous ou contemplions les murs sans livres de la nursery au son de la musique provenant du rez-de-chaussée. Parmi les visiteurs les plus improbables de cette époque figurait Learie Constantine, plus tard anobli en sir puis lord, sans conteste le plus grand joueur de cricket caribéen de tous les temps – Ronnie, qui n'était pas à un paradoxe près, aimait être vu en compagnie de gens à la peau noire ou brune, ce qui en faisait une exception en ce temps-là. Learie Constantine jouait au « cricket pour rire » avec nous, et nous l'aimions beaucoup. J'ai le souvenir d'une joyeuse cérémonie familiale durant laquelle il devint officiellement, mais sans la bénédiction d'un prêtre, mon parrain ou celui de mon frère, nous ne savons plus trop ni l'un ni l'autre.

« Mais d'où venait tout cet argent ? » demandai-je à ma mère lors d'un des nombreux débriefings consécutifs à nos retrouvailles. Elle n'en avait pas la moindre idée. Soit les affaires lui passaient par-dessus la tête, soit elle était au-dessus de ça. Plus les temps étaient durs, plus elle resta à l'écart. Ronnie était un escroc, concéda-t-elle, mais n'est-ce pas le cas de tous les hommes d'affaires ?

La maison que quitta Olive en catimini était un manoir de style Tudor baptisé Hazel Cottage. Dans l'obscurité, le grand jardin en pente et les fenêtres à petits carreaux en losange lui conféraient l'allure d'un relais de chasse forestier. J'imagine un fin croissant de lune, ou une nuit noire. Pendant l'interminable journée précédant sa fuite, je la vois se livrer à des préparatifs discrets, remplir sa valise Harrods en cuir blanc du strict nécessaire – un pull-over chaud parce qu'il va faire très froid en Est-Anglie, et où diable ai-je mis mon permis de conduire ? –, consulter d'un œil inquiet sa montre en or de Saint-Moritz tout en préservant les apparences devant ses enfants, la cuisinière, la femme de ménage, le jardinier et Annaliese, la nounou allemande.

Olive ne fait plus confiance à aucun de nous. Ses fils sont les filiales en pleine propriété de Ronnie, et Annaliese est suspectée de coucher avec l'ennemi. Mabel, la plus proche amie d'Olive, habite à quelques kilomètres avec ses parents dans un appartement donnant sur le golf de Moor Park, mais Mabel n'est pas plus au courant du projet d'évasion qu'Annaliese. Mabel ayant subi deux avortements en trois ans des œuvres d'un homme qu'elle se refuse à identifier, Olive commence à flairer un loup. Munie de sa valise blanche, elle traverse sur la pointe des pieds le salon à fausses poutres apparentes, où trône un des tout premiers postes de télévision d'avant-guerre, un cercueil vertical en acajou avec un minuscule écran où s'agitent de petites taches et, très rarement, les traits flous d'un homme en smoking. Le poste est éteint. Muselé. Elle ne le regardera plus jamais.

« Pourquoi ne nous as-tu pas emmenés avec toi ? lui demandai-je lors d'un de nos débriefings.

– Parce que tu nous aurais poursuivis, chéri, répondit Olive, signifiant comme toujours Ronnie et non moi. Tu n'aurais eu de cesse de récupérer tes précieux garçons. »

Et puis, il y avait la question cruciale de notre éducation, argumenta-t-elle. Ronnie nourrissait tant d'ambitions pour ses fils que, coûte que coûte (dans son cas, pas grand-chose), il nous ferait entrer dans des écoles huppées. Olive n'aurait jamais réussi à en faire autant, pas vrai, chéri ?

Je n'arrive pas à bien la décrire. Enfant, je ne l'ai pas connue, et adulte, je ne l'ai pas comprise. J'en sais aussi peu sur ses capacités que sur tout le reste. Était-elle généreuse mais faible ? Fut-elle mise au supplice par la séparation avec ses deux premiers enfants, ou bien était-ce une femme qui n'éprouvait guère d'émotion et se laissait porter dans la vie par les décisions des autres ? Avait-elle des talents cachés qui essayaient en vain de se révéler ? Je me reconnaîtrais facilement dans l'une ou l'autre de ces identités, mais je ne sais pas laquelle choisir, à supposer qu'il le faille.

La valise en cuir blanc, qui se trouve aujourd'hui dans ma maison londonienne, est devenue pour moi un objet d'intenses cogitations. Comme toute œuvre d'art, elle distille une certaine tension par son inertie : va-t-elle soudain reprendre son envol sans laisser d'adresse ? Extérieurement, c'est une valise de grande marque pour mariée aisée en voyage de noces. Les deux portiers en livrée éternellement en faction, du moins dans mon souvenir, devant les portes vitrées de l'hôtel Kulm à Saint-Moritz, déneigeant les bottes des clients d'un geste théâtral, en identifieraient d'emblée la propriétaire comme appartenant à la classe des donneurs de pourboire. Quand ma mémoire m'abandonne dans mes moments de fatigue, toutefois, l'intérieur de cette valise exsude la sensualité, notamment en raison de sa doublure élimée en soie rose, jupon vaporeux attendant d'être arraché, mais aussi parce que subsiste quelque part dans ma tête le vague souvenir de la vision d'une étreinte charnelle (un corps à corps en chambre que j'ai surpris dans ma petite enfance), et que cette image est rose. Avais-je vu Ronnie et Annaliese faire l'amour ? Ou Ronnie et Olive ? Ou Olive et Annaliese ? Ou tous les trois ensemble ? Ou aucun d'eux, sinon en rêve ? Ce pseudo-souvenir symbolise-t-il quelque paradis érotique enfantin dont je fus chassé le jour où Olive nous quitta avec armes et bagages ?

Cette valise est une pièce de musée inestimable, le seul objet connu portant les initiales d'Olive durant sa période Ronnie : O.M.C., pour Olive Moore Cornwell, imprimé en noir sous la poignée en cuir imprégnée de sueur. La sueur de qui ? D'Olive ? De son complice et sauveur, cet agent immobilier rouquin et irascible qui lui servit de chauffeur lors de son évasion ? J'ai dans l'idée que, comme Olive, son sauveur était marié et que, comme elle, il avait des enfants. Si tel est le cas, dormaient-ils eux aussi à poings fermés ? Appelé de par son métier à côtoyer la petite noblesse terrienne, son sauveur avait aussi une classe dont Ronnie était totalement dépourvu aux yeux d'Olive, qui ne lui pardonna jamais de s'être marié au-dessus de son rang.

Elle passa le restant de sa vie à ressasser ce grief, jusqu'à ce que je commence à comprendre que cette discrimination sociale de façade lui avait permis de se draper dans sa dignité alors même qu'elle continuait de courir désespérément après Ronnie pendant les années de leur prétendue séparation. Elle le laissait l'inviter à déjeuner dans le West End, l'écoutait se vanter de sa prodigieuse fortune, même si elle n'en vit jamais la couleur, et, après le café et le digestif, du moins l'imaginé-je, se donnait à lui dans quelque maison sûre avant qu'il ne retourne en hâte gagner un million imaginaire de plus. En laissant ouvertes les blessures que la basse extraction de Ronnie lui avait infligées, en se gaussant de ses écarts de langage et de ses faux pas occasionnels, elle se défaussait sur lui de toute responsabilité, hormis son propre consentement stupide.

Pourtant Olive était tout sauf stupide. Elle avait le verbe haut, lucide, spirituel, s'exprimait en longues phrases ciselées dignes d'être imprimées et écrivait des lettres bien tournées, rythmées et amusantes. En ma présence, elle avait une élocution d'une application pénible, comme Mme Thatcher quand elle était arrivée à la moitié de ses cours de diction. Mais en la présence de tiers, ai-je appris récemment de la part de quelqu'un qui la connut mieux que moi, c'était un véritable mainate, capable d'adopter instantanément les inflexions vocales de quiconque se trouvait avec elle, même si cela signifiait explorer le bas du bas de l'échelle sociale. Et oui, moi aussi j'ai une bonne oreille pour les accents. Donc c'est peut-être quelque chose que je tiens d'elle, car Ronnie n'avait pas ce talent. Et j'adore les imiter, les coucher sur la page. Mais ce qu'elle aimait lire, pour autant qu'elle ait lu, je ne le sais pas plus que la contribution génétique qu'elle fit à mon existence. Avec le recul, en écoutant ses autres enfants, je vois bien qu'il y avait là une mère à découvrir. Mais je ne l'ai jamais découverte, peut-être parce que je ne le voulais pas.

Selon les critères des rencontres par ordinateur, Ronnie et Olive m'ont toujours paru idéalement assortis, malgré tout. Mais alors qu'Olive était prête à se laisser définir par qui disait l'aimer, Ronnie était un escroc de haut vol doué du terrible don d'inspirer l'amour aux hommes comme aux femmes. Le ressentiment d'Olive envers les origines sociales de Ronnie ne s'arrêtait pas au principal intéressé. Elle jugeait le père de Ronnie (mon vénéré grand-père Frank, ex-maire de Poole, franc-maçon, antialcoolique, prédicateur, icône de la probité familiale, pas moins) aussi dépravé que lui, pour lui avoir mis le pied à l'étrier, avoir financé et téléguidé sa première arnaque, puis fait le mort quand Ronnie avait plongé. Elle trouvait même à redire à propos du grand-père de Ronnie, dans mon souvenir un sosie barbu de D.H. Lawrence qui faisait toujours du tricycle à quatre-vingt-dix ans. Quelle place étais-je donc censé occuper dans cette lignée masculine condamnée en bloc ? Je l'ignore. Mais moi, j'avais fait les bonnes écoles, pas vrai, chéri ? On m'avait inculqué à coups de trique le langage et les manières des gens respectables.

* * *

Il existe une anecdote familiale concernant Ronnie dont je n'ai pu vérifier la véracité, mais j'aimerais y croire car elle témoigne du bon cœur qu'il avait et qui si souvent, et de façon si agaçante, clouait le bec à ses détracteurs.

Ronnie est en cavale mais n'a pas encore fui l'Angleterre. Les charges de fraude pesant contre lui sont si pressantes que la police britannique a lancé une chasse à l'homme. Dans tout ce tohu-bohu, il se trouve qu'un ancien associé de Ronnie meurt soudainement et doit être enterré. Dans l'espoir que Ronnie assistera aux funérailles, la police va lui tendre une embuscade. Des détectives en civil se mêlent à la foule, mais Ronnie n'est nulle part. Le lendemain, un membre de la famille endeuillée revient s'occuper de la nouvelle sépulture. Ronnie est debout, seul, près de la tombe.

* * *

On avance jusqu'aux années 1980, et là, ce n'est pas qu'une anecdote familiale, c'est une scène qui s'est passée en plein jour en présence de mon éditeur britannique, de mon agent littéraire et de mon épouse.

Je suis en tournée promotionnelle dans le sud de l'Australie. Déjeuner sous un grand barnum. Assis à une table à tréteaux avec mon épouse et mon éditeur à mes côtés, sous le regard de mon agent, je suis en train de dédicacer mon tout dernier roman, *Un pur espion*, qui renferme un portrait à peine voilé de Ronnie, dont j'ai évoqué la vie pendant mon discours postprandial. Une dame d'un âge certain fait énergiquement avancer son fauteuil roulant pour dépasser la queue et vient me dire avec emphase que j'ai tout faux : Ronnie n'a pas fait de la prison à Hong Kong. Elle a vécu avec lui tout le temps qu'il y a résidé, alors il n'aurait pas pu faire de la prison, sinon elle l'aurait remarqué, pas vrai ?

Alors que je soupèse encore ma réponse (pensant à lui dire, par exemple, que j'avais récemment eu une conversation amicale avec le geôlier de Ronnie à Hong Kong), une deuxième femme d'un âge similaire se met à crier.

« C'est de la foutaise, tout ça ! fulmine-t-elle. Il habitait avec moi à Bangkok et il faisait juste la navette avec Hong Kong ! »

Je leur assure qu'elles ont sans doute raison toutes les deux.

* * *

Vous ne serez pas étonné de lire que, dans mes moments sombres, comme tant de fils de tant de pères, je me demande quels éléments constitutifs de ma personne appartiennent encore à mon père et lesquels sont vraiment les miens. Y a-t-il vraiment une si grande différence entre l'homme assis à son bureau qui invente des arnaques sur la page blanche (moi) et l'homme qui enfile une chemise propre chaque matin et, sans rien d'autre en poche que son imagination, part d'un bon pied escroquer ses victimes (Ronnie) ?

Ronnie l'escroc pouvait vous inventer toute une histoire à partir de rien, y inclure un personnage qui n'existait pas en vrai et vous faire miroiter une occasion en or quand il n'y en avait pas. Il pouvait vous aveugler par des détails bidon ou vous aider à mieux comprendre un point épineux inexistant si vous n'étiez pas assez futé pour saisir du premier coup toutes les subtilités de son arnaque. Il pouvait dissimuler un grand secret pour raisons de confidentialité et vous le murmurer à l'oreille parce qu'il avait décidé de vous faire confiance.

Et si tout cela n'est pas partie intégrante de l'art de l'écrivain, dites-moi ce qui l'est.

* * *

Le grand malheur de Ronnie fut d'être un anachronisme vivant. Dans les années 1920, quand il se lança dans les affaires, un commerçant peu scrupuleux pouvait faire faillite dans une ville et obtenir un crédit le lendemain dans une autre à quatre-vingts kilomètres. Mais le temps passant, le progrès des moyens de communication finit par rattraper Ronnie, un peu comme pour Butch Cassidy et le Kid. Je suis certain qu'il fut totalement stupéfait quand les renseignements généraux de Singapour lui opposèrent son casier judiciaire britannique. Et aussi stupéfait quand, sommairement expulsé vers l'Indonésie, il fut mis derrière les barreaux pour infraction à la législation sur les devises et trafic d'armes. Et plus stupéfait encore lorsque, quelques années plus tard, la police suisse le tira de son lit à l'hôtel Dolder Grand de Zurich pour l'enfermer dans la prison locale. Ayant récemment lu comment ces messieurs de la FIFA ont été tirés de leur lit au Baur au Lac de Zurich et répartis dans des cellules sélectionnées dans toutes les prisons de la ville, j'imagine Ronnie voici une quarantaine d'années subissant la même humiliation à la même heure des mains de la même police suisse.

Les palaces sont l'herbe à chat de l'escroc. Jusqu'à ce petit matin zurichois, Ronnie était descendu dans de multiples grands hôtels et son système n'avait jamais failli : on prend la meilleure suite dans le meilleur hôtel, on reçoit comme un prince, on s'attire les bonnes grâces des portiers, des chefs de rang et, surtout, des concierges en leur donnant de fréquents et généreux pourboires, on passe des appels téléphoniques aux quatre coins du monde et, quand l'hôtel présente la première facture, on dit qu'on l'a transmise à son personnel pour règlement. Ou alors, si on joue le long terme, on laisse traîner la première facture, on la règle, et après plus rien.

Dès qu'on a le sentiment de s'être incrusté trop longtemps, on prépare une petite valise, on glisse au concierge un billet de vingt ou de cinquante et on lui dit qu'on a une affaire urgente à régler en dehors de la ville où on risque de passer la nuit. Ou bien, si c'est ce genre de concierge, on lui fait un clin d'œil appuyé et on lui dit qu'on a rendez-vous avec une amie et, au fait, aurait-il la gentillesse d'aller vérifier qu'on a bien fermé la porte de la suite à clé, vu tous les objets précieux qu'on y a laissés (en s'étant assuré au préalable que tout objet précieux éventuel qu'on pourrait avoir est déjà dans la petite valise). Et peut-être, pour étoffer la légende, confie-t-on au concierge des clubs de golf à surveiller par sécurité, mais seulement si besoin est, parce qu'on adore le golf.

Mais cette descente matinale au Dolder apprit à Ronnie que son petit jeu était terminé. À notre époque, c'est cuit. Ils ont toutes les données sur votre carte de crédit et ils savent où vos enfants sont scolarisés.

* * *

Avec ses talents avérés de dissimulateur, Ronnie aurait-il pu faire un maître espion ? Certes, quand il trompait les gens il se trompait aussi lui-même, ce qui d'ailleurs ne l'aurait pas nécessairement disqualifié. Mais s'il détenait un secret, le sien ou celui de quelqu'un d'autre, il était vraiment mal à l'aise jusqu'à ce qu'il ait pu le partager, ce qui aurait certainement posé quelques difficultés.

Le show-business ? Après tout, il avait brillamment réussi son numéro de visiteur d'un grand studio cinématographique berlinois en prétendant me représenter moi et Paramount Pictures, alors pourquoi s'arrêter en si bon chemin ? Hollywood, c'est bien connu, a notoirement tendance à réchauffer les escrocs en son sein.

Ou alors, acteur ? N'aimait-il pas se regarder dans le grand miroir ? N'avait-il pas passé sa vie entière à se faire passer pour un homme qu'il n'était pas ?

Mais Ronnie n'avait jamais voulu être une star. Il voulait être Ronnie, un univers à lui tout seul.

Quant à devenir l'auteur de ses propres fictions, oubliez. Il ne m'enviait pas ma notoriété littéraire. Il en avait la propriété exclusive.

* * *

Nous sommes en 1963. Je viens juste d'arriver à New York pour mon tout premier voyage aux États-Unis. *L'Espion qui venait du froid* est en tête des ventes. Mon éditeur américain m'emmène dîner au 21 Club pour fêter ça. Alors que le maître d'hôtel nous escorte à notre table, je repère Ronnie assis dans un coin.

Nous sommes en froid depuis des années. J'ignorais totalement qu'il était en Amérique, mais le voilà, à quatre mètres de nous, assis devant un cocktail. Comment diable est-il arrivé jusqu'ici ? Rien de plus simple. Il a téléphoné à mon éditeur américain, un brave homme, et a fait vibrer la corde sensible : dès qu'il a vu son nom, il a su qu'il était d'origine irlandaise, alors il a joué la carte celtique.

Nous invitons Ronnie à notre table. Il accepte humblement et apporte son cocktail, mais juste le temps d'un verre, insiste-t-il, après il nous laissera tranquilles. Il se montre adorable, fier de moi, il me donne des petites tapes sur le bras et il m'explique, les larmes aux yeux, qu'il n'a pas été un mauvais père, pas vrai, fiston, et qu'on s'est bien débrouillés, tous les deux, n'est-ce pas ? Mais oui, mais oui, on s'est bien débrouillés, tous les deux, Père, très bien, même.

Alors Jack, mon éditeur, qui est un papa fier de ses enfants en plus d'être irlandais, suggère à Ronnie de finir son verre et si on commandait une bouteille de champagne ? Aussitôt dit, aussitôt fait, et Ronnie lève son verre pour porter un toast à notre livre (notez bien le « notre »). Et là, Jack dit que, zut à la fin, Ronnie, pourquoi ne vous joindriez-vous pas à nous pour dîner ? Ronnie se laisse persuader et se commande une belle assiette de mixed grill.

Une fois sur le trottoir, nous sacrifions au rituel de l'accolade et il se met à pleurer, comme souvent, à gros sanglots tremblants. Je pleure aussi, et je lui demande s'il va bien côté finances, ce à quoi il répond étonnamment que oui. Puis il me donne un bon conseil pour la vie, au cas où je laisserais le succès de notre livre nous monter à la tête, toujours entre deux sanglots : « Tu es peut-être un auteur à succès, mon fils, mais tu n'es pas une célébrité. »

Et me laissant planté là avec cet avertissement cryptique, il s'en va dans la nuit sans me révéler où, ce qui doit vouloir dire qu'il a une dame en attente, puisque c'est presque toujours le cas.

* * *

Quelques mois plus tard, j'arrive à reconstituer le résumé des épisodes précédents. Ronnie était en cavale, sans argent ni gîte. Mais il se trouve que les agents immobiliers new-yorkais proposaient un mois de logement gratuit pour les primo-locataires de nouveaux immeubles. Sous différents noms, Ronnie passait donc d'un appartement à un autre, un mois gratuit ici, un mois gratuit là, et jusqu'à présent ils ne lui avaient pas mis la main dessus, mais attention à ses abattis quand ce serait le cas. C'était forcément par fierté qu'il avait décliné mon offre d'argent, parce qu'il était désespéré et avait déjà siphonné à mon frère la majeure partie de ses économies.

Le lendemain de notre dîner au 21 Club, il avait appelé le service commercial de ma maison d'édition américaine, s'était présenté comme étant mon père (mais aussi, bien sûr, un ami proche de mon éditeur), avait commandé deux cents exemplaires de notre livre en les débitant sur le compte de l'auteur, puis les avait signés de sa main avec son propre nom pour les distribuer en guise de carte de visite professionnelle.

J'ai depuis reçu nombre de ces livres, dont les propriétaires me demandaient d'ajouter ma signature à celle de Ronnie. La version classique dit : « Signé par le Père de l'Auteur », avec un P particulièrement large en initiale de « Père ». Ce à quoi j'ajoute généralement : « Signé par le Fils du Père de l'Auteur », avec un F géant à « Fils ».

Mais essayez donc de vous mettre à la place de Ronnie pendant un instant, comme je ne l'ai fait que trop souvent. Essayez de vous retrouver seul dans les rues de New York sans un traître sou en poche. Vous avez tapé toutes les personnes que vous pouviez taper, pressé comme des citrons tous vos contacts. En Angleterre, vous êtes sur la liste des personnes recherchées, et vous l'êtes aussi à New York. Vous n'osez pas produire votre passeport, vous utilisez des faux noms pour passer d'un appartement dont vous ne pouvez pas payer le loyer à un autre, et tout ce qui se dresse entre vous et la perdition, c'est votre humour féroce et votre costume croisé à fines rayures de chez Berman de Savile Row que vous repassez vous-même chaque soir. C'est le genre de situation qu'on vous invente à l'école des espions : « Voyons voir comment vous allez vous en sortir, de celle-là ! » À quelques petits ratages près, Ronnie aurait réussi l'exercice haut la main.

* * *

La fortune dont Ronnie avait toujours rêvé lui tomba dessus peu de temps après sa mort, dans l'un de ces tribunaux dickensiens endormis où de complexes litiges financiers sont débattus pendant un temps infini. Par prudence, je nommerai la banlieue londonienne concernée Cudlip, parce qu'il est tout à fait possible que cette même bataille juridique dure encore à ce jour, comme elle avait duré tout au long des vingt et quelques dernières années de la vie de Ronnie, et même deux ans après son décès.

Les éléments du dossier sont la simplicité même. Ronnie avait mis dans sa poche les autorités locales de Cudlip, et notamment son comité de planification. Comment ? On l'imagine aisément. Ces hommes devaient être eux aussi des baptistes, ou des francs-maçons, ou des joueurs de cricket, ou des joueurs de billard, ou bien des hommes mariés dans la force de l'âge qui, jusqu'à leur rencontre avec Ronnie, n'avaient jamais goûté aux plaisirs nocturnes du West End. Peut-être aussi espéraient-ils une part de ce qui serait, Ronnie les en avait assurés, un gros gâteau.

Quoi qu'il en soit, il n'y a aucune contestation, juridique ou autre, du fait que le conseil municipal de Cudlip donna à l'une des quatre-vingt-trois sociétés désargentées de Ronnie l'autorisation d'ériger une centaine de maisons attractives au beau milieu de la ceinture verte de Cudlip. Sitôt cet accord obtenu, Ronnie, qui avait acheté ledit terrain pour des cacahuètes au motif de son inconstructibilité, le revendit donc assorti du permis de construire à une grande entreprise du BTP pour une grosse somme d'argent. Le champagne coula à flots, la Cour jubila. Ronnie avait réussi là le deal de sa vie. Mon frère Tony et moi-même serions à l'abri du besoin le restant de nos jours.

Et comme si souvent dans la vie, Ronnie avait presque raison, n'étaient les citoyens de Cudlip qui, mobilisés par leur journal local, déclarèrent comme un seul homme que toute tentative de construire des maisons ou quelque autre bâtiment sur leur précieuse ceinture verte (leur terrain de football, leurs courts de tennis, leur aire de jeux pour les enfants, leur zone de pique-nique) ne se ferait qu'à leur corps défendant. Et leur détermination était telle que, en un rien de temps, ils obtinrent une décision de justice qui laissa entre les mains de Ronnie un contrat signé avec l'entreprise de BTP mais pas la première livre de l'argent promis.

Ronnie était aussi scandalisé que les citoyens de Cudlip. Comme eux, il n'avait jamais connu pareille perfidie. Ce n'était pas une question d'argent, insistait-il, mais de principe. Il s'entoura d'une équipe d'avocats choisis parmi les meilleurs. Jugeant son dossier solide, ils acceptèrent de le défendre contre rémunération uniquement en cas de victoire. Le terrain de Cudlip devint de ce jour l'étalon-or de notre foi en Ronnie. Pendant les vingt années qui suivirent et même plus, tout revers temporaire était relativisé dans l'attente du jour où viendrait le Grand Jugement. Ronnie pouvait m'écrire de Dublin, de Hong Kong, de Penang ou de Tombouctou, le mantra enluminé d'étranges majuscules ne variait jamais : « Un jour, mon Fils, et ce jour arrivera peut-être une Fois que j'aurai connu le Jugement dernier, la Justice britannique Prévaudra. »

Et en effet, à peine quelques mois après sa mort, la justice prévalut. Je n'étais pas au tribunal pour l'énoncé du verdict, car mon avocat m'avait conseillé de ne pas faire montre de la moindre lueur d'intérêt pour le patrimoine de Ronnie, au risque de me retrouver responsable de ses énormes dettes. Le tribunal était bondé, selon mes sources. Le banc des avocats était particulièrement rempli.

Trois juges siégeaient, mais l'un parla pour tous, en un discours si ampoulé que, pendant un moment, aucun béotien ne put comprendre ce qu'il disait.

Puis peu à peu la nouvelle se répandit. La cour s'était prononcée en faveur du plaignant, Ronnie. À cent pour cent. Le jackpot. Pas de si, pas de mais. Pas de « d'un côté ceci, mais d'un autre côté cela ». Du fond de sa tombe, Ronnie remportait la victoire écrasante qu'il avait toujours prédite, le triomphe du Peuple sur les andouilles et les hurluberlus (traduisez : les mécréants et les intellectuels), la justification posthume de tous ses efforts.

Mais le calme revient soudain car, par-dessus les congratulations, un assesseur exige de nouveau le silence. Les poignées de main et les claques dans le dos laissent place à un malaise collectif. Un avocat qui, jusqu'à présent, ne s'est pas adressé à la cour réclame l'attention des juges. Je me suis fait mon image arbitraire de cet homme : pédant, potelé, piqué de boutons, avec une perruque trop petite pour sa tête. Il représente la Couronne, dit-il aux juges, en l'espèce, l'administration fiscale de Sa Majesté, qu'il désigne comme « créancier prioritaire » dans l'affaire sur laquelle ils viennent de se prononcer. Et pour être précis, et pour ne pas leur faire perdre un temps précieux, il voudrait très respectueusement demander que la somme totale attribuée à la succession du plaignant soit mise sous séquestre afin de l'imputer aux sommes bien plus conséquentes et irrécouvrables, accumulées sur un grand nombre d'années, dues par le défunt au fisc de Sa Majesté.

* * *

Ronnie est mort, et je suis de retour à Vienne pour humer l'atmosphère de la ville avec le projet d'inclure mon père dans un roman semi-autobiographique que je suis enfin libre d'imaginer. J'évite le Sacher, de peur que les serveurs se souviennent de Ronnie tombant d'un bloc sur la table et de moi le portant à moitié pour sortir. Mon avion pour Schwechat est retardé, et la réception du petit hôtel que j'ai choisi au hasard est tenue par un vieux portier de nuit. Il me regarde remplir la fiche sans un mot, puis me dit en allemand, avec un doux accent viennois distingué : « Votre père était un grand homme. Vous l'avez traité de façon indigne. »

34

À Reggie, avec mes remerciements

Il faut sans doute être d'un âge proche du mien pour se souvenir de Reginald Bosanquet, espiègle présentateur immensément populaire du journal télévisé, bon vivant et bon buveur qui mourut ridiculement jeune, je ne sais trop de quoi. Reggie était mon contemporain à Oxford et avait tout ce que je n'avais pas : une rente, une voiture de course, de belles femmes et une sorte de maturité prématurée pour aller avec.

Nous nous appréciions, mais on ne peut pas passer tout son temps avec un homme qui vit la vie dont on rêve et qui peut se le permettre quand on ne le peut soi-même. En outre, j'avais un côté poète maudit à l'époque, sérieux et un peu torturé. Reggie, pas du tout. Et puis, je n'étais pas juste fauché – au milieu de ma deuxième année, j'étais carrément insolvable, puisque mon père venait de faire une de ses faillites spectaculaires et avait réglé mes frais de scolarité trimestriels avec un chèque en bois. Et même si l'université faisait preuve d'une patience exemplaire, je ne voyais vraiment pas comment j'aurais pu finir mon année à Oxford.

C'était sans compter sur Reggie, qui débarqua dans ma chambre un beau jour, sans doute avec la gueule de bois, me fourra une enveloppe entre les mains et repartit. L'enveloppe contenait un chèque à mon nom signé par ses fidéicommissaires, d'un montant suffisant pour rembourser mes dettes et me permettre de rester à l'université six mois de plus. La lettre qui l'accompagnait, signée aussi par les fidéicommissaires, disait que Reggie leur avait raconté mon revers de fortune, que cet argent venait de ses ressources propres et que je pourrais le rembourser à ma convenance et uniquement quand j'en aurais les capacités financières. Et le souhait de Reggie était que, pour toute question relative à ce prêt, je corresponde directement avec eux, puisqu'il se refusait à mélanger argent et amitié.

Il me fallut plusieurs années avant de pouvoir rembourser l'intégralité de ce prêt, plus les intérêts que le capital aurait rapportés. Ses fidéicommissaires m'envoyèrent un mot de remerciement fort courtois en me reversant les intérêts, au motif que Reggie ne trouvait pas leur application appropriée étant donné les circonstances[1].

1. Texte écrit pour l'association caritative Victim Support, 1998.

35

L'homme le plus recherché

Ce coup de fil aussi matinal que mystérieux de Karel Reisz, réalisateur britannique d'origine tchèque surtout connu à l'époque pour son film *Samedi soir, dimanche matin*, m'arriva en 1967. En ce temps-là, je m'efforçais de vivre seul dans un horrible appartement au dernier étage d'un immeuble du quartier de Maida Vale à Londres. Reisz et moi travaillions ensemble à une adaptation de mon roman *Un amant naïf et sentimental*, qui n'avait pas vraiment rencontré son public, c'est le moins que l'on puisse dire. Mais Reisz ne m'appelait pas concernant notre film (qui, au bout du compte, ne vit jamais le jour), je le devinai au son de sa voix sonore qui prenait des intonations de conspirateur.

« David, tu es seul ? »

Oui, Karel, tout à fait.

« Tu pourrais passer me voir dès que possible ? Ça me rendrait service. »

La famille Reisz n'habitait pas très loin, dans une maison victorienne en briques rouges de Belsize Park. J'y allai sans doute à pied. (Quand votre mariage part à vau-l'eau, vous faites beaucoup de marche à pied.) Reisz m'ouvrit la porte si vite qu'il avait dû guetter mon arrivée. Il verrouilla derrière moi et m'entraîna dans la grande cuisine, où se déroulait l'essentiel de la vie chez les Reisz : une table ronde en pin épais, avec des biscuits, des théières et des cafetières posés sur un plateau tournant, des brocs de jus de fruits, un téléphone à très long fil toujours occupé, et à cette époque beaucoup de cendriers, tout cela à la disposition d'habitués aussi improbables que Vanessa Redgrave, Simone Signoret ou Albert Finney, qui déboulaient, se servaient, papotaient un peu et repartaient. Je me suis toujours imaginé que telle était la façon de vivre des parents de Reisz avant qu'ils aient été déportés et exterminés à Auschwitz.

Je m'assis. Cinq personnes me dévisageaient, dont l'actrice Betsy Blair, qui était l'épouse de Reisz et qui pour une fois n'était pas pendue au téléphone ; le réalisateur Lindsay Anderson, connu pour *Le Prix d'un homme*, que Reisz avait produit ; et, entre les deux réalisateurs, un beau jeune homme d'allure slave, souriant, nerveux et charmant, que je n'avais jamais vu auparavant.

« David, je te présente Vladimir », m'annonça gravement Reisz.

Le jeune homme se leva d'un bond pour me serrer la main vigoureusement – désespérément, devrais-je plutôt dire – par-dessus la table.

Assise juste derrière ce jeune homme expansif, une jeune femme qui, à en juger par l'inquiétude qu'elle affichait à son égard, avait plus l'air d'une tutrice que d'une amoureuse, ou, dans ce contexte, d'une agente théâtrale ou d'une directrice de casting – car le jeune homme avait une véritable présence, ça se voyait au premier coup d'œil.

« Vladimir est un acteur tchèque », m'annonça Reisz.

Formidable.

« Et il veut rester en Angleterre. »

Vraiment ? Je vois (ou quelque commentaire du même ordre).

« On s'est dit que, vu vos antécédents, vous connaîtriez certainement des gens qui s'occupent de ce genre de cas », enchaîna Anderson.

Silence général autour de la table. Tout le monde attendait que je dise quelque chose.

« Donc Vladimir veut passer à l'Ouest, remarquai-je finement.

– On peut dire ça comme ça », répondit Anderson d'un ton sarcastique.

Et le silence retomba. Je compris qu'Anderson s'était octroyé une sorte de droit de propriété sur Vladimir alors que Reisz, le compatriote tchèque bilingue, était plus un intermédiaire qu'un moteur. Voilà qui rendait les choses délicates. J'avais rencontré Anderson en trois occasions tout au plus, aucune vraiment agréable. Pour une raison inexpliquée, nous étions partis du mauvais pied, et nous n'en avions jamais changé. Né en Inde dans une famille de militaires, Anderson avait été éduqué dans une école privée anglaise (Cheltenham, dont il se vengea plus tard avec son film *If...*), puis à Oxford. Pendant la guerre, il avait servi dans le renseignement militaire à Delhi. Et je pense que c'est ce dernier point qui l'avait d'emblée mal disposé envers moi. Moi le socialiste patenté à couteaux tirés avec l'establishment qui l'avait engendré, je lui apparaissais comme un genre d'apparatchik secret de la lutte des classes, et je n'y pouvais mais.

« Vladimir, c'est Vladimir Pucholt », annonce alors Reisz.

Ma réaction ne répondant pas à leurs attentes (c'est-à-dire que je ne pousse pas un cri d'admiration, que je ne m'exclame pas « Le célèbre Vladimir Pucholt ? Non ! »), Reisz s'empresse de me fournir une explication bientôt étayée par le reste de la tablée. J'apprends à ma grande honte que Vladimir Pucholt n'est autre que la star tchèque montante de la scène et de l'écran, connu surtout pour son rôle principal dans *Les Amours d'une blonde*, de Miloš Forman, qui a rencontré un succès international. Forman, qui l'avait déjà utilisé dans ses films précédents, a même déclaré que Vladimir était son acteur préféré.

« Ce qui veut dire, en gros, que tout pays qui l'accueillera pourra s'estimer foutrement chanceux ! lance Anderson d'un ton agressif, comme si j'avais mis en doute la valeur de Pucholt et qu'il se sentait obligé de me moucher. Et j'espère bien que vous le ferez clairement comprendre à vos contacts. »

Mais je n'ai pas de contacts. Les seuls contacts officiels ou semi-officiels que j'aie sont mes anciens collègues du monde de l'espionnage. Et jamais je n'appellerai l'un d'entre eux pour leur dire que j'ai sur les bras un transfuge tchèque potentiel. J'imagine trop bien le genre de questions aimables auxquelles Pucholt serait invité à répondre, comme : êtes-vous une taupe du renseignement tchèque et, si oui, pouvons-nous faire de vous un agent double ? Ou encore : citez-nous d'autres dissidents actuellement en Tchécoslovaquie qui pourraient vouloir travailler pour nous. Et, en supposant que vous n'ayez pas déjà signifié vos intentions à une dizaine de vos meilleurs amis, pourriez-vous envisager de retourner en Tchécoslovaquie et de nous rendre de menus services ?

Cela étant, je commence à deviner que Pucholt ne leur en donnerait pas pour leur argent. Il n'a rien d'un fugitif, du moins il ne se considère pas comme tel. Il est arrivé en Grande-Bretagne de façon légale, avec la bénédiction des autorités tchèques. Avant de partir, il a discrètement mis de l'ordre dans ses affaires, a honoré tous ses contrats théâtraux et cinématographiques en cours et pris soin de ne pas en signer de nouveaux. Ce n'est pas son premier séjour en Grande-Bretagne, et les autorités tchèques n'ont aucune raison de supposer que, cette fois-ci, il n'a pas l'intention de rentrer.

Apparemment, il est entré en clandestinité dès son arrivée en Grande-Bretagne. Par des voies non spécifiées, Lindsay Anderson a eu vent de ses intentions et lui a proposé son aide. Pucholt et Anderson se connaissaient de Prague et de Londres. Anderson s'est adressé à son ami Reisz, et à eux trois ils ont concocté une sorte de plan. Pucholt a clairement indiqué dès le départ qu'il se refusait à demander l'asile politique, pour ne pas risquer de faire s'abattre la fureur des autorités tchèques sur ceux qu'il a laissés derrière lui, amis, famille, professeurs, collègues. Peut-être a-t-il en tête le cas du danseur classique soviétique Rudolf Noureev, dont la défection six ans plus tôt a été claironnée comme une victoire pour l'Occident et dont les amis et la famille en Russie ont connu par contrecoup l'opprobre le plus noir.

Avec cette priorité à l'esprit, Reisz, Anderson et Pucholt ont mis leur plan à exécution. Il n'y aurait pas de fanfares, pas de traitement spécial. Pucholt serait juste un jeune rebelle d'Europe de l'Est débarquant pour solliciter l'indulgence des autorités britanniques. Anderson et Pucholt se sont rendus au ministère de l'Intérieur et ont pris place dans la queue des personnes venant faire prolonger leur visa au Royaume-Uni. Une fois au guichet, Pucholt a glissé son passeport tchèque sous l'hygiaphone.

« Pour combien de temps ? » a demandé le préposé, son tampon en main.

Ce à quoi Anderson, qui n'a pas la langue dans sa poche, surtout quand il s'adresse à un laquais du système de classes qu'il honnit, a répondu : « Pour toujours. »

* * *

Je peux me faire une idée assez précise des longs échanges qui se déroulèrent entre Pucholt et le haut fonctionnaire du ministère de l'Intérieur auquel on avait confié son dossier.

D'un côté, la perplexité louable d'un haut fonctionnaire résolu à bien faire pour le requérant, mais aussi à respecter les règles. Tout ce qu'il demande à Pucholt, c'est que celui-ci déclare sans ambiguïté que, s'il devait retourner dans son pays d'origine, il y serait persécuté. Une fois qu'il aura fait ça, impeccable, une croix dans la bonne case, visa prorogé indéfiniment, et bienvenue en Grande-Bretagne, monsieur Pucholt.

De l'autre côté, l'obstination louable de Pucholt, qui refuse catégoriquement de s'exécuter, parce que cela reviendrait à demander l'asile politique et mettrait ainsi en péril les personnes qu'il s'est juré de ne pas mettre en péril. Alors, non, monsieur, je ne serais pas persécuté si j'y retournais, voilà. Je suis un acteur tchèque populaire et on m'accueillerait à bras ouverts. J'aurais peut-être une réprimande ou une punition symbolique, mais je ne serais pas persécuté, et je ne demande pas l'asile politique, merci bien.

Cet affrontement n'est pas dépourvu d'un certain humour noir. Quand il était encore en Tchécoslovaquie, Pucholt a connu une sévère disgrâce et s'est vu interdire de jouer dans des films pendant deux ans. En effet, on lui avait suggéré (comprendre : on lui avait ordonné) de jouer le rôle d'un jeune délinquant tchèque qui, après avoir été initié par les professeurs dévoués de sa maison de redressement aux plus hauts principes du marxisme-léninisme, se trouve incapable de supporter la vie dans la société bourgeoise moins éclairée auquel on l'a rendu.

Peu impressionné par le scénario, Pucholt avait demandé à passer quelques jours dans une maison de redressement, expérience qui l'avait renforcé dans son opinion que la pièce était totalement nulle et l'avait poussé à refuser le rôle, au grand dam de ses responsables. Les esprits s'échauffent, on lui agite ses contrats sous le nez, mais il refuse de céder. Résultat : un boycott de deux ans qu'en de meilleures circonstances il aurait parfaitement pu utiliser comme preuve du fait qu'il était victime de persécution politique dans son pays d'origine.

Une semaine se passa avant que Pucholt soit convoqué au ministère de l'Intérieur, cette fois pour s'entendre dire par un officiel gêné que, dans la plus pure tradition du compromis à l'anglaise, il ne serait pas rapatrié de force vers la Tchécoslovaquie mais devait quitter l'Angleterre par ses propres moyens sous dix jours.

Et c'est à ce point de l'histoire que nous nous retrouvons autour de la table de Reisz dans un état d'inquiétude muette. Soit les dix jours sont écoulés, soit ils sont sur le point de l'être, alors que suggérez-vous, David ? Et la réponse qui s'impose est que David n'a aucune suggestion à faire, encore moins quand, à un stade de nos discussions qui tournent en rond, il transpire que Pucholt n'est pas venu en Grande-Bretagne pour poursuivre sa brillante carrière d'acteur, mais « parce que je veux devenir médecin, David », m'explique-t-il, très sérieux.

* * *

Il est bien conscient que devenir médecin prendra un certain temps. Sept ans, d'après ses calculs. Il a quelques diplômes tchèques, mais il doute qu'ils auront une vraie équivalence dans le système britannique.

Je l'entends, avec sa voix pleine d'une ferveur qui se lit aussi sur ses traits slaves expressifs, et je m'efforce d'afficher un sourire approbateur et plein de sagesse face à cette noble vision du dévouement.

Sauf que je connais un peu les acteurs et que je sais, comme tout le monde autour de cette table, qu'ils sont capables de se raccrocher à une version imaginaire d'eux-mêmes et de se l'approprier, mais seulement pendant la durée du spectacle. Après, ils repartent pour un tour, en quête d'une nouvelle personne à incarner.

« Eh bien, c'est formidable, Vladimir ! je m'écrie, histoire de gagner un maximum de temps. Mais j'imagine que vous garderez un pied dans le monde du spectacle pendant vos études de médecine, non ? Vous travaillez un peu votre anglais, vous faites un peu de théâtre, vous acceptez à l'occasion un rôle au cinéma qui se présenterait... », lancé-je en cherchant du regard le soutien de nos deux réalisateurs, mais en vain.

Il me répond que non, David. Il est acteur depuis son enfance. Il a enchaîné les rôles (souvent inintéressants, comme celui du jeune délinquant) et maintenant il veut devenir médecin, raison pour laquelle il souhaite rester en Grande-Bretagne. Je jette un œil autour de la table. Personne n'a l'air étonné. Hormis moi, tout le monde accepte l'idée que Vladimir Pucholt, jeune premier de la scène et de l'écran, souhaite juste devenir médecin. Se demandent-ils comme moi s'il s'agit là d'un fantasme d'acteur plutôt que d'une ambition de vie ? Impossible à savoir.

Mais peu importe, parce que, entre-temps, j'ai accepté d'être l'homme qu'ils me croient être. Je vais parler à mes contacts, m'entends-je dire alors même que je n'ai pas de contacts. Je vais trouver la meilleure solution pour amener cette histoire à une issue satisfaisante et rapide, comme nous disons, nous autres les apparatchiks secrets. Je vais rentrer chez moi maintenant, mais je vous recontacte. Et je sors côté jardin, la tête haute.

* * *

Dans le demi-siècle qui s'est écoulé depuis, je me suis parfois demandé pourquoi diable j'avais proposé de faire tout cela alors qu'Anderson et Reisz, en tant que réalisateurs de stature international, avaient bien plus de contacts à leur disposition, plus d'amis haut placés que moi, sans parler d'avocats retors. Je n'ignorais pas que Reisz était comme cul et chemise avec lord Goodman, *éminence grise** et conseiller juridique du Premier ministre Harold Wilson. Quant à Anderson, malgré tout son rigorisme socialiste, il avait un pedigree impeccable dans la haute société et, comme Reisz, des liens étroits avec le parti travailliste au pouvoir.

Peut-être la réponse est-elle que, ma vie étant alors un chaos indescriptible, j'éprouvais un certain soulagement à essayer de remettre de l'ordre dans celle de quelqu'un d'autre. En tant que jeune soldat en Autriche, j'avais interrogé des dizaines de réfugiés d'Europe de l'Est au cas improbable où un ou deux d'entre eux seraient des espions. À ma connaissance, ce n'était le cas pour aucun, mais un bon nombre étaient des Tchèques. Ici, au moins, il y en avait un pour lequel je pouvais faire quelque chose.

Je ne me rappelle plus trop où Vladimir dormit les quelques nuits suivantes, si c'était chez Reisz, chez la femme qui l'accompagnait, chez Lindsay Anderson ou même chez moi. Mais je me rappelle bien qu'il passait les longues heures du jour dans mon affreux appartement au dernier étage, faisant les cent pas ou regardant par la grande baie vitrée.

Pendant ce temps-là, j'essaie de faire jouer toutes les relations dont je dispose pour obtenir la révision de la décision du ministère de l'Intérieur. Je téléphone à mon sympathique éditeur anglais, qui me suggère de contacter le rédacteur des pages nationales du *Guardian*, ce que je fais. Le rédacteur des pages nationales n'a pas le numéro direct du ministre de l'Intérieur, Roy Jenkins, mais il se trouve connaître Mme Jenkins. Enfin, c'est sa femme qui la connaît. Il va parler à sa femme tout de suite et me rappeler.

Je reprends espoir, car Roy Jenkins est un progressiste courageux réputé pour son franc-parler. Le rédacteur du *Guardian* me rappelle. Voilà ce qu'il faut faire : vous écrivez au ministre de l'Intérieur une lettre strictement factuelle, sans flatteries ni sentimentalisme. « Monsieur le ministre… » Vous la tapez et vous la signez. Si votre ami veut devenir médecin, dites-le dans la lettre et n'allez pas raconter qu'il va être un don du Ciel pour le National Theatre. Mais attention au détail crucial : vous adressez l'enveloppe non pas à Roy Jenkins, mais à Mme Jenkins, son épouse. Elle veillera à ce que la lettre soit posée sur la table du petit-déjeuner demain matin à côté de son œuf à la coque. Et bien sûr vous la déposez en main propre chez lui. Ce soir. À l'adresse suivante.

Je ne sais pas taper à la machine. Je n'ai jamais tapé à la machine. Mon appartement contient bien une machine à écrire électrique, mais personne n'est là pour s'en servir. J'appelle Jane. À cette époque, nous nous tournons autour (aujourd'hui, elle est devenue mon épouse). À côté de Pucholt, qui observe les toits de Londres par la fenêtre, je dicte une lettre qui commence par « monsieur le ministre de l'Intérieur » et Jane tape. Je libelle l'enveloppe au nom de Mme Jenkins, je la scelle, et nous voilà partis pour Notting Hill (ou ailleurs, je ne me rappelle plus où vivaient M. et Mme Jenkins).

Quarante-huit heures plus tard, Vladimir Pucholt obtient un titre de résident permanent en Grande-Bretagne. Pas un journal du soir ne s'extasie sur la grande vedette tchèque qui passe à l'Ouest. Il peut donc commencer ses études de médecine aussi vite et discrètement qu'il le souhaite. Cette nouvelle me parvient alors que je déjeune avec mon agent littéraire. Je retourne à mon appartement pour trouver Vladimir non plus devant la fenêtre, mais debout sur le balcon en jean et baskets. C'est une chaude après-midi ensoleillée. Dans une feuille de papier A4 dénichée sur mon bureau, il a découpé un avion. Se penchant un peu trop par-dessus la balustrade à mon goût, il attend une brise propice, lance son avion de papier et le regarde planer au-dessus des toits londoniens. Il m'explique ensuite que, jusqu'à présent, il n'avait pas pu voler, mais que, maintenant qu'il est autorisé à rester, tout va bien.

* * *

La suite de ce chapitre n'a pas pour sujet ma générosité infinie. Non, elle concerne la réussite de Vladimir, qui est devenu l'un des pédiatres les plus dévoués et les plus appréciés de Toronto.

Pour des raisons qui m'échappent encore aujourd'hui, je me suis retrouvé à prendre en charge ses études de médecine en Grande-Bretagne. Même à l'époque, cela me semblait la chose évidente à faire, puisque mes revenus étaient au zénith et les siens au nadir. Cette aide financière ne me priva de rien, ne nous causa, à ma famille et moi, pas une seule seconde de difficulté, ni à l'époque ni depuis. Les besoins de Vladimir étaient affreusement modestes parce qu'il le voulait ainsi. Sa détermination à rembourser jusqu'au dernier sou dès que possible était farouche. Pour nous éviter à tous les deux des discussions désagréables, je laissai mon comptable convenir des chiffres avec lui : tant pour vivre, tant pour étudier, tant pour les transports, le loyer, etc. Les négociations s'inversèrent : j'insistais pour plus, Vladimir pour moins.

Son premier poste dans le domaine médical fut celui d'assistant de laboratoire à Londres. De là, il partit pour un hôpital universitaire à Sheffield. Ses lettres appliquées rédigées dans un anglais lyrique en amélioration constante me chantaient le miracle de la médecine, de la chirurgie, des soins et du corps humain comme création magnifique. Il se spécialisa en pédiatrie et en soins intensifs néonatals. Avec un enthousiasme toujours intact, il m'écrit encore aujourd'hui pour me parler des milliers d'enfants et de bébés qu'il a soignés.

J'ai toujours éprouvé une certaine humilité et une certaine gêne à l'idée d'avoir joué les anges protecteurs au prix d'un si petit sacrifice pour moi et avec un bénéfice si extraordinaire pour les autres. Et ce qui est encore plus gênant, c'est que, presque jusqu'au jour de son diplôme, je n'avais jamais complètement cru qu'il réussirait.

* * *

Nous sommes en 2007, plus de quarante ans après le jour où Vladimir lança son avion en papier depuis le balcon de l'appartement dont je me suis depuis longtemps débarrassé. Je vis moitié en Cornouailles, moitié à Hambourg pour écrire un roman intitulé *Un homme très recherché*, sur un jeune demandeur d'asile originaire non pas de Tchécoslovaquie, mais de la Tchétchénie d'aujourd'hui. Il est mi-slave, mi-tchétchène. Il s'appelle Issa, ce qui correspond à Jésus, et il est musulman, pas chrétien. Son unique ambition est d'étudier pour devenir un grand médecin et guérir les personnes qui souffrent dans son pays natal, et notamment les enfants.

Prisonnier du grenier d'un entrepôt hambourgeois tandis que les espions se battent entre eux concernant son avenir, il fabrique des avions à partir d'un rouleau de papier peint et les fait voler à travers la pièce en direction de la liberté.

Plus tôt que je ne l'aurais jamais cru possible, Vladimir m'a remboursé jusqu'au dernier sou que je lui avais prêté. Ce qu'il ignorait (et moi aussi jusqu'à ce que j'en vienne à écrire *Un homme très recherché*), c'est qu'il m'avait en plus fait présent d'un personnage de fiction.

36

La carte de crédit
de Stephen Spender

Je crois que c'est en 1991 que je fus invité à un dîner à Hampstead pour rencontrer Stephen Spender, essayiste, dramaturge, romancier, déçu du communisme, pair du royaume, ancien poète lauréat des États-Unis et j'en passe.

Nous étions six à table, et Spender tenait le crachoir. À quatre-vingt-deux ans, il avait fière allure : cheveux blancs, léonin, vigoureux, plein d'esprit. Il dissertait sur l'évanescence de la célébrité (la sienne, j'imagine, mais je ne pouvais m'empêcher de penser qu'il me glissait discrètement là un conseil caché) et la nécessité pour ceux qu'elle touche d'accepter avec grâce leur retour dans l'obscurité. Pour illustrer son propos, il nous raconta l'anecdote suivante.

Il rentrait tout juste d'une traversée des États-Unis en voiture. Alors qu'il roulait dans le désert du Nevada, il repéra une rare station-service et jugea prudent de faire le plein d'essence. Un panneau écrit à la main, sans doute destiné à décourager les voleurs, précisait que le propriétaire acceptait seulement les paiements par carte. Spender présenta donc la sienne. Après l'avoir étudiée en silence, le garagiste finit par émettre ses réserves : « Le seul Stephen Spender dont j'aie jamais entendu parler est poète. Et il est mort. »

37

L'ultime secret officiel

Quand j'étais un jeune espion insouciant, il était bien naturel que je croie que les secrets les plus secrets de notre nation étaient à l'abri dans un coffre-fort Chubb vert écaillé remisé au bout d'un labyrinthe de couloirs miteux au dernier étage du 54, Broadway, en face de la station de métro St James's Park, dans le bureau privé occupé par le chef des services secrets.

Broadway, comme nous surnommions ces locaux, était vieux et poussiéreux et, du point de vue de la philosophie du Service, malcommode. L'un des trois ascenseurs grinçants était réservé au Chef, qui montait ainsi directement à un train de sénateur jusqu'au saint des saints du dernier étage. Seuls de rares élus en possédaient la clé. Nous autres, simples mortels, faisions notre ascension jusqu'à son bureau en utilisant un étroit escalier de bois surveillé par un judas et, lorsque nous arrivions sur le palier du dernier étage, par un concierge au visage de marbre assis sur une chaise de cuisine.

Je crois que c'était nous, les jeunes recrues, qui aimions le plus ce bâtiment, pour sa perpétuelle lumière crépusculaire, ses relents de guerres dans lesquelles nous n'avions pas combattu et de complots que nous ne pouvions qu'imaginer, son minuscule bar (sur invitation seulement) où les vieux de la vieille arrêtaient de parler dès que vous passiez devant, et sa sombre bibliothèque poussiéreuse de littérature d'espionnage, régie par un vieux bibliothécaire à la chevelure blanche qui, en tant que jeune espion, avait sillonné en son temps les rues de Saint-Pétersbourg avec les révolutionnaires bolcheviques et envoyé en morse ses messages secrets depuis une cave proche du palais d'Hiver. Le film *L'Espion qui venait du froid* et l'adaptation par la BBC de *La Taupe* captent un peu de cette atmosphère, mais aucun n'a jamais approché les mystères de ce vieux coffre-fort Chubb.

Le bureau privé du Chef était une pièce mansardée aux fenêtres drapées de plusieurs couches de voilages crasseux qui donnait la troublante impression de se situer en sous-sol. S'il voulait vous parler de façon officielle, il restait assis à son bureau vide, derrière le bouclier de portraits de sa famille (et, à mon époque, d'Allen Dulles et du chah d'Iran). S'il souhaitait installer une ambiance plus détendue, il utilisait les fauteuils en cuir craquelé. Mais dans les deux cas, le coffre-fort vert restait toujours dans votre champ de vision, vous dévisageant d'un air impénétrable depuis l'autre bout de la pièce.

Que diable pouvait-il contenir ? J'avais entendu dire qu'il existait des documents si secrets que seul le Chef en personne pouvait les toucher. S'il choisissait de les partager avec un tiers, ledit tiers devait d'abord signer un papier de son sang, lire les documents en la présence du Chef et les lui rendre aussitôt.

* * *

Et nous arrivons à ce triste jour où le rideau doit tomber sur Broadway, où le Service et toutes ses ouailles vont être transférés vers de nouveaux locaux à Lambeth. Le coffre-fort du Chef est-il exempté ? Des grues, des pieds-de-biche et des ouvriers silencieux vont-ils le transporter physiquement jusqu'à la nouvelle étape de son long chemin de vie ?

Après un débat dans les plus hautes sphères, il est décrété avec tristesse que le coffre, si vénérable soit-il, n'est plus apte au service dans notre monde moderne. Il sera ouvert. Son contenu sera examiné par des officiers assermentés, scrupuleusement inventorié et manipulé selon toutes les procédures adaptées à sa sensibilité.

Bon, alors, qui a la clé de ce machin ?

Pas le Chef en place, apparemment. Il a mis un point d'honneur à ne jamais s'aventurer dans ce coffre-fort ni se familiariser sans bonne raison avec les secrets qu'il renferme. On ne peut révéler ce qu'on ignore. Ses prédécesseurs encore en vie sont consultés en urgence. Pour la même raison, eux aussi se sont abstenus de fouler terre si sainte. Et ils ne savent pas où est cette foutue clé. Personne, ni les Archives, ni le Secrétariat, ni la Sécurité, ni même le concierge marmoréen sur sa chaise de cuisine, personne n'a vu ni touché une clé, ne sait où elle est ni qui l'avait en dernier. Tout ce que l'on sait, c'est que le coffre-fort a été installé sur ordre du révéré sir Stewart Menzies, chef du Service de 1939 à 1952 et obsédé du secret.

Alors, Menzies est-il parti avec la clé ? A-t-il été enterré avec ? A-t-il littéralement emporté son secret dans la tombe ? Il aurait eu tout lieu de le faire. Il était l'un des pères fondateurs de Bletchley Park. Il avait mené un millier de conversations privées avec Winston Churchill. Il avait négocié avec des mouvements de résistance antinazis en Allemagne, et avec l'amiral Canaris, le chef en porte-à-faux de l'Abwehr, les services de renseignement allemands. Dieu seul sait ce qu'il y avait dans ce coffre-fort vert.

Dans mon roman *Un pur espion*, il figure sous la forme du vieux meuble de classement vert écaillé qui accompagne Rick, l'alter ego de Ronnie, tout au long de sa vie. On dit qu'il contient la somme de toutes ses dettes à la société, mais lui non plus n'est jamais ouvert.

En attendant, le temps presse. D'un jour à l'autre, le nouvel occupant des lieux va faire valoir ses droits. Une décision au plus haut niveau s'impose d'urgence. Très bien, le Service a quand même crocheté un certain nombre de serrures en son temps, c'est donc le moment d'en crocheter une de plus. Qu'on fasse venir le monte-en-l'air du Service.

Ledit monte-en-l'air du Service connaît son affaire : avec une rapidité déconcertante, la serrure cède et il tire à lui la porte en fer grinçante. Tels les chasseurs de trésor Carter et Mace devant la tombe ouverte de Toutankhamon, les spectateurs se dévissent le cou pour être les premiers à voir les merveilles ici contenues. Il n'y en a pas. Le coffre-fort est vide, nu, dépourvu même du plus banal des secrets.

Mais attendez un peu ! Nous sommes en présence de conspirateurs professionnels qu'on ne gruge pas si facilement. Ce coffre-fort est peut-être un leurre, un faux, un tombeau secondaire, une enceinte extérieure pour protéger le sanctuaire intérieur ? On envoie chercher un pied-de-biche. On arrache délicatement le coffre du mur. Le plus haut gradé présent regarde derrière, pousse un cri étouffé, tâtonne dans l'espace qui sépare le coffre du mur et en extirpe un pantalon gris très épais, très vieux et très poussiéreux, avec une étiquette attachée dessus par une épingle de nourrice. L'inscription tapuscrite révèle que c'est là le pantalon porté par Rudolph Hess, le bras droit d'Adolf Hitler, quand il est venu par avion en Écosse négocier une paix séparée avec le duc de Hamilton dans l'espoir (mal placé) que le duc partageait ses opinions fascistes. Sous cette inscription, un gribouillis à la main écrit à l'encre verte traditionnellement utilisée par le Chef : *Faire expertise, pour évaluation de l'état de l'industrie textile allemande.*

38

Conseil à un jeune romancier

« Avant de m'arrêter d'écrire en fin de journée, je m'assure que j'ai laissé quelque chose en plan pour le lendemain. Le sommeil fait des miracles. »

Graham Greene à lui-même, Vienne, 1965

Sources

L'éditeur remercie sincèrement les publications suivantes pour leur aimable autorisation. Certains articles ont été reproduits à l'identique, la plupart n'ont été que partiellement repris.

Chapitre 10 : Sur le terrain (p. 87)

« The Constant Muse », première publication aux États-Unis dans *The New Yorker* en 2000, au Royaume-Uni dans *The Observer* et *The Guardian* en 2001, en France dans *Le Figaro Magazine* du 6 octobre 2001 sous le titre « Celle qui a inspiré mon roman », traduction d'Isabelle Perrin.

Chapitre 24 : Le gardien de son frère (p. 206)

« His Brother's Keeper », première publication sous la forme d'une postface à *A Spy Among Friends* de Ben Macintyre, publié aux États-Unis par Crown Publishing Group et au Royaume-Uni par Bloomsbury en 2014, et en français sous le titre *Kim Philby, l'espion qui trahissait ses amis*, Ixelles éditions, Bruxelles, 2014.

Chapitre 25 : Quel Panamá ! (p. 222)

« Quel Panamá ! », première publication aux États-Unis dans *The New York Times* (reproduit avec leur autorisation), au Royaume-Uni dans *The Daily Telegraph* en 1996, et en France dans *Le Magazine littéraire* d'octobre 1997 sous le titre « Quel Panamá ! ».

Chapitre 26 : Sous couverture (p. 234)

« Under Deep Cover », première publication aux États-Unis dans *The New York Times* (reproduit avec leur autorisation) et au Royaume-Uni dans *The Guardian* en 1999, en France dans *Le Siècle du Monde* du 7 mai 1999 sous le titre « À l'espion inconnu », traduction d'Isabelle Perrin.

Chapitre 27 : À la chasse aux seigneurs de la guerre (p. 238)

« Congo Journey », première publication aux États-Unis dans *The Nation* et au Royaume-Uni dans *The Sunday Telegraph* en 2006, en France dans *Le Monde* du 21 septembre 2007 sous le titre « Une réalité si stupéfiante », traduction d'Isabelle Perrin.

Chapitre 28 : Richard Burton a besoin de moi (p. 251)

« The Spy Who Liked Me », première publication aux États-Unis dans *The New Yorker* en 2013.

Chapitre 29 : Alec Guinness (p. 265)

« Mission into Enemy Territory », première publication au Royaume-Uni dans *The Daily Telegraph* en 1994, reproduit comme préface à *My Name Escapes Me : The Diary of a Retiring Actor* d'Alec Guinness, Hamish Hamilton, Londres, 1996.

Chapitre 33 : Le fils du père de l'auteur (p. 295)

« In Ronnie's Court », première publication aux États-Unis dans

SOURCES

The New Yorker en 2002, au Royaume-Uni dans *The Observer* en 2003, en France parution en feuilleton (sept épisodes) en juillet et août 2004 dans *Le Figaro Magazine* sous le titre « À la cour de Ronnie : un fils en quête de père », traduction d'Isabelle Perrin.

Table

Préface.   7
Introduction   9

 1. Ne crachez pas sur vos services secrets.   23
 2. Les lois de Globke.   37
 3. Visite officielle   48
 4. Le doigt sur le bouton   51
 5. À qui se reconnaîtra.   58
 6. Les rouages de la justice britannique.   62
 7. Ivan Serov passe à l'Ouest   64
 8. Un héritage   71
 9. L'innocence de Murat Kurnaz   81
10. Sur le terrain   87
11. Jerry Westerby en chair et en os   97
12. Seul à Vientiane. 101
13. Le théâtre du réel : danse avec Arafat 105
14. Le théâtre du réel : la Villa Brigitte. 118
15. Le théâtre du réel : responsable mais pas coupable ? . . . 125
16. Le théâtre du réel : noms d'oiseaux. 129
17. Le chevalier soviétique se meurt dans son armure 136
18. Le Far West de l'Est : Moscou 1993. 150
19. Du sang et des larmes 163

20. Dans la fosse aux ours 173
21. Chez les Ingouches 186
22. La récompense de Joseph Brodsky 191
23. De source mal informée 194
24. Le gardien de son frère 206
25. Quel Panamá ! 222
26. Sous couverture 234
27. À la chasse aux seigneurs de la guerre 238
28. Richard Burton a besoin de moi 251
29. Alec Guinness 265
30. Chefs-d'œuvre mort-nés 271
31. La cravate de Bernard Pivot 283
32. Déjeuner avec des prisonniers 290
33. Le fils du père de l'auteur 295
34. À Reggie, avec mes remerciements 334
35. L'homme le plus recherché 336
36. La carte de crédit de Stephen Spender 347
37. L'ultime secret officiel 348
38. Conseil à un jeune romancier 352

Sources 353

Du même auteur

AUX ÉDITIONS DU SEUIL

Notre jeu, *1996*
et « Points », n° P330

Le Tailleur de Panamá, *1997*
et « Points », n° P563

Single & Single, *1999*
et « Points », n° P776

La Taupe, *2001*
nouvelle édition
et « Points », n° P921

Comme un collégien, *2001*
nouvelle édition
et « Points », n° P922

Les Gens de Smiley, *2001*
nouvelle édition
et « Points », n° P923

Un pur espion, *2001*
nouvelle édition
et « Points », n° P996

La Constance du jardinier, *2001*
et « Points », n° P1024

Le Directeur de nuit, *2003*
nouvelle édition
et « Points », n° P2429

La Maison Russie, *2003*
nouvelle édition
et « Points », n° P1130

Un amant naïf et sentimental, *2003*
nouvelle édition
et « Points », n° P1276

Le Miroir aux espions, *2004*
nouvelle édition
et « Points », n° P1475

Une amitié absolue, *2004*
et « Points », n° P1326

Une petite ville en Allemagne, *2005*
et « Points », n° P1474

Le Chant de la Mission, *2007*
et « Points », n° P2028

Un homme très recherché, *2009*
et « Points », n° P2227

Un traître à notre goût, *2011*
et « Points », n° P2815
sous le titre Un traître idéal

Une vérité si délicate, *2013*
et « Points », n° P3339

AUX ÉDITIONS GALLIMARD

Chandelles noires, *1963*
L'Espion qui venait du froid, *1964*
L'Appel du mort, *1973*

AUX ÉDITIONS ROBERT LAFFONT

Le Voyageur secret, *1991*
Une paix insoutenable (essai), *1991*
Le Directeur de nuit, *1993*

et en collection « Bouquins »

tome 1

L'Appel du mort
Chandelles noires
L'Espion qui venait du froid
Le Miroir aux espions
La Taupe
Comme un collégien

tome 2

Les Gens de Smiley
Une petite ville en Allemagne
La Petite Fille au tambour
Le Bout du voyage (théâtre)

tome 3

Un amant naïf et sentimental
Un pur espion
Le Directeur de nuit

RÉALISATION : NORD COMPO À VILLENEUVE-D'ASCQ
IMPRESSION : CPI FRANCE
DÉPÔT LÉGAL : OCTOBRE 2016. N° 132298 (137122)
Imprimé en France